A
Bíblia
do Yoga

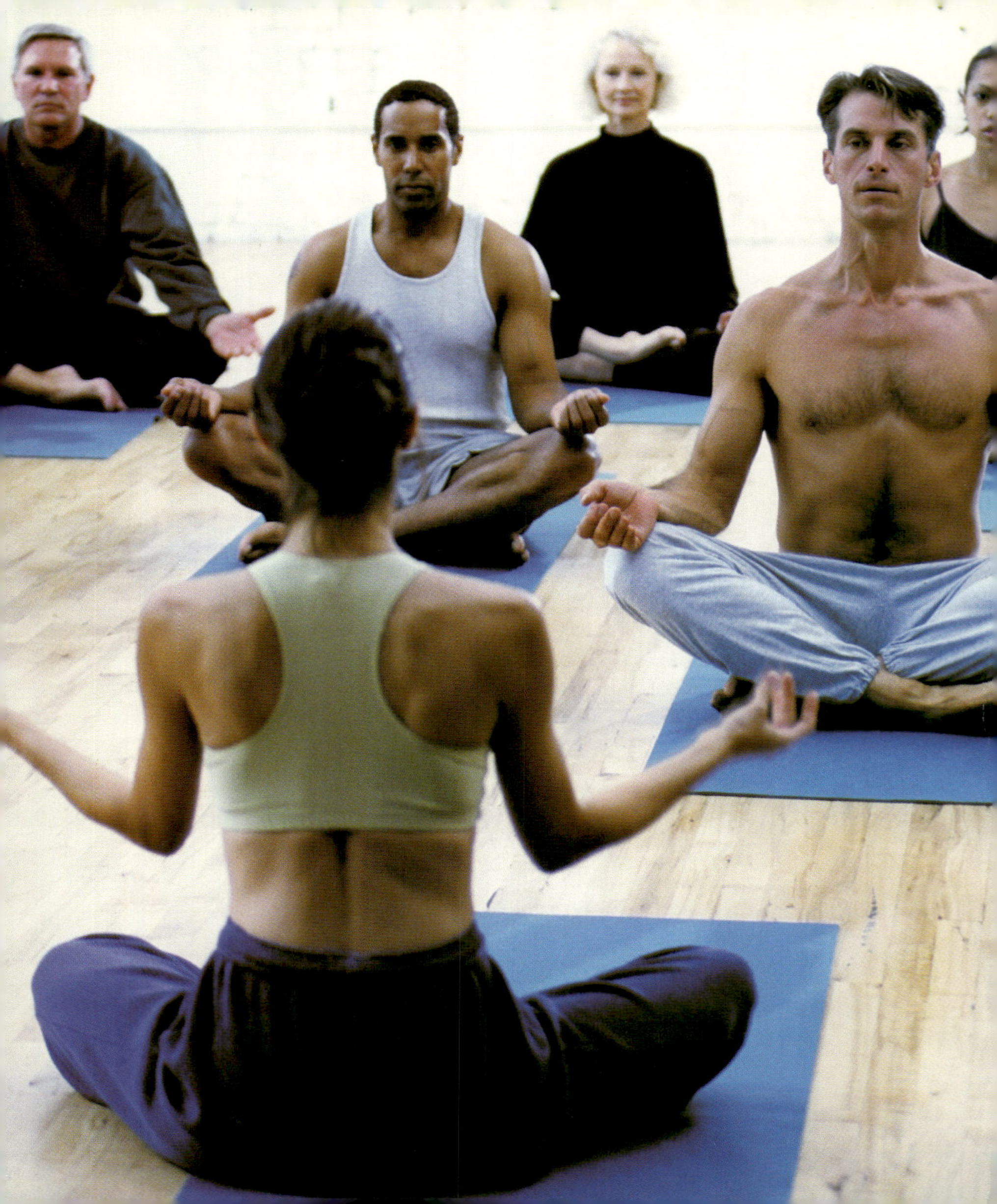

A Bíblia do Yoga

O livro definitivo em posturas de yoga

Christina Brown

Tradução:
CARMEN FISCHER

Revisão técnica:
JOÃO CARLOS B. GONÇALVES

Editora Pensamento
SÃO PAULO

Título do original: *The Yoga Bible*.

Hachette Livre UK Company – www.hachettelivre.co.uk
Publicado originalmente na Grã-Bretanha em 2003 pela Godsfield Press,
uma divisão do Octopus Publishing Group Ltd.
Carmelite House, 50 Victoria Embankment, London EC4Y 0DZ
www.octopusbooks.co.uk
Copyright © 2003 Godsfield Press – Copyright do texto © 2003 Christina Brown

1ª edição, 2010.
4ª reimpressão, 2020.

Projetado e produzido para Godsfield Press pela The Bridgewater Book Company.

Fotografias de Colin Husband

Modelos: Richard James Allen, Simon Borg Olivier, Bianca Machliss, Jasmine Heptonstall, James Sierra e Christina Brown.

Todos os direitos reservados. Nenhuma parte desta obra pode ser reproduzida ou usada de qualquer forma ou por qualquer meio, eletrônico ou mecânico, inclusive fotocópias, gravações ou sistema de armazenamento em banco de dados, sem permissão por escrito, exceto nos casos de trechos curtos citados em resenhas críticas ou artigos de revistas.

Christina Brown reserva-se o direito moral de ser identificada como autora desta obra.

As informações transmitidas neste livro não devem ser tomadas como prescrição médica. As pessoas com algum problema de saúde devem consultar um médico ou terapeuta qualificado.

Dados Internacionais de Catalogação na Publicação (CIP)
(Câmara Brasileira do Livro, SP, Brasil)

Brown, Christina
 A Bíblia do yoga : o livro definitivo em posturas de yoga/ Christina Brown ; tradução Carmen Fischer ; revisão técnica João Carlos B. Gonçalves. -- São Paulo : Pensamento, 2009.

 Título original: The yoga Bible
 ISBN 978-85-315-1594-1

 1. Aptidão física 2. Yoga 3. Hatha yoga I. Título.

09-10014   CDD-613.7046

Índices para catálogo sistemático:

1. Yoga : Exercícios : Aptidão física   613.7046

Direitos de tradução para a língua portuguesa
adquiridos com exclusividade pela
EDITORA PENSAMENTO-CULTRIX LTDA.
Rua Dr. Mário Vicente, 368 – 04270-000 – São Paulo, SP – Fone: 2066-9000
E-mail: atendimento@grupopensamento.com.br – http://www.editorapensamento.com.br
que se reserva a propriedade literária desta tradução.

Sumário

Parte Um
Introdução 6

Parte Dois
A Prática 26
Práticas Preliminares 30
Posturas em Pé 44
Posturas Sentadas e Outras Feitas no Chão 98
Torções e Outros Exercícios para Tonificar os
    Músculos Abdominais 174
Posturas de Equilíbrio sobre os Braços 212
Flexões para Trás 236
Posturas Invertidas 278
Relaxamento 308
Pranayama 314
Selos – Mudras 330
Travas para Reter a Energia dentro do Corpo – Bandhas 336
Técnicas de Limpeza e Purificação do Yoga – Krivas 342

Parte Três
A Prática de Yoga Voltada para Finalidades Específicas 350

Parte Quatro
Descubra qual é o seu Yoga 376
Glossário 392
Índice 394

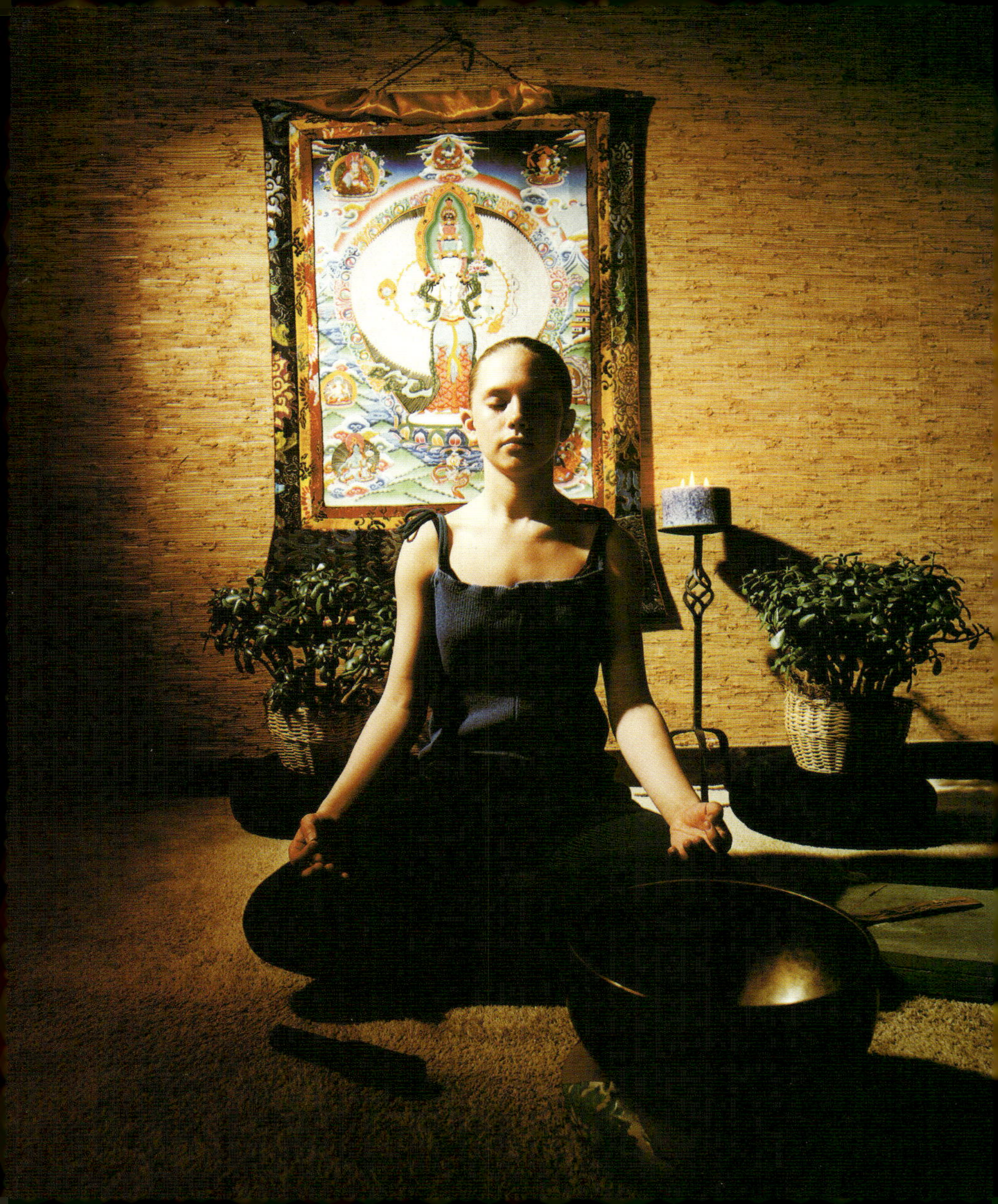

Parte Um

Introdução

Introdução

Praticar yoga é aprender o caminho de volta para si mesmo. Descobrir os próprios limites, ampliá-los e ser capaz de relaxar no ser que você é. Implica tirar tempo para recuperar a lembrança de quem você é e que se perdeu em meio ao turbilhão do cotidiano acelerado. No plano físico, como na vida, estar em desequilíbrio não é nada agradável. Viver com a sensação de que pode desmoronar a qualquer momento não é nem seguro nem confortável. Uma das razões de o yoga ter ultimamente crescido tanto em popularidade está no fato de contribuir para que você se sinta um ser harmonioso, integrado e completo. Aprendendo a encontrar seu centro numa postura de yoga, você está também descobrindo seu centro em outras áreas da vida. Na verdade, ao aprender a manter-se numa postura, você está treinando para lidar melhor com os acontecimentos da vida.

O que é Yoga?

Um autor chamado Patanjali escreveu, há 2.500 anos, o *Yoga-sutra*, o primeiro texto escrito sobre yoga. Nele, ele definiu yoga como *chitta-vrtti-nirodhah*, que significa a cessação dos tumultos da mente. A definição que eu costumo dar ao yoga é a que diz respeito à sua capacidade de apaziguar a mente. É a definição moderna mais comum, formulada pelo eminente mestre T. K. V. Desikachar, segundo a qual o objetivo do yoga "...é voltar a mente para um único objeto e mantê-la concentrada nele sem qualquer distração".

Os ocidentais e os leigos em geral costumam pensar no yoga como suas variadas posturas físicas. Seu nome teve origem na palavra sanscrítica *yuj*, que é comumente traduzida por "unir, juntar ou ligar". Todas essas associações implicam reintegração e reequilíbrio ou levar o eu a um estado de harmonia. Entre os outros significados atribuídos a *yuj*, distinguem-se os sentidos de "centrar os próprios pensamentos, concentrar-se em si mesmo ou meditar profundamente". Todos eles estão

A prática do yoga nos ajuda a alcançar a calma interior.

em perfeita concordância com a definição acima de yoga que consta no *Yoga-sutra*.

Na verdade, o yoga é um estado mental. Realizar o propósito de aquietar a mente não é tarefa fácil e, por isso, foram desenvolvidas práticas que permitem caminhar em sua direção. Aquietar a mente é, na verdade, uma meta intangível. Mas o progresso feito na execução de uma postura de yoga pode ser avaliado em termos de seu alinhamento, extensão do estiramento e tempo de manutenção da postura. É muito mais fácil trabalhar com algo tangível – o corpo – para então almejar algo intangível – o apaziguamento da mente. Na prática de yoga, você começa em algum ponto conhecido e, usando o corpo e a respiração, move-se em direção ao desconhecido. Ao abrir o corpo e a mente nas posturas de yoga e nas práticas respiratórias, você abre-se para a experiência profunda e prazerosa de quietude interior.

Técnicas budistas de meditação podem ser usadas durante a prática de yoga.

Enquanto a mente humana tende a ter pensamentos que oscilam entre o passado e o futuro, o corpo humano existe apenas no momento presente. O hatha yoga, uma modalidade de yoga com ênfase no esforço vigoroso e persistente, estimula a percepção do corpo. Concentrar-se no corpo traz a mente de volta para o presente. E com isso, as preocupações são esquecidas, como também os "deveres" e as "obrigações". Uma das razões de a prática do yoga ser tão restauradora está no fato de, mesmo que seja apenas por um instante, existir apenas a realidade do momento presente. Toda vez que você vive no momento presente, você larga certa quantidade de bagagem. É possível que a retome logo depois, mas o importante é ter tido a experiência de largá-la. Com isso, você acaba reduzindo o nível de stress com mais frequência e por períodos mais longos de tempo. Nesse sentido, o yoga é uma prática para toda a vida, uma fantástica ferramenta de transformação.

De acordo com o *Yoga-sutra*, o yoga consiste de oito membros que incluem códigos de conduta moral, exercícios físicos, práticas respiratórias, concentração (capacidade para direcionar a mente para um objeto e mantê-la concentrada nele) e meditação (estado de foco direcionado para um único objeto, ver p. 15). No ocidente, a prática de *asanas*, posturas físicas, é a mais comumente associada ao yoga. No entanto, o yoga pode ser qualquer coisa que proporciona um senso de unidade, ajuda a pessoa a conectar-se consigo mesma e a se lembrar de quem ela é. Pode ser uma caminhada na praia, um gostoso bocejo ou o simples ato de respirar conscientemente.

Qualquer prática que ajude a pessoa a centrar-se em si mesma é importante. Quando opera a partir de um espaço próximo de seu centro, é mais fácil para ela manter-se calma e focada. O desequilíbrio é uma tremenda fonte de stress. Se as coisas vão mal quando você já está em desequilíbrio, é como nadar contra uma forte correnteza. Quanto maior a distância, maior é a dificuldade de nadar de volta para a praia. Mas as distrações e os estímulos sensoriais fazem com que procuremos a saída fora, em vez de dentro, de nós mesmos. O verdadeiro desafio que a vida nos impõe é conseguir nos manter conectados com o nosso próprio eu enquanto interagimos com os outros, respondendo apropriadamente às pessoas e aos acontecimentos sem perder a conexão com nosso próprio centro.

Os Benefícios do Yoga

A prática regular de yoga traz benefícios a médio e longo prazo para o *corpo- mente* – o conjunto de aspectos físicos, psicológicos e espirituais que forma o ser humano. Também proporciona o efeito instantâneo de bem-estar. É simplesmente mais agradável estar num corpo mais solto e mais livre do que num contraído, tenso e preso. O corpo humano foi feito para se movimentar livremente. Com a integração de todas as partes que formam a totalidade do seu ser, é comum ao praticante ter a sensação de ser mais alto e mais livre. E mesmo após a prática, ele continua relaxado e se sentindo feliz e à vontade. De acordo com a filosofia indiana, tudo é uma combinação das três qualidades essenciais chamadas gunas: *sattva* (estado puro de equilíbrio), *rajas* (atividade, agitação) e *tamas* (inércia, indolência, depressão).

A melhor prática de yoga é aquela que se integra à vida do praticante.

A maioria dos praticantes inicia uma sessão de yoga ou em estado de agitação ou hiperatividade ou de indolência ou letargia. No final da maioria das sessões, eles passaram para um estado do tipo *sattva*, tanto mental como fisicamente.

O yoga proporciona uma sensação de expansão em muitos níveis. Ele permite que você reencontre seu senso de integridade interna que, no mundo acelerado de hoje, é comum se perder. Se você começa a prática com o corpo agitado e a mente hiperativa ao ponto de dificultar o foco em algo, a prática apropriada aliviará as tensões físicas e acalmará tanto a mente como as emoções. Se você a inicia com uma disposição físico-mental indolente ou letárgica, a prática apropriada trará de volta o vigor a seu corpo, a clareza à sua mente e lhe proporcionará uma experiência de paz. Cada prática de yoga representa um aumento de consciência que cria o estado contrário ao da situação em que você se encontra. Sempre que volta realmente para si mesmo, você tem a oportunidade de perceber sua integridade essencial.

O yoga proporciona os meios para ir da paixão para a clareza da imparcialidade, da preocupação para a despreocupação e do mal-estar para o bem-estar. Sua prática faz soltar as amarras, deixando a pessoa mais livre e solta para se relacionar. Se a prática escolhida deixa você mais à vontade e feliz, ela é a prática certa para você.

Os Oito Membros do Yoga

De acordo com o *Yoga-sutra*, o yoga é formado de oito membros. Conquanto a porta de entrada para o yoga para muitos nos dias de hoje seja o corpo e seus *asanas*, este é apenas um dos métodos. Você pode querer explorar os outros membros ao avançar em sua prática.

1. YAMA. Yama é uma restrição moral que dita não apenas nossos atos, mas também nossas palavras e pensamentos. Como tal, o yama exerce grande poder e requer vigilância da parte do praticante de yoga). São cinco os yamas descritos no *Yoga-sutra*:

- **Ahimsa**. Este termo é comumente traduzido por "não violência" ou "não agressão" e abrange o sentido de compaixão ou consideração por todos os seres vivos. Nele, também está incluído o tratamento que você dá ao seu corpo durante a prática de yoga. Sobrecarregar o corpo é o mesmo que não cuidar dele e, como tal, é um tipo de abuso. Estimular e persuadir, tudo bem, mas não forçar as posturas.

- **Satya**. Este termo tem a ver com ser autêntico. Inclui a noção de comunicação apropriada – conduzindo a própria vida com honestidade nas atitudes, pensamentos e intenções. É importante avaliar corretamente a condição em que se encontra a cada dia antes de praticar uma postura difícil para não se forçar a ultrapassar os limites físicos. Para um ambientalista, agir de acordo com as próprias crenças pode implicar não trabalhar para um conglomerado multinacional de petróleo; para um vegetariano, não trabalhar para uma cadeia de *fast food* ou de hambúrguer.

- **Asteya**. Muitas vezes traduzido como "não roubar", o termo abrange todos os modos de evitar a cobiça, como também o cultivo de uma visão menos materialista da vida e menos impulsionada por desejos de ter o que não nos pertence. Asteya também inclui não intimidar alguém para fazer ou conceder algo contra sua vontade ou fazer cópias de músicas que privam os artistas de seus direitos autorais.

- **Brahmacharya**. Muitas pessoas atribuem a esta palavra o significado de celibato. Em muitas tradições espirituais, o celibato é um meio de desviar as energias da sexualidade para o crescimento espiritual. O termo também pode ser interpretado como moderação de nossas atitudes em busca de satisfazer nossos impulsos sensuais. Significa evitar a indulgência dos sentidos e escolher parceiros sexuais com cuidado para que o sexo seja mais baseado no amor do que em propósitos manipulativos. Num nível mais profundo, ele significa compromisso e fusão com o Divino.

- **Aparigraha**. Pode ser traduzido como "ausência de cobiça" ou desprendimento, uma vez que estimula a pessoa a separar suas verdadeiras necessidades daquilo que ela simplesmente deseja ou quer. O apego à vida e aos bens materiais dificulta o alcance da felicidade duradoura, já que a lista de desejos tende a não acabar nunca. É melhor medir os êxitos pelo que se é em vez de pelo que se possui. Em vez de desejar mais, é importante reconhecer o que já se tem: ar puro, boas recordações, alimentos saudáveis, amigos, boa saúde e algumas leituras enriquecedoras.

Uma sessão de yoga pode envolver muito mais do que a mera prática de posturas físicas.

2. NIYAMA. Significa "preceito" ou "lei". O niyama incorpora a disciplina a nossos atos e condutas e também à atitude que temos para com nós mesmos. Patanjali relaciona cinco tipos de niyama:

- **Saucha**. Este termo significa "pureza" ou "asseio". Além da limpeza do corpo e do meio circundante, abrange também os alimentos e os pensamentos.

- **Santosha**. Este preceito nos fornece a oportunidade de cultivar o sentimento de satisfação e de gratidão pelo que temos. Também incentiva a adoção de uma atitude positiva para com aquilo que não temos. No entanto, embora seja inegável o benefício de se ver o lado positivo das coisas e se conformar com uma situação indesejável, este preceito não é para ser usado como desculpa para a pessoa não dar-se ao trabalho de fazer algo para mudá-la.

- **Tapas**. Originado de verbos que significam "queimar" ou "cozinhar", este preceito incentiva a pessoa a desenvolver uma firme determinação e um ardente entusiasmo para encarar tanto a prática de yoga como a vida.

- **Swadhyaya**. É o preceito voltado para o autoexame que conduzirá ao autoconhecimento. *Swadhyaya* engloba tanto o autoexame atento como a aprendizagem contínua por meio formais e informais de estudos.

- **Ishvarapranidhana**. Seguindo este preceito, você aceita a existência de um princípio de saber todoabrangente. Ele faz lembrar que esse poder superior está tanto fora como dentro de você e que esse conhecimento dá sentido à sua vida. Nos textos de yoga, não é mencionado nenhum deus – cabe ao leitor decidir se prefere seguir um ideal em vez de servir a um deus.

3. ASANAS. As posturas físicas do hatha yoga constituem o que no Ocidente costuma se confundir com o próprio yoga. Nos *Yoga-sutras*, entretanto, Patanjali faz apenas três menções aos *asanas*. O propósito dos *asanas* é purificar o corpo e prepará-lo para as longas horas de meditação necessárias para se alcançar o estado *samadhi*. Nesse estado de transe transcendental, a mente é capaz de permanecer focada em seu objeto sem se distrair. Em comunhão com seu objeto de meditação, o praticante tem a experiência inenarrável de paz e felicidade.

4. PRANAYAMA. É o controle da respiração com o propósito de cultivar a força vital (*prana*) interior. (Ver a parte sobre Pranayama nas pp. 314-29).

Ao trabalhar com o corpo, o yoga nos ensina a ter mais controle sobre a mente.

5. PRATYAHARA. É a retirada dos sentidos. Com a mente controlando os sentidos, as distrações externas diminuem e ela pode se voltar para dentro e focalizar os outros membros do yoga.

6. DHARANA. Significa concentração da mente – a capacidade de direcionar a mente para um objeto e mantê-la focada nele. O *Dharana* abre caminho para o sétimo e o oitavo membros, que são *Dhyana* e *Samadhi*.

7. DHYANA. É a meditação em que a mente tem um único foco.

8. SAMADHI. É o estado iluminado de fusão com o absoluto. Nesse estado de êxtase, os pensamentos erráticos são neutralizados, o yogue exerce o controle sobre a mente e sua turbulência é acalmada.

As Asanas

Asanas são posturas de yoga que restabelecem o equilíbrio do corpo. Elas fortalecem as áreas fracas e flexibilizam as partes rijas do corpo. É um ótimo exercício para o corpo com o benefício extra de fortalecer também o interior da pessoa. Elas não apenas criam espaço no corpo físico, mas também proporcionam a sensação de maior espaço psíquico. Ao soltar o corpo externo – o corpo físico com seus músculos, ossos, tendões, ligamentos e órgãos viscerais – os asanas desenvolvem e controlam o prana, ou força vital, das energias sutis do corpo, energias essas que são mais refinadas e sutis do que as do corpo físico grosseiro que podemos ver. Os asanas são considerados técnicas capazes de purificar e curar tanto o corpo como essas energias sutis. O hatha yoga é uma poderosa ferramenta de autoajuda que funciona como medicina preventiva.

A primeira coisa que as pessoas me dizem ao descobrirem que sou professora de yoga é: "Não tenho flexibilidade suficiente para praticar yoga". E eu costumo responder: "É por esse mesmo motivo que nós a praticamos". Não permita que a rigidez do seu corpo seja uma desculpa para não começar a praticar yoga. Cada um pode começar exatamente onde se encontra no momento. Não julgue a sua prática pela extensão do seu alongamento. Não se sinta incapaz por não conseguir permanecer por muito tempo numa determinada postura ou por ela não corresponder à postura do modelo fotografado fazendo yoga. Pratique levar a atenção para todas as partes do corpo. Em vez de forçar a se manter numa postura, preste atenção e curta a respiração.

A prática de yoga aumenta a flexibilidade, independentemente da idade ou do nível de aptidão física da pessoa.

É só você começar para ver até onde a prática pode levar.

Não julgue a sua prática pela extensão do seu alongamento.

Eu costumo usar o termo "limite" para descrever o ponto no qual o grande desafio é manter uma postura e no qual você se sente diante de uma nova fronteira. É o ponto situado entre o conforto e o desconforto, no qual você sente ter chegado a seu limite. Você vai perceber que esse ponto varia de um dia para outro. Talvez você note que seu limite físico é diferente do seu limite mental. Seja flexível para ajustar sua prática de maneira a respeitar ambos. Faça movimentos lentos ao se aproximar do seu limite. Já nele, seu corpo vai acabar se soltando e ampliando seu limite. Aguarde até ele dar um sinal. Não se apresse feito um touro desembestado – seria desrespeito para com seu corpo. Seja paciente e espere que ele sinalize a sua disposição.

Esteja mentalmente presente enquanto pratica. Permita que sua mente se concentre totalmente na prática e nas sensações sutis do seu corpo. Faça com que a prática se torne uma espécie de diálogo com o corpo. Seja reflexivo, atencioso e sensível para com ele.

Como Praticar

As instruções dadas neste livro referem-se à versão completa de cada postura, mas não esqueça de que não existe uma postura "perfeita". Cabe a cada um descobrir o modo de executar cada postura que seja mais benéfico para a sua saúde. Cada *corpo-mente* tem suas próprias necessidades e estas variam de um dia para outro e até mesmo de minuto para minuto. Não desanime se não conseguir reproduzir as posturas exatamente como mostradas nas fotografias. Em geral, por todo este livro, é mostrada a variante mais completa (e mais difícil) de cada postura. As fotos mostram posturas pelo lado esquerdo ou pelo lado direito. As posturas assimétricas são executadas alternadamente em ambos os lados do corpo. Você escolhe por qual lado começar. Muitas posturas vêm acompanhadas de um quadro contendo as devidas informações sobre os seguintes tópicos:

- **OLHAR** O ponto focal para onde os olhos se voltam durante a postura.
- **POSTURAS PREPARATÓRIAS** Exercícios que ajudam a executar a postura completa.
- **POSTURAS COMPENSATÓRIAS** Outras posturas que equilibram os efeitos da postura executada.
- **ABRANDAMENTOS** Maneiras de facilitar a execução da postura.
- **EFEITO** A sensação geral proporcionada pela postura.

Respiração

A essência do yoga está muito mais na respiração do que na intensidade das posturas. Quem sabe respirar pode praticar yoga. Estabeleça uma relação de intimidade com sua respiração. Mais que seu melhor amigo ou sua melhor amiga, saiba que sua respiração estará sempre a seu alcance no curso de toda sua vida. Respirar bem é fonte de calma, tranquilidade e recuperação. É ela que dá vida às posturas. Restabelecer a conexão com o ato natural de respirar proporciona as sensações de limpeza, leveza e clareza. Prender a respiração obscurece a percepção, gera tensão e obstrui a sensação de liberdade que a prática de yoga proporciona ao todo corpo-mente. Respirar conscientemente em cada postura mantém a mente alerta e faz com que a prática seja uma viagem exploratória e não caia na rotina. A respiração consciente durante a postura traz a mente para o momento presente. Com a mente no momento presente, as distrações são minimizadas e torna-se mais fácil encontrar a essência do yoga – o domínio da mente e o restabelecimento da conexão com o próprio ser.

Com o aumento da consciência da respiração, você perceberá a sua utilidade como um recurso para avaliar sua proficiência em cada postura. Quando a respiração alcança a estabilidade, sua postura aproxima-se da perfeição. Permita que sua respiração seja completa, estável e suave durante a sua prática de *asanas*. Se ela deixar de fluir naturalmente e ficar irregular, truncada ou forçada, tome isso como uma advertência para reduzir a intensidade da prática. Incorpore à sua prática de posturas a Respiração Triunfante (ver p. 322). Essa prática respiratória atiça o fogo interior e aquece todo o corpo. O som ritmado e agradável dessa prática respiratória torna-se um foco para a mente e a impede de ficar indo de um lado para o outro.

Se a prática dessa respiração se mostrar difícil ou se você sentir que ela cria alguma tensão no corpo, volte a estabilizar a respiração em seu modo natural. Se voltar a notar que a respiração está paralisada ou que você deixa de expirar, pratique a respiração circular – uma espécie de fluxo respiratório em que o ar não é retido e não há um intervalo longo entre a inspiração e a expiração ou vice-versa. Em minhas aulas, costumo chamar a atenção dos alunos para que não prendam a respiração. É natural prendê-la diante de algo novo e costuma ocorrer com os iniciantes aprendendo uma postura de yoga que lhes é desconhecida.

Respirar pela boca é algo raro durante a prática de yoga. Respirar pelas narinas filtra e aquece o ar antes de penetrar nos pulmões. Permita que a intuição guie a sua respiração, mas procure inspirar ao abrir ou estender o corpo, ao sair de uma postura, elevar os braços, girar a parte superior das costas ou abrir o peito, como quando faz uma flexão para trás. Na maioria das pessoas, a expiração ocorre naturalmente ao se abaixar, descer os braços ou pernas, fazer flexões para a frente ou para os lados ou girar as costas.

Observe atentamente sua respiração e estabeleça uma relação de intimidade com ela.

Por todo este livro, o número de respirações é indicado como tempo de permanência em certas posturas. Como a prática de yoga é totalmente personalizada, essas são meras sugestões. Cabe a cada pessoa determinar quanto tempo permanecer numa determinada postura em cada dia específico.

Com que Frequência Praticar

A chave está na regularidade! É mais conveniente praticar por pouco tempo com regularidade do que por muito tempo de modo irregular. Uma vez por semana é um bom começo, mas três sessões por semana produzem mudanças mais facilmente observáveis no corpo. Se você adotar a filosofia do yoga, perceberá que sua prática passa a ter efeitos sobre todo o seu estilo de vida.

Para certas pessoas, a prática de yoga se resume a muita falação sobre como elas "nunca vão conseguir executar" uma determinada postura. Essa não é uma atitude recomendável. Em vez disso, trate de dedicar tempo para praticar as posturas preparatórias. O ser humano tende naturalmente a criar aversão por aquilo que não consegue fazer. Em vez de evitar as posturas desafiadoras, escolha as posturas preparatórias apropriadas e dedique-se compassivamente a ampliar seus limites atuais. A prática nem sempre leva à "perfeição", mas com certeza melhora qualquer que seja a atividade a qual você se dedica. E como em qualquer outra área da vida, quem não pratica tem muito menos chance de progredir.

Dedique-se de coração à sua prática. Praticar yoga não tem nada a ver com esportes olímpicos ou tênis profissional. O aspecto mais extraordinário de sua prática é que você só melhora com a idade. As pessoas continuam a melhorar fisicamente (e mentalmente) com o passar das décadas. Estar mentalmente presente e respeitar os próprios limites a cada dia ajuda a prevenir lesões. Descobrir o próprio limite numa determinada postura e esperar pacientemente para dar o próximo passo ajuda a expandi-lo. Com base nesse ponto, sua força, flexibilidade, confiança e foco só aumentarão. Lembre-se também que o yoga é um estado da mente. Com o tempo e a prática regular, sua capacidade de aquietar a mente aumenta e, com isso, também sua sabedoria.

A Intensidade da Prática

Sensações intensas costumam surgir no decorrer da prática. As sensações resultantes de um intenso alongamento não são necessariamente ruins, mas não se obrigue a entrar numa postura. O desconforto é uma sensação resultante do esforço que mesmo assim é tomado como positivo. A dor é algo mais forte que o desconforto e não há nenhum elemento agradável nela. Enquanto o desconforto produz uma "sensação agradável", a dor é algo totalmente negativo e contraproducente. O surgimento da dor na execução de uma postura significa que ou você extrapolou seu limite e se precipitou ou que seu alinhamento está fora de prumo. Dores musculares ou nas articulações podem resultar em lesões; portanto, não as ignore. Saia da postura e converse com seu professor.

Lembre-se que o propósito do yoga é aproximar você de sua verdadeira essência. Em vez de aumentar a dor, seu propósito é eliminar o sofrimento. Dor e lesão são sinais de que você se afastou de sua verdadeira natureza. Se sua prática não aumenta a sua alegria de viver, ela não é a prática apropriada para você.

Como Tornar sua Prática Mais Fácil

- Escolha posturas mais fáceis e apropriadas para o seu nível de aptidão física. As posturas básicas são as indicadas com o símbolo do triângulo ▲.
- Para cada postura são indicados os exercícios preparatórios. Siga as instruções básicas e ignore as mais avançadas que tendem a aumentar a intensidade.
- Mantenha os braços abaixados e não erguidos nas posturas. Flexione os joelhos ao inclinar-se para a frente ou ao sair de uma flexão para a frente e voltar à posição em pé.
- Lembre-se que a prática regular é a chave para o sucesso.
- Faça uma pausa para descansar entre uma postura e outra.
- Faça movimentos lentos e respire calmamente. Uma reação comum a uma postura física difícil é esquecer de expirar. Em vez de prender a respiração, faça uma espécie de respiração circular ou um aquecimento respiratório num ritmo estável e prazeroso.
- Mantenha-se nas posturas por períodos mais curtos de tempo. Em vez de manter-se por um único e longo período, tente entrar e sair várias vezes da mesma postura. E ao fazer isso, não se esqueça de respirar.

Levantar os braços e olhar para cima aumenta a dificuldade da postura.

- Procure relaxar os músculos enquanto estiver nas posturas em vez de contraí-los. Em particular, mantenha a face relaxada, prestando atenção para ver se não está rangendo os dentes e se os olhos estão relaxados.

Como Tornar a sua Prática Mais Desafiadora

- Em vez de usar apenas os músculos necessários para se manter numa determinada posição, use também outros músculos.

- Faça um esforço para firmar, sem enrijecer demais, os músculos em torno dos ombros, joelhos, pulsos e tornozelos. Contraia os músculos do baixo-ventre para criar a Trava Ascendente (p. 338). Faça a Trava da Raiz (p. 340) e, quando apropriado, também a Trava da Garganta (p. 340).

Envolver todos os músculos na execução de uma postura aumenta o seu grau de dificuldade.

- Siga atentamente todas as instruções escritas que aumentarão o grau de dificuldade para manter-se na postura. Percorra com a mente todo o corpo, das pontas dos dedos dos pés até o topo da cabeça, concentrando a atenção em cada parte. Concentre totalmente a mente na prática e nas sensações do corpo.

- Estabeleça um fluxo natural entre uma postura e outra, de maneira a passar de uma para outra com apenas uma ou duas respirações. Pratique a Respiração Triunfante (p. 322) durante toda a sessão de yoga. Experimente fazer as posturas mais desafiadoras, mas não se exceda nem ultrapasse seus limites.

Preparando-se para a Prática

● Use roupas confortáveis e pratique num espaço devidamente aquecido para ficar mais à vontade com os pés descalços. Uma esteira que adere ao piso é um bom investimento. Com ela estendida, qualquer espaço pode ser usado para a prática de yoga.

● É mais conveniente praticar yoga com o estômago vazio. Depois de uma farta refeição, aguarde algumas horas. E pelo menos uma hora após ter comido uma fruta. Em vez de beber água durante a prática, procure hidratar-se antes de iniciá-la.

● Antes de começar a praticar yoga, decida quanto tempo você terá disponível para dedicar. Determine um esquema possível de ser cumprido para não apostar no fracasso. Como processo de recordar quem você é, o yoga é mais eficaz se praticado muitas vezes por períodos curtos. O corpo responde melhor a uma prática regular, mesmo que seja por períodos curtos. Talvez você constate que uma prática de quinze minutos diários seja mais revigorante do que uma sessão de duas horas uma vez por semana. Com três sessões por semana, você perceberá como seu corpo se revitaliza.

● Não subestime as "sessões rapidinhas de yoga" que podem ser introduzidas em seu cotidiano. Procure fazer de vez em quando uma flexão para trás reclinando-se sobre o encosto da cadeira enquanto trabalha diante do computador; fazer a Postura da Montanha (p. 46), enquanto espera o ônibus; prolongar o tempo de expiração quando estiver em meio a um engarrafamento de trânsito; fazer uma expiração para alisar a pele do rosto toda vez que se sentir sob pressão; girar os tornozelos durante uma viagem de avião; fechar os olhos para um momento de reflexão tranquila entre um telefonema e outro. Lembre-se que "um pouco com frequência" é melhor para a mente e o espírito. Lembretes constantes para retomar o contato com seu próprio centro nunca são demais. Em primeiro lugar, cria-se o hábito; em seguida, ele se torna um estilo de vida; e por fim, quem você é.

● Faça com que a sessão de hatha yoga seja um exercício de estar no momento presente. Pratique num espaço desobstruído e feche mentalmente a porta para as distrações. Embora seja comum a pessoa começar com uma ideia de onde gostaria que seu corpo estivesse, ela encara a prática com uma dose de contrariedade pelo fato de seu corpo não corresponder às expectativas de como ela gostaria que as coisas fossem. Com essa atitu-

*As gestantes podem participar
de cursos especiais de yoga.*

de, a prática pode se tornar menos prazerosa e mais difícil. E com isso, ela pode deixar de experimentar os verdadeiros prazeres que o yoga proporciona. Não pratique pensando no futuro, mas no agora. Em vez de encarar a prática "rangendo os dentes", desfrute o que o yoga lhe oferece neste exato momento. Enquanto prática centrada no corpo, o hatha yoga é uma experiência sensual para ser desfrutada.

Estruturação de uma Prática Pessoal

● Estabeleça uma rotina equilibrada que inclua um exercício de cada uma das seguintes categorias: um exercício suave de atenção na respiração; uma postura em pé; um alongamento lateral; uma flexão para a frente e outra para trás; uma torção; um exercício para fortalecer os músculos abdominais; uma postura de equilíbrio; uma postura invertida; outra flexão para a frente. E, por fim, não esquecer nunca de relaxar. O *pranayama* e a meditação são excelentes maneiras de encerrar uma sessão de yoga.

● Se o tempo for curto, faça poucas posturas com mais atenção em vez de muitas às pressas. Mantenha a mente receptiva à possibilidade de descobrir coisas novas enquanto estiver numa postura. A curiosidade típica das crianças é uma atitude muito importante na vida.

Situações Especiais

● Durante a menstruação, as posturas invertidas, as torções intensas e as flexões para trás devem ser evitadas. Recomenda-se uma prática suave que inclua algumas das flexões para a frente com apoio e algumas das posturas restauradoras que são encontradas na parte "Yoga para eliminar o stress" (p. 354) deste livro.

- Como muitas mulheres consideram o yoga uma experiência maravilhosa durante a gestação, é recomendável que ela seja iniciada logo nos primeiros três meses. Para outros problemas de saúde, ver a parte Yoga para Tratar de Problemas Específicos (p. 358). Para criar uma prática personalizada, procure a orientação de um professor experiente ou de um profissional de yoga como terapia.

Minhas Experiências Pessoais com o Yoga

Sou praticante desde 1989 e já escrevi três livros sobre yoga. Tenho diplomas de professora concedidos pelo Sivananda Vedanta Centre da Índia e pelo Sydney Yoga Centre da Austrália. Quem quiser saber mais a meu respeito e dos meus cursos de yoga pode visitar a página de Yoga Source na internet, o centro de yoga fundado por mim em Sydney, na Austrália (www.yogasource.com.au).

A prática de yoga exerceu muitos efeitos benéficos sobre a minha própria vida, alguns deles intangíveis e difíceis de serem mensurados e outros mais evidentes. Da minha perspectiva, o benefício mais óbvio é que as posturas físicas amenizam os efeitos da idade e as restrições físicas, aumentando a capacidade de movimento, alongamento e flexibilidade. Como terapeuta natural, eu também procuro motivar as pessoas a fazerem do yoga um método terapêutico, especialmente aquelas que sofrem de problemas respiratórios, dores, distúrbios do sistema nervoso ou outras limitações físicas.

Como você já deve ter percebido, o yoga é muito mais do que retorcer o corpo de maneira a ficar parecendo um nó de marinheiro. Creio que as posturas físicas também aumentam o fluxo de energias sutis. Ao libertar o corpo, você liberta também a mente. A flexibilidade do corpo promove a flexibilidade da mente e o resultado é uma sensação de leveza. O portentoso carvalho, que se ergue rijo e ereto, é derrubado pelo vento e morre, enquanto o pequeno salgueiro dobra-se à força do vento e sobrevive. Quando você encara a vida com mais leveza consegue lidar mais facilmente com os desafios que a vida inevitavelmente nos coloca. Eu vejo e ensino yoga como uma metáfora da vida.

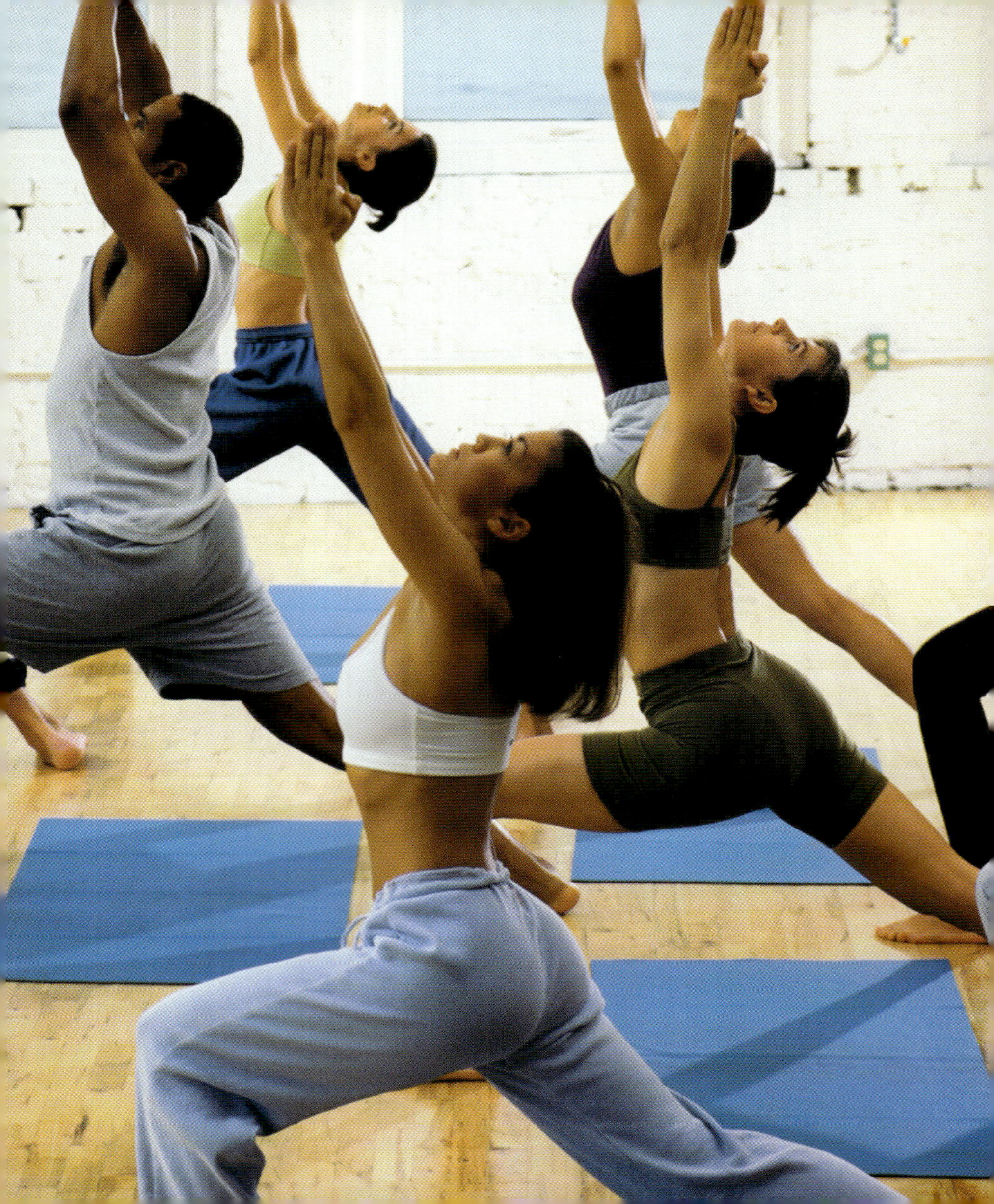

Parte Dois

A
Prática

Introdução

A pessoa que pratica yoga desenvolve a percepção dos padrões habituais de postura de seu corpo. Com o tempo ela acaba descobrindo maneiras de mudar esses padrões. Por meio de uma prática equilibrada, as áreas mais fracas se fortalecem e as áreas rijas ficam mais flexíveis. A vitalidade em geral, assim como os níveis de energia aumentam e, aprendendo a soltar o *corpo-mente*, você chega mais facilmente a relaxar.
A prática de yoga desenvolve a coordenação, aumenta a resistência, o equilíbrio, a clareza mental, a concentração e a saúde em geral. Ela é revitalizante em todos os sentidos.

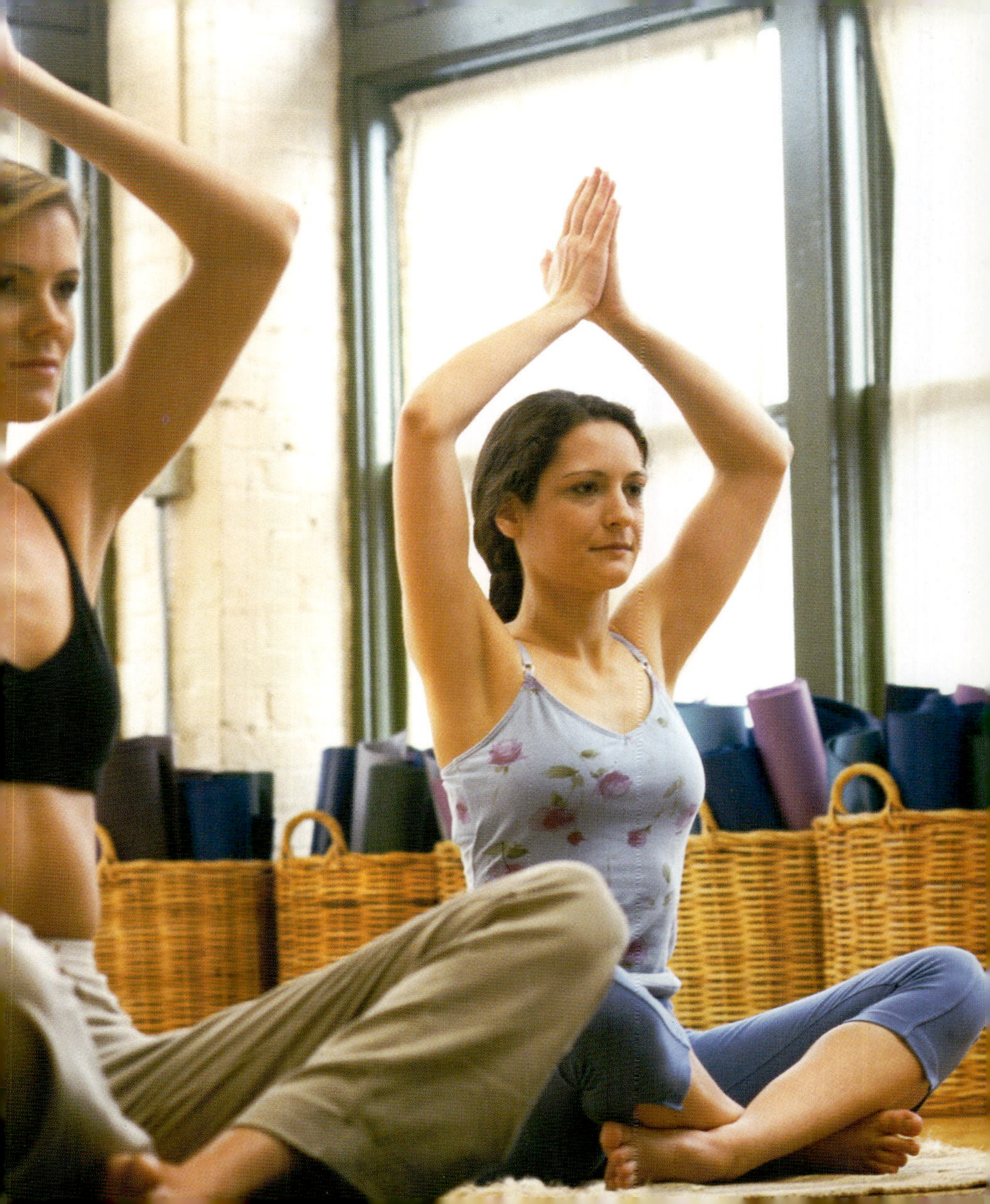

Práticas Preliminares

O corpo foi feito para se movimentar, mas os hábitos sedentários de muitas pessoas acabam fazendo com que o corpo delas perca a flexibilidade que é a qualidade própria do movimento. Recomenda-se aquecer o corpo no início de cada sessão de yoga, preparando-o para prolongar o tempo nas posturas. Durante a prática de aquecimento, volta-se a mente para as partes do corpo que em geral não se dá muita atenção.

Para executar todos os
movimentos de uma
articulação, você trabalha
com todos os tendões e ligamentos ao
redor dela. A circulação de
fluidos ao redor e no interior da articulação aumenta. O
aumento de oxigênio, nutrientes
e prana beneficiam a saúde de toda a área e protegem a
articulação e a cartilagem da degeneração.
No nível puramente energético, esses exercícios
desfazem possíveis interrupções temporárias do fluxo
de prana por todo o corpo.

Postura do Gato

Bidalasana. Esta postura parece ser muito simples. No entanto, por exigir que você visite mentalmente os espaços entre cada uma das articulações das vértebras para mobilizá-las, ela aumenta a capacidade de concentração e de percepção. Também ajuda a estabilizar o ritmo respiratório para adequar os movimentos do corpo à respiração.

1 Fique de quatro, inspire enquanto ergue o cóccix e a cabeça, deixando as costas côncavas. Devido à sua estrutura, a parte inferior da coluna se afunda facilmente, enquanto a parte superior resiste mais a curvar-se. Em vez de seguir o caminho que oferece menos resistência, permaneça mentalmente presente e mova a curva descendente para a área torácica. Com todos os músculos ao longo da coluna ativos, sinta os músculos do meio e da parte superior das costas em particular se estirarem quando você move o

esterno para a frente. Não deixe cair os ombros e mantenha os cotovelos o máximo possível retos. Ao virar o rosto para o alto, mantenha a nunca descontraída, de maneira que se um ovo estivesse aninhado ali, ele não seria esmagado.

2 Toda vez que expirar, curve as costas. Deixe que as escápulas se abram ao soltar os músculos rijos da parte superior das costas e do pescoço. É muito fácil arquear a parte superior da coluna, uma vez que esta é sua forma natural. Durante esta parte do exercício, procure empurrar as vértebras da parte inferior da coluna para o alto. Contraia bem o cóccix e aperte o queixo contra a garganta. Empurre o chão com as mãos e sinta os lugares das costas em que a pele fica estirada quando você aprofunda a curva

3 Os movimentos devem ser sincronizados de maneira que cada subida das costas leve exatamente o tempo de uma expiração completa e cada descida leve o tempo de uma inspiração completa. Com a prática, você pode programar a descida das costas de maneira que coincida com o início da inspiração e sua subida com o final da expiração.

Sequência do Sol

Suryasana. Depois da Postura do Gato (p. 32), que mobiliza as articulações das vértebras para a frente e para trás, estes dois exercícios movem as articulações de um lado para outro, em movimentos giratórios. Como o nome já sugere, esta sequência é indicada como uma prática suave para ser executada imediatamente após levantar-se pela manhã como uma saudação ao Sol.

1 Em pé, com os pés um pouco mais para fora da linha dos quadris e os dedos apontados para a frente, inspire e erga os braços para cima da cabeça, com as palmas das mãos voltadas uma para a outra. Fique nesta postura durante algumas respirações, alongando a coluna. Contraia o cóccix e pressione o baixo-ventre em direção à coluna. Trabalhe os ombros movendo os braços para trás a cada inspiração e soltando-os na posição vertical a cada expiração. Enquanto solta conscientemente os ombros, a cada inspiração erga o centro do coração (localizado no peito).

2 Entrelace os dedos das mãos e pressione as palmas para fora. Expirando, faça uma flexão para o lado direito. Pressione o pulso da mão esquerda para fora ao pressionar o chão com o pé direito. Aumente um pouco a curva para dentro no lado direito da cintura e estire bem as costelas do lado esquerdo. Não deixe a parte superior dos braços ir para a frente, mas mantenha o corpo alinhado. Sinta a articulação de cada vértebra ao ser flexionada ao máximo para o lado. Inspire e volte para o centro; em seguida, expire para a esquerda. Mantenha os quadris centrados acima dos pés ou deixar que se movam na direção contrária da flexão. Continue expirando para descer e inspirando para subir enquanto repete várias vezes a sequência de flexões. Na última, firme bem as pernas e mantenha a flexão para cada lado durante algumas respirações.

3 A partir do centro, expire e gire para a direita de modo a poder olhar para trás. Estire o pulso direito para fora. Com os quadris alinhados, empurre o quadril direito para a frente de modo a aumentar a intensidade sobre o tronco. Não dobre a perna esquerda e mantenha-a firme. Se quiser, contraia o cóccix e sinta como esse movimento repercute no alongamento da parte inferior das costas. Inspire para voltar ao centro e expire ao voltar-se para o outro lado. Faça de cinco a dez movimentos para os lados antes de permanecer por mais tempo em cada lado. Mantenha as pernas firmes e intensifique a torção da coluna a partir da base para cima.

Práticas Preliminares

35

Exercícios para Soltar o Pescoço

O pescoço costuma ser um lugar de acúmulo de tensões. Além de aliviar as tensões, os seguintes exercícios para o pescoço são ótimos após a prática da Postura da Cabeça (p. 296), da Postura de Todos os Membros (p. 286), da Postura do Arado (p. 292) e de suas variações.

1 Sente-se ereto e aproxime a orelha esquerda do ombro esquerdo. Como é difícil soltar a cabeça, deixe-a pesada para alongar o lado direito do pescoço. Depois de mais ou menos 30 segundos, estenda as pontas dos dedos da mão direita para o lado. Tente com a cabeça e o braço nesta posição experimentar uma sensação de alívio. Talvez você se sinta melhor movendo um pouco a mão direita para a frente. Pode ser que assim o ângulo do seu rosto se ajuste melhor ao chão. Continue com a sensação de estar com a cabeça suspensa. Passado algum tempo, deixe a cabeça voltar para o centro. Deixe-a descansar um pouco. Em vez de erguer o queixo para levantar a cabeça, inspire e mova o dorso da cabeça para cima e para trás. Repita o exercício do lado contrário.

2\. Sente-se no chão e abrace os joelhos. Primeiro pressione o queixo contra a garganta e force o dorso da cabeça para o alto. Ⓐ Movendo também os ombros para baixo, você vai sentir a pele da nuca se estirar. Agora, curve o pescoço estendendo o queixo para a frente na direção dos antebraços. Esteja mentalmente presente e aumente o máximo possível a curvatura do pescoço – mais ou menos como para fazer a Postura do Gato (p. 32), usando apenas o pescoço e não as costas. Retorne à posição inicial, empurrando o queixo para dentro e para trás enquanto visualiza o pescoço adotando uma forma convexa. Ⓑ Este exercício pode ser feito na postura do Cachorro Olhando para Baixo (página 162), na posição de quatro e nas Flexões para a Frente em Pé e Sentada (pp. 66, 74, 108, 122, 144 e 146).

Práticas Preliminares

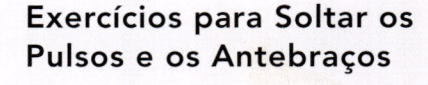

Exercícios para Soltar os Pulsos e os Antebraços

Os pulsos costumam ser um ponto fraco para a permanência na Postura do Cachorro Olhando para Baixo (p. 162), como também em todas as posturas equilibradas sobre os braços. Faça os seguintes exercícios como posturas compensatórias (para contrabalançar o esforço de outra) para aliviar a tensão criada pelo peso sobre os braços ou depois de longas horas trabalhando no computador.

1 Fique de quatro, posicionando as mãos de maneira que as partes internas dos pulsos fiquem voltadas para fora e os dedos apontados para os joelhos. Mantendo as palmas pressionadas no chão, curve-se para trás para alongar a parte interna dos antebraços. Mantenha-se nessa postura, respirando. Ao sair, vire as mãos de maneira que elas fiquem com o dorso no chão, mas os dedos continuem apontando para os joelhos. De novo, incline-se para trás para alongar a parte externa dos antebraços. Esta etapa é similar a da Postura das Mãos sobre os Pés (p. 70).

2 A partir da posição sentada ou em pé, estenda os braços para os lados. Faça com as mãos a Chin Mudra (p. 334), juntando as pontas dos polegares e dos indicadores. Estenda os outros dedos em direção ao chão. Em seguida, gire internamente os om-

3. Comece com os braços abertos para os lados, com as palmas das mãos voltadas para cima. Em seguida, vire os dedos para baixo e em direção ao corpo, como se fosse coçar as costelas laterais. Pressione a parte interna dos pulsos para fora. Abra os ombros e para aumentar a intensidade do alongamento, mova-os para a frente.

bros, vire as palmas das mãos e aponte os dedos primeiro para trás e em seguida para cima. (As dobras internas dos cotovelos deverão ficar voltadas para baixo). Gire agora os braços e ombros no sentido contrário para que os dedos apontem primeiro para a frente e depois para cima. (As dobras dos cotovelos ficarão apontadas para cima.) Você pode continuar nesta postura respirando várias vezes ou fazer lentamente essas próximas posturas para trabalhar toda a série de movimentos.

4. Gire agora as palmas das mãos para que os dedos apontem para cima e estire-os em direção às orelhas. Pressione a parte interna dos pulsos para fora. Enquanto continua respirando, solte os ombros e experimente girá-los para a frente e para trás até descobrir a posição adequada para melhor alongar.

Práticas Preliminares

39

Saudação ao Sol A

Surya Namaskara A. Com prática, a sequência dos movimentos flui de maneira suave e delicada. Cada movimento é executado durante uma inspiração ou expiração da Respiração Triunfante (p. 322).

inspire

De joelhos em posição de prece. Centre-se e preste atenção na respiração.

expire

Arqueamento para trás em posição ajoelhada. Contraia o cóccix, erga o centro do coração e estenda os braços para cima. A flexão para trás só deve ir até onde for confortável.

inspire

expire

Postura da Criança (estendida). Mantenha o quadril elevado de maneira a alongar o máximo toda a extensão que vai da palma das mãos até os quadris.

Arqueamento para trás em posição ajoelhada.
Pressione as coxas para frente e estenda-se para cima a partir da coluna lombar.

expire

❷

Postura da Criança (estendida).
Volte a pressionar as mãos no chão para estender os quadris, com o traseiro bem empinado para o alto.

❸

inspire

Postura do Gato.
Quando os joelhos tocam o chão, curve as costas o máximo possível para o alto.

❹

expire

Postura do Gato.
Assim que os quadris tocam o chão, curve as costas o máximo possível para o alto.

❺

Postura do Cachorro Olhando para Baixo.
Firme-se sobre as pontas dos pés e estenda os quadris para longe das mãos.

inspire

❻

Práticas Preliminares

41

Saudação ao Sol B

Surya Namaskara B. Quando você estiver se sentindo à vontade com os movimentos, esta sequência flui como uma dança ininterrupta.

expire

inspire

expire

Postura Estendida da Montanha

Postura da Extensão

Com um passo ou salto coloque os pés entre as mãos.

inspire

Postura da Extensão com o olhar voltado para a frente

expire e mantenha-se na postura durante três respirações.

Postura do Cachorro Olhando para Cima

expire

Postura do Cachorro Olhando para Baixo

inspire

Práticas Preliminares

43

inspire

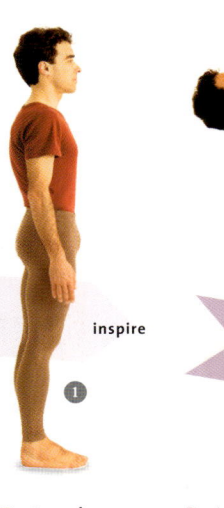

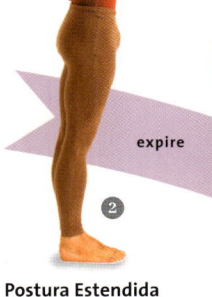

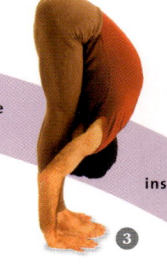

① Postura da Montanha

expire

② Postura Estendida da Montanha

inspire

③ Postura da Extensão

④ **Postura da Extensão** com o olhar voltado para a frente com as palmas das mãos no chão.

⑤ Com um passo ou salto, coloque os pés na **Postura da Retenção**.

expire

⑥ Postura da Retenção

⑦ Postura do Bastão Apoiada Sobre os Quatro Membros

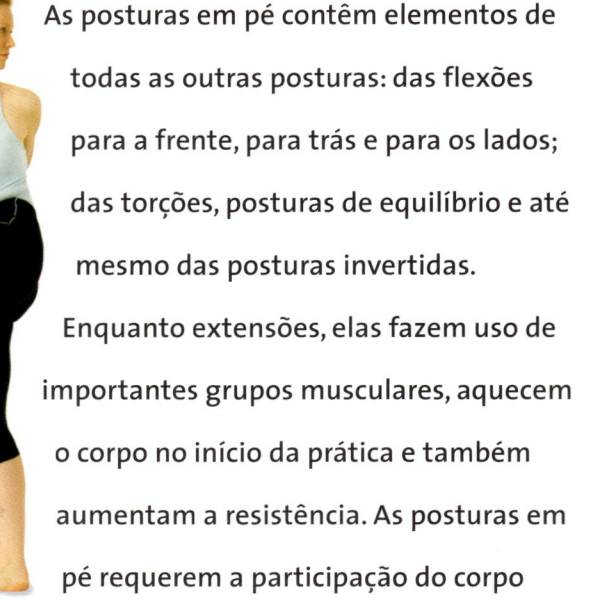

Posturas em Pé

As posturas em pé contêm elementos de todas as outras posturas: das flexões para a frente, para trás e para os lados; das torções, posturas de equilíbrio e até mesmo das posturas invertidas. Enquanto extensões, elas fazem uso de importantes grupos musculares, aquecem o corpo no início da prática e também aumentam a resistência. As posturas em pé requerem a participação do corpo todo. Ao mesmo tempo em que aumentam a força e a flexibilidade, elas também têm o poder de integrar. Exatamente como na vida, sem uma base firme nessas posturas, você nunca será capaz de estender-se para alcançar o máximo. As posturas em pé mostram a necessidade de uma base sólida, e que apenas a partir dela é possível expandir-se para alcançar o potencial máximo.

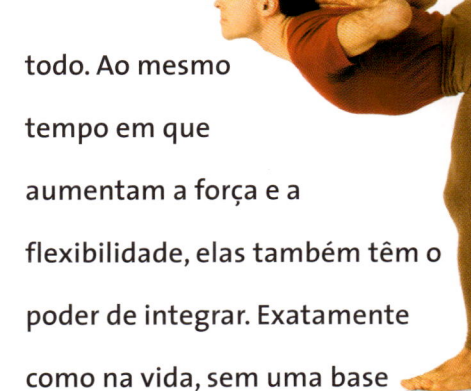

Posturas em Pé

Postura da Montanha

Tadasana. Esta postura é um convite para adotar a firmeza majestosa de uma montanha. É a postura básica em pé, o ponto de partida para explorar os aspectos mais dinâmicos da prática e para o qual retornamos ao final dela.

1. Fique em pé com os pés juntos. (Pode mantê-los um pouco afastados se tiver alguma rigidez na parte baixa das costas ou nos joelhos.)

2. Mantenha os olhos fechados por um instante e leve a mente para as plantas dos pés. Balance-se levemente para a frente sobre as pontas dos pés e para trás sobre os calcanhares, descansando no ponto em que se sentir em perfeito equilíbrio.

3. Distribua igualmente o peso do corpo sobre os pés, calcanhares, dedos e sobre toda extensão da planta, da lateral interna à externa. Firme o máximo possível os pés no chão.

4. Abra os olhos, olhando para o infinito à frente.

5. Dobre levemente os joelhos para despertar as pernas. Estenda lentamente as pernas, posicionando os joelhos diretamente acima dos calcanhares e os quadris diretamente acima dos joelhos.

6. Leve a atenção para a base da coluna.

7 Mova a parte mais alta da frente das coxas levemente para trás, abrindo um pouco a área bem na altura em que as pernas se unem ao tronco do corpo. Empurre o osso púbico em direção ao centro do baixo-ventre, de maneira que o bumbum fique levemente saliente. Em seguida, para se equilibrar melhor, comprima um pouco o cóccix para que as nádegas voltem a se alinhar.

8 Afaste levemente o peito da barriga, sentindo a coluna se estender para cima até a ponta da cabeça. Deixe que os ombros relaxem e se afastem das orelhas e que o peito se abra a partir de sua parte mais alta. Deixe os braços soltos e relaxados ao lado do corpo, com as palmas das mãos voltadas para as coxas.

9 Empurre levemente o queixo na direção da garganta, deixando que a nunca se alongue. Relaxe a garganta.

10 Pressione firmemente os pés no chão e observe o fluxo de energia subir pela coluna. Descanse por um momento na tranquilidade de seu ser em posição vertical.

Postura da Árvore

Vrkshasana. Assim como as raízes constituem os alicerces que sustentam o corpo e os galhos de uma árvore, também nossos pés e pernas são a base de sustentação que nos permite permanecer em pé com força e elegância. As posturas de equilíbrio expressam nosso estado mental. Para manter o equilíbrio, temos de estabelecer um foco para impedir a mente de ficar saltando de um pensamento a outro.

1. Fique na Postura da Montanha (p. 46) e leve a atenção para os pés. Devagar transfira o peso do corpo do pé esquerdo para o pé direito. Visualize a sola do pé direito plantada no solo.

2. Mantendo a perna direita firme e reta como o tronco de uma árvore, flexione o joelho esquerdo e coloque a planta do pé contra a parte interna da coxa direita, com os dedos apontados para o chão.

3. Leve a atenção para o joelho esquerdo e afaste-o levemente para abrir o quadril esquerdo.

4. Empurre o cóccix na direção do chão e empurre levemente o osso púbico e o baixo-ventre na direção da coluna enquanto estira a coluna para cima.

5. Leve as palmas das mãos unidas para a frente do peito. Se estiver bem equilibrado, inspire para levar os braços até logo acima do topo da ca-

INFORMAÇÕES

OLHAR: Para o infinito adiante.

POSTURAS PREPARATÓRIAS:
Postura da Montanha.

POSTURAS COMPENSATÓRIAS:
Versão relaxante da Postura da Extensão.

ABRANDAMENTOS: a) Para facilitar o equilíbrio, desça o pé erguido pela perna de apoio até o dedão tocar levemente o chão. **b)** Apoie-se a uma parede se necessário.

EFEITO: Enraizamento.

beça. Relaxe os cotovelos para abrir o peito. Ao mesmo tempo, deixe o joelho dobrado se voltar para trás e abrir a pélvis.

6 Olhando firmemente para a frente, faça a respiração descer de maneira suave e uniforme até as plantas dos pés.

7 Para sair da postura, abaixe os braços até a altura dos ombros e leve o pé direito com os dedos apontados para a frente até o chão. Repita a postura do outro lado.

Postura do Guerreiro Virabhadra 2

Virabhadrasana II. Esta postura reverencia as qualidades heroicas que todos nós temos. Ela nos coloca em contato com a força total das pernas, que intencionalmente conectada, nos leva à ação. É uma postura excelente para recuperar a sensação de força. Ao fazer esta postura, diga mentalmente "Aha!" para um problema ou inimigo imaginário.

1 Fique em pé na Postura da Montanha (p. 46). Afaste os pés na largura da esteira. Gire o pé esquerdo num ângulo de 90 graus para que seu calcanhar fique de frente para o arco do pé direito. Gire levemente o pé direito para dentro – mais ou menos 15 graus.

2 Encaixe os quadris para a frente, empurre o cóccix para baixo e o peito e a coluna para cima. Para não deixar o tronco pender para a direita, mantenha-o voltado para a frente, como se estivesse na Postura da Montanha dos quadris para cima.

3 Estenda os braços para os lados. Ao estendê-los por meio dos dedos, solte os ombros. Vire a cabeça para repousar o olhar sobre a ponta do dedo médio da mão esquer-

da. Se cansar de ficar com os braços estirados para os lados, concentre-se na inspiração. Imagine que está inspirando pelas pontas dos dedos, o ar subindo pelos braços e entrando no corpo ou que tem balões atados aos pulsos que, sem esforço, mantêm seus braços erguidos.

4. Ao expirar, flexione o joelho esquerdo para que a coxa esquerda fique paralela ao chão. Procure fazer com que o joelho fique diretamente acima do tornozelo (não na frente dele). Pressione a parte interna do joelho para trás de maneira que você possa ver o dedão, mas não o dedo mínimo.

5. Aumente a concentração fixando-se no dedo médio à sua frente. Lembre-se que é fácil esquecer o que não se vê. Portanto, ao mesmo tempo, pressione firmemente a lateral externa do pé direito, para manter a perna traseira firme e reta.

6. Com base firme sobre as pernas e pés, desafie a força da gravidade da Terra. Sinta sua própria capacidade de resistir antes de render-se.

7. Para sair da postura, inspire enquanto estende a perna direita. Gire o pé esquerdo para dentro e o direito para fora e repita a postura do outro lado.

INFORMAÇÕES

OLHAR: Ponta do dedo indicador.

POSTURAS PREPARATÓRIAS:
Postura da Montanha.

POSTURAS COMPENSATÓRIAS:
Versão relaxante da Postura da Extensão.

ABRANDAMENTOS: a) Dobre um pouco menos o joelho da frente. b) Mantenha as mãos sobre os quadris.

EFEITO: Fortalecimento, foco.

Postura do Ângulo Lateral

Parshvakonasana. Esta postura envolve os músculos das coxas e desperta a parte interna das pernas, desde as virilhas até os tornozelos. Muitos de nossos movimentos corriqueiros reduzem-se a meras flexões para a frente e para trás e raramente para os lados. Faça alongamentos laterais para estimular ambos os lados do cérebro.

1 Fique na Postura da Montanha (p. 46). Afaste bem os pés. Coloque ambas as mãos nos quadris. Empurre os quadris para a frente.

2 Forme com o joelho direito um ângulo de 90 graus, de maneira que o fêmur fique paralelo ao chão. O joelho deve ficar diretamente acima, não na frente, do tornozelo.

3 Expirando, dobre a parte superior do corpo de maneira que as costelas do lado direito fiquem sobre a coxa direita. Coloque a palma da mão direita no chão ao lado do dedo mínimo do pé. Pressione o lado externo do

joelho direito contra o braço direito e gire o abdômen e o peito na direção do céu. Ao mesmo tempo, pressione de novo o joelho direito contra o braço para manter o máximo de distância entre os quadris.

4 Restabeleça sua base firme reforçando o trabalho das pernas. Pressione com força a lateral externa do pé esquerdo. Continue movendo o ísquio direito para trás na direção do calcanhar esquerdo. Com o joelho direito ainda intensamente dobrado, faça a pélvis subir (não descer) e coloque o mínimo possível de peso sobre a mão direita.

INFORMAÇÕES

OLHAR: A mão erguida para o alto.
POSTURAS PREPARATÓRIAS: Postura do Guerreiro Virabhadra 2, Postura do Triângulo.
POSTURAS COMPENSATÓRIAS: Postura da Montanha, Postura da Extensão.
ABRANDAMENTOS: a) Em vez de levar a mão até o chão, descanse o cotovelo em cima do joelho.
b) Mantenha o dorso da mão esquerda na base da coluna.
EFEITO: Enraizamento e abertura.

5 Estenda a parte interna do antebraço esquerdo por cima da orelha esquerda, com a palma da mão voltada para o chão. Em seguida, estique o lado esquerdo com as costelas voltadas para o alto e alongue todo o lado esquerdo do corpo. Repita o exercício do outro lado.

Postura do Triângulo

Trikonasana. Esta postura fortalece as pernas e mobiliza os quadris. Alonga o torso e abre o peito para possibilitar uma respiração mais profunda.

1. Na Postura da Montanha (p. 46), afaste bem os pés. Encaixe os quadris para a frente e alongue o sacro na direção do chão, abrindo a parte frontal dos quadris.

2. Gire a coxa, o joelho e o pé do lado direito 90 graus para fora. Gire o pé de trás 15 graus para dentro. Erga os braços até a altura dos ombros, com as palmas das mãos voltadas para baixo.

3. Inspirando, estire-se para cima pelo topo da cabeça e para os lados pelas pontas dos dedos das mãos.

4. Expirando, estire a parte superior do corpo para a direita. Mantenha o quadril direito na mesma linha dos ombros e coloque a mão direita o mais afastado que puder sem causar desconforto na frente da perna direita. Pessoas com muita flexibilidade conseguem estender a palma da mão por trás da panturrilha até o chão.

INFORMAÇÕES

OLHAR: Polegar da mão erguida.

POSTURAS PREPARATÓRIAS: Postura da Montanha, Postura do Portão, Postura do Ângulo Lateral.

POSTURAS COMPENSATÓRIAS: Postura do Cachorro Olhando para Baixo, versão relaxante da Postura da Extensão.

ABRANDAMENTOS: a) Mantenha a perna da frente dobrada, colocando a mão abaixada sobre a coxa ou o joelho. b) Coloque o dorso da mão esquerda no sacro na base da coluna. Em seguida, concentre-se em girar o ombro esquerdo para trás e em abrir o quadril esquerdo para cima enquanto as nádegas são pressionadas para baixo. c) Olhe diretamente para a frente ou para o chão se sentir algum desconforto.

EFEITO: Vivificante.

5 Erga-se a partir da extremidade superior do quadril direito, alongando as costelas laterais de maneira que a coluna e o peito se estendam horizontalmente, criando o terceiro lado do triângulo.

6 Erga o braço esquerdo na direção do teto, com a palma da mão voltada para a frente e vire o rosto para o alto.

7 Vire o umbigo para cima. Abra o peito, sentindo uma espiral girar a partir do quadril esquerdo, subir pela coluna e sair pelo dedo mínimo da mão esquerda. Ao respirar nesta postura, prolongue a inspiração, intensificando o movimento da espiral com a expiração.

8 A parte dorsal do corpo está alinhada num mesmo plano. Imagine o dorso da cabeça, os ombros e as nádegas pressionados contra uma parede de vidro, enquanto você pressiona os quadris para a frente.

9 Para sair da postura, inspire e volte para a postura ereta. Repita a postura do outro lado.

Postura da Meia-Lua

Ardha Chandrasana. Esta postura de equilíbrio em pé requer força e delicadeza. Para manter-se em equilíbrio nela, direcione a mente para um foco e mantenha-a nele para sair dela com controle.

1 Comece na Postura do Triângulo (p. 54), pelo lado direito Ⓐ. Leve a mão esquerda ao sacro. Dobre o joelho direito e coloque as pontas dos dedos da mão direita no chão, a aproximadamente dois palmos à frente do pé direito Ⓑ. Ao mesmo tempo, deslize o pé esquerdo na direção do calcanhar direito transferindo o peso do seu corpo para o pé direito.

2 Respire ao estabelecer uma base estável. Expirando, estenda a perna direita e erga a esquerda até ficar paralela ao chão. Sinta-se firme e estável sobre a perna direita. Repouse o braço esquerdo sobre o lado esquerdo do

corpo e vire o ombro esquerdo, o peito e o quadril para cima. Estenda o braço esquerdo para o alto e olhe para o teto por cima do ombro esquerdo.

3 Para sair da postura, abaixe a perna esquerda até o chão, volte a estender a perna direita e retorne à Postura do Triângulo.

Posturas em Pé

57

INFORMAÇÕES

OLHAR: A mão erguida.

POSTURAS PREPARATÓRIAS: Postura do Triângulo, Postura da Árvore, Postura de um Único Pé Estendido para Cima.

POSTURAS COMPENSATÓRIAS: Postura da Montanha.

ABRANDAMENTOS: a) Mantenha o olhar no dedão do pé direito. Toque levemente o dedão do pé esquerdo no chão para se equilibrar. b) Comece com os calcanhares posicionados a 10 centímetros da parede e, durante a postura, pressione as nádegas e os ombros contra ela.

EFEITO: Centramento.

Postura Grandiosa

Utkatasana. Agachar-se é um movimento natural do corpo que lembra nossa ligação com a terra. A Postura Grandiosa exercita os músculos das pernas e dos braços, ao mesmo tempo em que estimula o coração e o diafragma. Aumente sua força de vontade, decidindo antecipadamente quantas respirações você vai fazer nesta postura – e coloque sua decisão em prática!

1. Fique na Postura da Montanha com os pés afastados na distância correspondente aos quadris. Inspirando, estenda os braços para cima da cabeça e alongue a coluna.

2. Expirando, flexione-se para fazer a Postura da Extensão (p. 68), levando o peito até as coxas e as mãos até o chão ou perto dele. Inspirando, flexione os joelhos para colocar as coxas paralelas ao chão.

3. Firme as plantas dos pés no chão e estenda os braços e o peito para a frente, afastando-os das coxas. Continue erguendo o peito, estirando os dedos até que os braços, como as coxas, fiquem paralelos ao chão. Olhe diretamente para a frente. Continue respirando de maneira tranquila e uniforme até completar quatro respirações. Erga os ísquios na direção do teto (fa-

zendo a pélvis se inclinar um pouco para a frente) firmando-se sobre os calcanhares. Você vai perceber o esforço intenso das coxas.

4 Expirando, leve os braços para cima da cabeça e a coluna a uma posição mais vertical. Incline a pélvis no sentido contrário – empurre o cóccix para baixo até sentir a parte inferior das costas se achatar. Contraia o baixo-ventre em direção à coluna.

INFORMAÇÕES

OLHAR: Terceira visão ou voltado para o infinito acima.

POSTURAS PREPARATÓRIAS: Postura da Guirlanda, Postura do Guerreiro Virabhadra 1.

POSTURAS COMPENSATÓRIAS: Postura da Extensão, versão relaxante da Postura da Extensão.

ABRANDAMENTOS: a) Se tiver problema nos joelhos, flexione-os menos. b) Faça o movimento dos braços ou das pernas separado, depois os dois juntos. c) Faça movimentos leves para entrar e sair da postura antes de manter-se nela por mais tempo.

EFEITO: Energização.

5 Erga a parte superior do corpo e afaste-a dos quadris. Mantenha as costas, o peito e os braços na vertical mesmo ao aprofundar a posição sentada. Transfira o peso do corpo um pouco para trás para que os joelhos não ultrapassem os tornozelos – isso aumenta o esforço dos músculos das coxas. Se não tensionar muito o pescoço, pressione as palmas das mãos uma contra a outra. Fique nesta postura durante quatro respirações. Saia da postura inspirando e erga os braços para voltar à Postura da Montanha.

Postura do Guerreiro Virabhadra 1

Virabhadrasana I. Esta postura fortalece nossa ligação com a energia básica da terra. Esta variação coloca ênfase na criação de uma base firme e estável nas pernas para erguer e abrir o peito sem medo. Por isso, ela é ótima para integrar as partes superior e inferior do corpo.

1 Fique na Postura da Montanha (p. 46). Inspirando, afaste bem os pés e coloque as mãos nos quadris. Gire a perna e o pé direitos 90 graus para fora de maneira que o calcanhar fique diante do arco interno do pé esquerdo. Gire o pé e a perna do lado esquerdo mais ou menos 45 graus para dentro.

2 Gire o peito para a direita e encaixe os quadris pressionando o esquerdo bem para a frente. Inspirando, erga os braços acima da cabeça, juntando as palmas das mãos.

3 Expirando, flexione o joelho esquerdo, firmando-se sobre a coxa e o ísquio do lado direito. Com o joelho flexionado num ângulo de 90 graus, ele vai ficar diretamente alinhado ao tornozelo.

INFORMAÇÕES

OLHAR: Para os polegares acima.

POSTURAS PREPARATÓRIAS: Postura da Montanha, Postura Grandiosa.

POSTURAS COMPENSATÓRIAS: Postura da Extensão Lateral, versão relaxante da Postura da Extensão.

ABRANDAMENTOS: a) Olhe diretamente para a frente. b) Não junte as palmas das mãos acima da cabeça.
c) Coloque as mãos nos quadris.
d) Flexione menos o joelho da frente.
e) Mantenha a perna da frente estirada.
f) Erga o calcanhar da perna de trás.

EFEITO: Fortalecimento, foco.

4. É fácil dirigir todos os pensamentos para o que é visível à sua frente. Inclua em sua atenção a parte dorsal do corpo. Alivie o peso sobre a perna dianteira, distribuindo-o igualmente para a perna traseira. Pise sobre o calcanhar esquerdo e sinta toda a extensão da parte de trás da perna direita se alongar.

5. Deixe o cóccix descer em direção ao chão para ajudar a abrir a parte frontal dos quadris, o abdômen e a parte dianteira da coxa direita. Isso também vai criar espaço na coluna lombar e ajudar a alongar a parte inferior das costas. Erga a cabeça para trás e olhe para cima. Leve outra vez a atenção para o que você não consegue ver. A partir da parte de trás da cintura, inicie a flexão para trás enquanto estende-se para cima até o meio das costas e os braços, mantendo sempre a conexão com as pernas e os pés.

6. Inspirando, estenda a perna esquerda. Expirando, abaixe os braços e leve o pé direito para a frente, para retornar à Postura da Montanha. Repita a postura do outro lado.

Postura do Guerreiro Virabhadra 3

Virabhadrasana III. Esta postura fortalece os músculos das pernas e abdominais. Como todas as posturas de equilíbrio, ela também ajuda a manter a mente focada. O olhar fixo dá maior estabilidade. Visualize uma corrente de energia percorrendo o lado dorsal do corpo. Use essa corrente para alongar toda a extensão do calcanhar da perna erguida até as pontas dos dedos das mãos.

1 Da Postura do Guerreiro Virabhadra 1 (p. 60), Ⓐ, alongue-se pelos dedos das mãos, estirando a coluna para cima. Expirando, Ⓑ flexione o torso para a frente por cima da coxa direita, até as costas e os braços ficarem paralelos ao chão. Mantenha o queixo contraído e a nuca estendida.

2. Enquanto inspira, vá erguendo lentamente o pé esquerdo do chão até a perna ficar totalmente estendida para trás. Vire a parte externa da coxa esquerda para baixo, de maneira que ambos os quadris fiquem nivelados com o chão e o sacro bastante achatado.

3. Mantenha a perna direita bem estirada, pressionando com força o dedão e esparramando bem a planta do pé no chão. Fique nesta postura durante cinco respirações, expandindo a energia da coluna para a frente através das pontas dos dedos das mãos e, ao mesmo tempo, para trás através da perna erguida. Perceba a força e a beleza do equilíbrio dessa postura intensa.

> **INFORMAÇÕES**
>
> **OLHAR:** Além das mãos.
>
> **POSTURAS PREPARATÓRIAS:** Postura da Árvore, Postura da Meia-Lua, Postura do Meio Arco Elevada.
>
> **POSTURAS COMPENSATÓRIAS:** Postura da Extensão, Postura da Montanha.
>
> **ABRANDAMENTOS:** a) Não erga a perna, mas mantenha o dedão do pé traseiro no chão. b) Mantenha os braços estendidos para trás e as mãos próximas dos quadris. c) Use uma parede para se equilibrar.
>
> **EFEITO:** Foco.

4. Para sair, expire enquanto abaixa a perna erguida até o chão. Inspirando, leve o peito e os braços de volta para a Postura do Guerreiro Virabhadra 1. Estenda a perna direita e abaixe os braços enquanto expira, pisando com o pé esquerdo para colocar-se na Postura da Montanha (p. 46). Repita toda a sequência do outro lado.

Postura da Meia-Lua com Rotação

Parivrtta Ardha Chandrasana. Esta postura de equilíbrio fortalece as pernas. A rotação do torso tem um efeito tonificante sobre os órgãos abdominais. A partir do centro abdominal, dê vida à postura enviando correntes de energia através de cada membro.

1 Estando numa flexão para a frente (p. 68), leve a mão direita para o chão na frente do pé esquerdo. Com a mão esquerda sobre o sacro, flexione o joelho esquerdo e passe o pé direito para trás até o peso do seu corpo começar a se transferir para a perna esquerda. Respire enquanto estabiliza sua base sobre a planta do pé esquerdo.

3 Para sair da postura, leve a mão esquerda até o chão enquanto flexiona o joelho esquerdo e desce lentamente o pé direito, para entrar na Postura da Montanha (p. 46). Em seguida, repita a postura do outro lado.

Posturas em Pé

2 Olhe para o chão enquanto ergue a perna direita e estende a esquerda. Usando a mão direita como apoio, abra o peito para a esquerda e estenda o braço esquerdo para cima. Estenda os dedos do pé direito até o chão e volte a erguê-los por meio do calcanhar direito. Gire o tronco para a esquerda. Sem perder o equilíbrio, gire a cabeça para cima e olhe para a ponta do polegar esquerdo. Respire fundo num ritmo estável.

INFORMAÇÕES

OLHAR: Para o infinito acima.

POSTURAS PREPARATÓRIAS: Postura da Meia-Lua, do Triângulo com Rotação e do Guerreiro Virabhadra 3.

POSTURAS COMPENSATÓRIAS: Postura da Extensão e da Montanha.

ABRANDAMENTOS: a) Olhe para baixo. b) Mantenha o dedão do pé traseiro no chão. Flexione a perna de apoio. c) Pratique diante de uma parede e apoie as mãos nela.

EFEITO: Equilíbrio.

Postura da Extensão sobre os Pés Afastados

Prasarita Padottanasana. O ambiente urbano em que vivemos pode inibir a expressão plena de nossos movimentos. Estirar o máximo possível as pernas é algo que traz grande satisfação e expande a maneira pela qual nos apresentamos ao mundo exterior.

1 Na Postura da Montanha (p. 46), afaste bem os pés e gire suas pontas um pouco para dentro. Pressione firmemente as plantas dos pés no chão, abrangendo totalmente ambas as laterais. Distribua igualmente o peso entre o calcanhar e a frente de cada pé. Repouse as mãos nos quadris. Inspirando, contraia o cóccix e alongue a coluna pelo topo da cabeça.

2 Expirando, empurre o cóccix para trás e para cima para flexionar a parte superior do corpo. Leve as mãos até o chão, com os ombros bem separados e os pulsos alinhados com os arcos internos dos pés. Deixe a nuca se alongar e o topo da cabeça descer em direção ao chão para que o peso do corpo alongue a coluna.

3 Firme-se sobre as laterais externas dos pés ao erguer os ísquios em direção ao teto, soltando e estirando os tendões dos músculos de trás das coxas. Empurre os quadris para a frente de maneira que a parte de trás dos calcanhares e dos joelhos fiquem alinhadas com os ísquios. Continue alongando a parte frontal da coluna, afastando as costelas

do corpo ao inspirar e intensificando a flexão ao expirar. Solte os ombros, mas use os braços para levar o topo da cabeça até o chão. Se ele tocar o chão, intensifique o esforço aproximando um pé do outro.

4. Se quiser também alongar os ombros, na postura ereta, entrelace os dedos das mãos atrás do corpo, se possível juntando as partes internas dos pulsos. Estire as mãos, afastando-as dos ombros, comprimindo as escápulas e abrindo a parte superior do tórax. Inspirando, estire a coluna. Expire ao girar os quadris e inclinar-se para a frente. Afaste os ombros das orelhas ao comprimir as escápulas em direção à coluna e leve os dedos das mãos em direção ao chão.

INFORMAÇÕES

OLHAR: Ponta do nariz.

POSTURAS PREPARATÓRIAS: Postura da Extensão, Postura da Extensão Lateral, Ação Invertida com pernas afastadas, Postura do Arco (para os braços).

POSTURAS COMPENSATÓRIAS: Postura Grandiosa, Postura do Meio Arco, Postura do Camelo.

ABRANDAMENTOS: a) Dobre os joelhos. b) Aproxime mais os pés.

EFEITO: Expansão.

Postura da Extensão

Uttanasana. A flexão para a frente a partir dos quadris provoca intenso alongamento dos tendões das pernas e da coluna lombar. Esta postura, mesmo que seja mantida apenas por uns instantes, leva sangue novo ao cérebro e provoca uma sensação de ânimo e bem-estar.

1 Na Postura da Montanha (p. 46), inspire abrindo bem os braços e juntando as palmas das mãos acima da cabeça.

INFORMAÇÕES

OLHAR: Olhos fechados ou levemente voltados para os joelhos.

POSTURAS PREPARATÓRIAS: Postura da Cabeça Além do Joelho, Postura da Extensão das Costas.

POSTURAS COMPENSATÓRIAS: Postura do Gafanhoto, Postura da Serpente.

ABRANDAMENTOS: a) Para fazer a versão relaxante da Postura da Extensão, coloque os pés na linha dos quadris, dobre os joelhos para descansar o peito sobre as coxas e deixe os braços soltos.

EFEITO: Recentramento.

2 Firme-se sobre os quadris para flexionar-se estirando os braços para a frente e alongando-se a partir do cóccix. Se sua coluna for forte, mantenha as pernas eretas ao dobrar-se para a frente. Leve as mãos ao chão e coloque-as ao lado dos pés. Se não conseguir, flexione um pouco os joelhos, mas tente fazê-las estirar um pouco mais a cada respiração.

3 Se não tiver dificuldade para tocar o chão, leve as mãos um pouco para trás e pressione-as mais contra o chão. Sinta a nunca se alongar, empurrando um pouco o queixo contra a garganta. Fique nesta postura durante algumas respirações prolongadas, visualizando a coluna como uma cascata, cujas águas despencam da pélvis enquanto a gravidade faz sua cabeça pender em direção à terra.

4 Firme o baixo-ventre e mova os quadris para a frente para inspirar e subir. Mantenha a coluna estirada ao erguer o tronco para colocar-se na postura ereta.

Postura das Mãos sobre os Pés

Padahastasana. Esta postura alonga a parte da frente dos antebraços e é excelente para contrabalançar o efeito de qualquer postura que force demais as palmas das mãos. Com a coluna estendida ao máximo para a frente, os tendões das pernas também são estirados.

1. Na Postura da Montanha (p. 46), leve as mãos aos quadris, inspire e estenda a coluna para cima.

2. Expire e, mantendo a coluna estirada, empine o bumbum para o alto e comece a flexão para a frente a partir dos quadris, levando as pontas dos dedos ao chão perto dos pés. Fique nesta postura durante várias respirações preparando-se para estirar os tendões das pernas.

3. Inspirando, erga a cabeça e olhe para a frente enquanto afasta o peito das coxas. Mantenha as pontas dos dedos tocando o chão e use-as como âncoras ao estender as costelas até os antebraços e achatar as costas. Pressione os ísquios para trás e, ao mesmo tempo, alongue a coluna para a frente em direção ao topo da cabeça.

4. Dobre os joelhos, afaste as pontas dos pés do chão e coloque as mãos sob os pés, com os dedos apontados para os calcanhares, com as partes internas dos pulsos alinhadas com as pontas dos dedos dos pés.

5. Ao expirar, faça de novo uma flexão intensa da parte superior do corpo em direção às coxas, aproximando a testa dos joelhos. Dobre os cotovelos aproximando-os das tíbias ou indo um pouco além delas para maximizar a soltura dos antebraços. Empurre as escápulas para baixo, afastando os ombros das orelhas e soltando o pescoço. Leve os ísquios para cima ao aumentar a pressão sobre os dedos dos pés. Distribua o peso igualmente entre o pé direito e o esquerdo.

INFORMAÇÕES

OLHAR: Ponta do nariz.

POSTURAS PREPARATÓRIAS: Postura da Extensão e qualquer outra flexão para a frente.

POSTURAS COMPENSATÓRIAS: Postura da Montanha, Postura do Meio Arco Elevada e qualquer postura de equilíbrio sobre as palmas das mãos.

ABRANDAMENTOS: a) Dobre os joelhos. b) Faça a postura diante de uma parede, com os calcanhares a uns 30 centímetros da parede e encoste as nádegas nela.

EFEITO: Calmante.

6. Ao inspirar, ative a Trava Ascendente (p. 338), contraindo levemente o baixo-ventre na direção da coluna. Ao expirar, mova as costelas flutuantes mais para baixo das coxas na direção dos joelhos e force a abertura do dorso das pernas.

7. Leve as mãos aos quadris, contraia a região do baixo-ventre ao mover os quadris para se erguer e volte para a Postura da Montanha.

Postura de um Único Pé Estendido para Cima

Urdhva Prasarita Eka Padasana. Esta postura alonga a parte de trás das pernas e melhora a circulação nos órgãos abdominais. Como uma flexão para a frente feita na postura invertida, ela requer flexibilidade, foco e base firme de sustentação.

1. Na Postura da Montanha (p. 46), inspire pressionando firmemente as plantas dos pés contra o chão e sentindo a coluna alongar para cima toda a sua extensão da ponta do cóccix até o topo da cabeça.

2. Expirando, flexione-se para a frente a partir dos quadris, mantendo a coluna estirada e levando as palmas das mãos ao chão embaixo dos ombros e dobrando os joelhos, se necessário.

3. Lentamente, transfira o peso do corpo para o pé esquerdo. Mantendo a palma ou as pontas dos dedos da mão direita no chão, leve a mão e o antebraço esquerdos até a panturrilha esquerda, com o cotovelo atrás do joelho apontando para trás. Pressione as costelas dianteiras contra a coxa esquerda. Erga um pouco o pé direito, mantendo o dedão no chão para dar equilíbrio.

4. Ao inspirar, erga o máximo possível a perna direita. Mantenha as costelas o mais perto possível da coxa direita. Estire ambas as pernas e os calcanhares nas direções contrárias. Aproxime a testa da canela esquerda. Arraste a mão direita até perto dos dedos do pé esquerdo. Fique nesta postura durante cinco respirações, estendendo a perna erguida mais para o alto a cada expiração.

INFORMAÇÕES

OLHAR: Ponta do nariz.

POSTURAS PREPARATÓRIAS: Postura da Extensão, Postura do Cachorro Olhando para Baixo com uma Perna Elevada.

POSTURAS COMPENSATÓRIAS: Postura da Montanha e do Meio Arco Elevada.

ABRANDAMENTOS: a) Mantenha o dedão do pé esquerdo tocando levemente o chão atrás de você.
b) Dobre a perna de apoio.
c) Mantenha as mãos no chão bem diante do pé direito.

EFEITO: Centramento

5. Voltando o pé direito para o chão, junte ambos os pés e coloque ambas as mãos no chão abaixo dos ombros. Desta flexão para a frente, repita a postura do outro lado.

Posturas em Pé

Postura da Extensão Lateral

Parshvottanasana. Esta flexão para a frente é excelente para abrir tanto as articulações dos quadris como dos ombros. Alonga intensamente os músculos de trás das pernas e contrai levemente os órgãos abdominais.

1 Na Postura da Montanha, contraia o cóccix e abra a parte dianteira dos quadris. Contraia levemente o baixo-ventre em direção à coluna. Erga as costelas afastando-as do abdômen para abrir e alongar toda a parte frontal do corpo. Solte os ombros e alongue a nuca enquanto o topo da cabeça se ergue em direção ao teto.

2 Leve os braços para os lados e gire os ombros para a frente com os polegares voltados para baixo.

3 Leve as mãos às costas e una as palmas (em posição de prece ou namaste) no meio das costas atrás do coração. Pressione as laterais externas das mãos contra a coluna ao empurrar as partes internas dos cotovelos para trás e abrir a frente dos ombros. Faça uma inspiração profunda, sentindo o peito se expandir.

4\. Dê um passo atrás com o pé esquerdo. Para facilitar o equilíbrio, mantenha os pés separados na linha dos quadris e alinhe o arco do pé esquerdo com o calcanhar direito. Gire o pé esquerdo um pouco para o lado e encaixe os quadris.

5\. Ao expirar, gire os quadris e flexione-se para a frente. Mantenha o queixo contraído, a nuca alongada, a testa sobre o joelho direito. Leve o umbigo na direção da coxa direita e empurre a testa até e além do joelho direito. Mantenha as pernas firmes e estiradas. Contraia os músculos dianteiros da coxa direita até o osso e pressione a lateral externa do pé esquerdo contra o chão. Fique nesta postura durante várias respirações. A cada inspiração, alongue a espinha mantendo os quadris encaixados. A cada expiração, intensifique a flexão para a frente.

6\. Inspire e erga o tronco na posição ereta. Avance o pé esquerdo para voltar para a Postura da Montanha. Repita do outro lado.

INFORMAÇÕES

OLHAR: Ponta do nariz.

POSTURAS PREPARATÓRIAS: Postura da Extensão, Postura da Cabeça Além do Joelho, Postura da Cara de Vaca.

POSTURAS COMPENSATÓRIAS: Postura da Montanha, Postura do Meio Arco Elevada, Postura do Alongamento Frontal, Postura da Ponte com Apoio.

ABRANDAMENTOS: a) Coloque as mãos nos quadris. b) Mantenha os cotovelos nas costas. c) Dobre o joelho da perna da frente. d) Faça a flexão para a frente apenas até a coluna ficar paralela ao chão, mantendo o queixo contraído.

EFEITO: Soltura.

Postura da Extensão Lateral como um Cisne sobre uma Perna

Eka Pada Hamsa Parsvottanasana.
Esta versão ampliada acrescenta à Postura da Extensão Lateral o desafio do equilíbrio. Lembre-se que o equilíbrio está intrinsecamente associado ao foco mental. Portanto, prepare-se para acrescentar a graciosidade do cisne à postura.

1 Pratique a Postura da Extensão Lateral (p. 74). Uma vez que tenha conseguido completar a flexão para a frente, com o torso sobre a perna da frente, aperte os cotovelos um contra o outro, abrindo a frente dos ombros. Aperte a polpa de um polegar contra a do outro. Se você tem força nas costas e está a fim de fazer uma versão mais difícil desta sequência, conclua-a com os dedos entrelaçados atrás da cabeça conforme mostra a foto. E mantenha-se nesta postura durante cinco respirações.

2. Tendo conseguido levar a flexão para a frente o mais longe possível, transfira mais peso para o pé dianteiro e erga a perna de trás para o alto. Faça com que a perna traseira atue como princípio estabilizador. Deixe que a perna de apoio se afunde no chão, enquanto empurra o outro pé na direção do céu. Force ambos os calcanhares em direções contrárias numa postura sustentada pelos quadris. Fique nesta postura durante cinco respirações estáveis.

3. Flexione a perna de apoio e erga o torso até o peito e os ombros ficarem acima dos quadris. Curve as costas e mantenha o peito elevado para ativar os músculos ao longo da coluna. Esta postura é chamada de Postura da Extensão Lateral como um Cisne sobre uma Perna e atua como postura compensatória para as costas após a prática da Postura da Extensão Lateral. Fique nesta postura durante cinco respirações.

4. Leve o pé erguido para junto do pé dianteiro ao erguer o torso para colocar-se na Postura da Montanha (p. 46). Repita a postura do outro lado.

INFORMAÇÕES

OLHAR: Para o chão ou para a frente.

POSTURAS PREPARATÓRIAS: Postura da Extensão Lateral, Postura da Extensão.

POSTURAS COMPENSATÓRIAS: Etapa 3 da sequência, Postura da Montanha e do Meio Arco Elevada.

ABRANDAMENTOS: a) Olhe para um ponto fixo. b) Mantenha os cotovelos nas costas ou estenda os braços para trás, com os dedos estendidos para além dos quadris. c) Mantenha o pé de trás no chão. d) Reduza o tempo de permanência na postura.

EFEITO: Foco.

Postura do Triângulo com Rotação

Parivrtta Trikonasana. Nesta postura em pé, você flexiona o corpo para a frente e faz um giro intenso. Use esta postura para praticar estabelecer com os pés uma base no chão para poder se expandir plenamente. Você vai perceber que aumentando a intensidade da flexão e do giro, aumenta também o desafio da postura.

1 Fique na Postura da Montanha (p. 46). Afaste bem os pés e gire o pé direito para fora de maneira que seu calcanhar fique apontado para o arco interno do pé esquerdo. Vire bem os dedos do pé esquerdo em direção ao pé direito. Empurre os quadris para a frente, contraia o cóccix e alongue a coluna até a ponta da cabeça. Inspirando, erga os braços até a altura dos ombros e abra o peito.

2 Ao expirar, gire o peito na direção da perna direita e leve a palma da mão esquerda até o chão do lado de fora do pé direito. Continue girando para cima até a parte superior do corpo, enquanto gira as costelas do lado esquerdo em direção à coxa direita. Leve a mão direita em direção ao teto, estendendo-a pelas pontas dos dedos e com as palmas voltadas para a frente.

3 Vire a cabeça e olhe para cima na direção da mão direita, mantendo o dorso da cabeça alinhado com a coluna e a nuca. Empurre o ísquio direito para trás e para cima, mantendo o nível do sacro. Pressione com força a lateral externa do pé de trás.

4 Alongue o lado direito da cintura, fazendo aumentar a distância entre o quadril e a axila. Ao inspirar, aumente o espaço da coluna, estendendo-a para trás pelos ísquios e, ao mesmo tempo, para a frente pelo topo da cabeça. Sinta o peito se expandir.

5 Ao expirar, contraia levemente os músculos do abdômen em direção à coluna e intensifique a torção para o alto. Faça cinco respirações nesta postura. Inspirando, saia da postura da mesma maneira que entrou. Repita a postura do outro lado.

INFORMAÇÕES

OLHAR: A mão elevada.

POSTURAS COMPENSATÓRIAS: Postura Grandiosa, Postura da Montanha.

POSTURAS PREPARATÓRIAS: Postura da Extensão Lateral, Postura da Extensão, Postura Favorável com Rotação.

ABRANDAMENTOS: a) Dobre o joelho da perna da frente. b) Coloque a mão abaixada perto do chão, na altura da canela ou da lateral interna do pé. c) Coloque a mão elevada no sacro. d) Olhe para o chão ou diretamente para a frente, não para cima. e) Aproxime os pés para facilitar o equilíbrio.

EFEITO: Equilíbrio.

Postura da Águia Garuda

Garudasana. Esta postura de equilíbrio em pé fortalece os tornozelos e é excelente para soltar a rigidez dos ombros. As posturas de equilíbrio proporcionam a sensação de estabilidade e são especialmente indicadas para as situações de stress mental.

1 Na Postura da Montanha (p. 46), por alguns instantes procure sentir o contato pleno e uniforme das plantas dos pés com o chão. Flexione bem o joelho direito enquanto vai transferindo lentamente o peso do corpo para o pé direito.

2 Erga a perna esquerda, cruze-a por cima do joelho direito e gire a ponta do pé esquerdo em volta da perna direita. Isso só é possível com a perna de apoio flexionada.

3 Acomode-se um pouco mais sobre as nádegas para que o joelho direito se dobre mais. Empurre o cóccix para baixo e estenda a coluna para cima, de maneira que a parte superior do corpo se erga verticalmente. Contraia o queixo contra a garganta, mantendo a nuca estirada.

4 Inspirando, estenda os braços para a frente até a altura dos ombros. Cruze o braço

direito por cima do esquerdo, dobre os antebraços para cima a partir dos cotovelos e passe um por cima do outro para juntar as palmas das mãos. Erga os cotovelos até à altura dos ombros, afastando as mãos do rosto. Relaxe os ombros, afastando-os das orelhas e empurrando as escápulas para baixo.

5 Inspire pelo espaço atrás do coração. Depois de completar seis respirações, inspire para soltar os braços e as pernas e voltar para a Postura da Montanha. Repita a postura do outro lado.

6 Se você não está preparado para a posição das pernas, tente o seguinte: coloque o tornozelo do pé esquerdo sobre a coxa direita logo acima do joelho. Deixe o joelho mover-se para o lado e dobre mais a perna de apoio. Se não conseguir unir as palmas das mãos, forme dois punhos e leve os dorsos dos pulsos a ficarem um diante do outro, conforme a ilustração.

INFORMAÇÕES

OLHAR: Mãos.

POSTURAS PREPARATÓRIAS: Postura da Montanha (sobre as pontas dos pés), Postura Grandiosa em Lótus, Postura do Triângulo com Rotação, Postura do Cachorro Olhando para Baixo, Postura da Cara de Vaca.

POSTURAS COMPENSATÓRIAS: Postura da Extensão sobre os Pés Afastados (com os dedos das mãos entrelaçados), Postura do Gato.

ABRANDAMENTOS: a) Simplesmente cruze a perna esquerda por sobre a direita e deixe o pé esquerdo descansar sobre o lado externo do tornozelo direito, se não conseguir passar o pé por trás da perna direita. b) Para se equilibrar, pratique com as costas contra uma parede. c) Pratique as posições das pernas e dos braços separadamente.

EFEITO: Foco.

Postura do Ângulo Lateral com Rotação

Parivrtta Parshvakonasana. Feita em pé, esta torção é excelente para firmar a base de sustentação. Esta torção, que exige um alto grau de flexibilidade, comprime fortemente os órgãos abdominais. Esta massagem contribui para o funcionamento dos órgãos digestivos e a eliminação pelos intestinos.

1 De joelhos, leve a perna direita para a frente em posição de largada. Coloque a mão esquerda sobre o lado de fora do joelho direito e a mão direita no quadril. Fique nesta postura respirando algumas vezes enquanto a coluna se alonga para cima. Em seguida, comece a girar a mão contra o joelho, enquanto o joelho opõe resistência.

2 Contraia o baixo-ventre enquanto ergue a frente do torso e leva a mão esquerda até o chão ao lado do dedo mínimo do pé direito. O joelho direito deve se aproximar da axila. Em vez de voltar o rosto para o chão, mova-o mais para o lado, usando a pressão do braço esquerdo e da perna direita um contra o outro. Com a mão direita no sacro, pressione os dedos do pé e erga o joelho da perna de trás do chão. Estire bem o calcanhar esquerdo ao mover a parte de trás do joelho esquerdo para o alto. Olhe por cima do ombro direito.

para o chão e gire a cabeça para olhar para o alto através da axila.

4 Mantenha a nuca estirada e o dorso da cabeça alinhado com a coluna. Erga um pouco o quadril esquerdo para ele não descer.

3 Gire o calcanhar esquerdo para dentro e pressione-o contra o chão. Pressione a lateral externa do pé contra o chão. Estenda o braço direito por cima da cabeça, com a mão voltada

5 Fique nesta torção respirando algumas vezes. A cada inspiração, estire-se mais das pontas dos dedos da mão erguida até a lateral externa do pé de trás. A cada expiração, contraia os músculos abdominais em direção à coluna. Abra o peito para cima, intensificando a torção. Inspire para sair da postura e repita-a do outro lado.

INFORMAÇÕES

OLHAR: Pontas dos dedos da mão erguida ou diretamente para o alto.

POSTURAS PREPARATÓRIAS: Postura do Triângulo com Rotação, Postura da Meia-Lua com Rotação.

POSTURAS COMPENSATÓRIAS: Postura da Extensão sobre os Pés Afastados, Postura do Cachorro Olhando para Baixo.

ABRANDAMENTOS: a) Faça apenas as duas primeiras etapas. b) Leve o cotovelo esquerdo (ou axila esquerda) até o lado de fora do joelho direito, com as palmas das mãos em posição de prece e os polegares no esterno. c) Coloque a mão abaixada no dedão do pé à frente.

EFEITO: Energização.

Sequência da Postura do Ângulo Lateral sem Apoio

Niralamba Parshvakonasana. Esta postura em pé com estiramento lateral fortalece as coxas e expande o peito e os pulmões. Pode também aumentar a amplitude de movimentos dos ombros. É uma verdadeira dança de extensão com estabilidade – alongamento máximo sem perda do equilíbrio.

1. Afaste bem as pernas. Gire o pé esquerdo 90 graus para fora e o direito mais ou menos 15 graus para dentro. Flexione o joelho esquerdo de maneira a formar um ângulo reto. Estenda os braços para os lados e alongue-os pelos lados do tronco. Estire o lado esquerdo do tronco enquanto expira e leva a mão esquerda até o chão ao lado do dedão, conforme a Postura do Ângulo Lateral (p. 52).

2. Descanse o dorso da mão direita sobre a base da coluna. Inspire e alongue a extensão do lado esquerdo que vai das costelas até a parte interna da coxa esquerda. Erga o peito e pressione o ombro direito para baixo e para trás de maneira a abrir a parte frontal do corpo. Pressione a nádega esquerda para baixo, colocando num mesmo plano toda a parte dorsal do corpo, do calcanhar direito até o dorso da cabeça.

3 Gire o ombro esquerdo para dentro ao dobrar o cotovelo, de maneira que a mão comece a mover-se por baixo da perna esquerda. Leve a mão para cima em direção à parte inferior das costas e segure o pulso direito com a mão esquerda. Ao expirar, intensifique a rotação do peito em direção ao teto. Pressione o cotovelo esquerdo contra o joelho e o joelho contra o cotovelo. Intensifique mais o giro empurrando o pulso direito para afastá-lo do joelho esquerdo, de maneira a estirar ambos os cotovelos. Gire a cabeça e olhe para o alto. Fique nesta postura durante algumas respirações e, a cada respiração, concentre-se em uma parte diferente que está sendo alongada.

4 Solte um pouco a pressão para juntar as pontas dos dedos dobrados. Olhe para o chão. Avance o pé traseiro para dentro e equilibre-se sobre o dedão do pé traseiro. Se possível, erga a perna traseira para o alto. Estire-a enquanto afasta o máximo possível o calcanhar. Estire a perna de apoio. Alongue as plantas dos pés afastando-as uma da outra. Fique nesta postura durante cinco respirações. Volte para a Etapa 1 e inspirando, erga o torso para praticar do outro lado.

INFORMAÇÕES

OLHAR: Primeira etapa – para o alto. Segunda etapa – para o chão.

POSTURAS PREPARATÓRIAS: Postura do Ângulo Lateral, Postura do Sábio Bharadvaja.

POSTURAS COMPENSATÓRIAS: Postura da Extensão sobre os Pés Afastados, Postura da Montanha.

ABRANDAMENTOS: a) Leve o cotovelo esquerdo apenas até em cima do joelho esquerdo. b) Estenda o antebraço direito por trás das costas e coloque os dedos acima da dobra do quadril esquerdo antes de levar a mão esquerda ao chão. c) Encoste levemente o pé traseiro no chão para aumentar o equilíbrio.

EFEITO: Foco.

Postura da Guirlanda sobre uma Perna

Eka Pada Malasana. Esta postura desafiadora trabalha os músculos abdominais, ativando os órgãos e ajudando a abrir os ombros. Como uma versão de equilíbrio em pé das posturas sentadas com torção, ela requer um foco mental mais intenso.

1 Fique na Postura da Montanha (p. 46). Transfira o peso do corpo para o pé esquerdo e dobre o joelho direito na direção do peito. Encontre seu ponto de equilíbrio e inicie o alongamento apertando o joelho contra o peito.

2 Estenda o braço direito por cima da perna, de maneira que o joelho direito fique em baixo da axila. Gire o braço para dentro a partir do ombro e passe o antebraço pelo lado de fora da perna direita, colocando o dorso da mão direita ao lado do quadril direito para prender a perna.

3 Erga o centro do coração e alongue a coluna para cima ao estender o braço esquerdo para o lado e girar a mão para que a palma se volte para trás. Ao expirar, gire a parte superior do corpo para a esquerda e estenda o braço esquerdo atrás da cintura.

Segure o pulso esquerdo com a mão direita.

4. Faça cinco respirações, olhando para a frente e mantendo a postura ereta. Para ajudar a manter os ombros e o coração abertos, force as mãos para fora como se fosse estirar os cotovelos. Alongue os dedos do pé erguido. Tome cuidado ao sair da postura.

5. Na versão com torção, a Postura da Guirlanda sobre uma Perna com Rotação, puxe o joelho direito para o peito. Inspirando, erga o braço esquerdo para o alto e, a partir do baixo-ventre, gire intensamente o tronco para a direita. Dobre o cotovelo esquerdo e leve o dorso do ombro esquerdo até o lado externo do joelho direito. Gire o braço esquerdo para dentro, de modo que o cotovelo aponte para cima. Prenda o joelho com o braço ao aproximar a mão esquerda do quadril esquerdo. Já com o joelho preso, passe o braço direito à sua volta para segurar o pulso direito com a mão esquerda. Vire a cabeça e olhe para trás. Aumente a intensidade ao ficar na postura ereta. Estire a perna de apoio. Tente estirar os cotovelos. Estire todos os dedos do pé direito.

INFORMAÇÕES

OLHAR: Primeira etapa – diretamente para a frente. Segunda etapa – para o lado ao longe.

POSTURAS PREPARATÓRIAS: Meia Postura do yogue Matsyendra, Postura do Sábio Marichi A, Postura do Sábio Marichi C, Postura do Laço.

POSTURAS COMPENSATÓRIAS: Postura Grandiosa, versão relaxante da Postura da Extensão, Postura da Montanha.

ABRANDAMENTOS: a) Simplesmente leve o joelho ao peito. b) Use um cinto para prender as mãos. c) Pratique na posição sentada.

EFEITO: Foco.

Postura Grandiosa em Lótus

Padma Utkatasana. Nesta postura de equilíbrio, o foco continua no coração enquanto você se firma sobre a perna de apoio e deixa o quadril da perna dobrada abrir-se levemente com a respiração. Ela ajuda a fortalecer os tornozelos e dar flexibilidade aos quadris, além de proporcionar equilíbrio e clareza mental.

1 Na Postura da Montanha (p. 46), erga o calcanhar esquerdo e coloque-o sobre a coxa da perna direita um pouco flexionada. Empurre o joelho esquerdo em direção ao chão para abrir o quadril direito. Estire o cóccix em direção ao chão e alongue a coluna.

2 Ao inspirar, erga os braços acima da cabeça. Ao expirar, junte as palmas das mãos em posição de prece e abaixe-as até a frente do coração. Flexione a perna direita, incline-se mais para a frente e erga o centro do coração enquanto intensifica um pouco mais a postura agachada. Mantenha a coluna estirada, com o

cóccix bem encaixado. A parte superior do corpo ficará um pouco inclinada para a frente, mas continuará na vertical. Olhe para as pontas dos dedos das mãos, concentrando-se em soltar e abrir o peito. Se preferir, leve os cotovelos até as panturrilhas.

3 Leve a coluna mais para a posição vertical e dobre o joelho da perna de apoio ao erguer o pé esquerdo e abaixar-se para ficar agachado sobre uma perna.

INFORMAÇÕES

OLHAR: Ponta do nariz.

POSTURAS PREPARATÓRIAS: Postura da Árvore, Postura do Meio Lótus Atado.

POSTURAS COMPENSATÓRIAS: Postura da Montanha, da Extensão, de um Único Pé Estendido para Cima.

ABRANDAMENTOS: a) Faça apenas a primeira etapa. b) Descanse o pé da perna em postura de lótus mais perto do joelho. c) Firme o pé erguido com uma mão.

EFEITO: Foco.

Coloque o calcanhar direito entre os ísquios. Se necessário, apoie as pontas dos dedos no chão para equilibrar-se sobre a frente da planta do pé. Volte as mãos para a postura de prece e faça cinco respirações regulares.

4 Tome cuidado ao sair desta postura. Inspire ao erguer o corpo. Retire com cuidado a perna da postura de lótus e retorne para a Postura da Montanha. Em seguida, repita o processo do outro lado.

Postura do Meio Lótus Atado

Ardha Baddha Padmottanasana

Esta postura massageia os órgãos abdominais e melhora o funcionamento do intestino grosso. Quem tiver os quadris rijos precisa tomar cuidado para não sobrecarregar os joelhos. Para abrir os quadris, veja a Postura Cara de Vaca (p. 140) e Postura da Extensão das Costas com Meio Lótus Atado (p. 146).

1 Fique na Postura da Montanha (p. 46). Inspire e alongue toda a extensão da coluna desde o cóccix até a base do crânio, estendendo o topo da cabeça para o alto. Inspire e com ambas as mãos leve o pé esquerdo até o alto da coxa direita, de maneira que o calcanhar esquerdo fique logo abaixo da articulação da perna com o tronco. Pressione a parte de dentro do joelho esquerdo para baixo e para trás, alinhando a frente da coxa com o quadril esquerdo.

INFORMAÇÕES

OLHAR: Ponta do nariz.

POSTURAS PREPARATÓRIAS: Postura da Cara de Vaca, Postura da Extensão das Costas com Meio Lótus Atado, Postura da Extensão Lateral.

POSTURAS COMPENSATÓRIAS: Postura Grandiosa, Postura da Montanha, Postura do Meio Arco Elevada, Postura do Sábio Galava com uma Perna Erguida.

ABRANDAMENTOS: a) Faça apenas a primeira etapa. b) Deixe as mãos tocarem o chão se for difícil segurar o pé com a mão por trás.

EFEITO: Foco.

2. Ainda segurando o pé com a mão direita, estenda o braço esquerdo para o lado e por trás para segurar o dedão do pé esquerdo, se possível. Inspirando, alongue a coluna e erga o braço direito para cima.

3. Ao expirar, incline-se para a frente a partir dos quadris, levando a mão direita ao chão ao lado do pé direito. Deixe a nuca se alongar e o topo da cabeça chegar próximo do chão; leve a testa em direção ao joelho. Inspire e afaste o peito das coxas, olhando para a frente e alongando a coluna desde os ísquios até a base do crânio. Expire e faça outra flexão para a frente, soltando a coluna e alongando toda a parte frontal do corpo até as coxas. Respire suave e regularmente, sentindo o corpo se alongar.

4. Inspirando, erga o braço direito e a coluna para colocar-se em postura ereta. Ao expirar, solte o braço esquerdo e retorne o pé esquerdo ao chão para voltar à Postura da Montanha. Repita o processo todo do outro lado.

Posturas em Pé

Sequência da Postura da Mão no Dedão do Pé

Hasta Padangusthasana. Esta postura abre as articulações do quadril, alonga os tendões dos músculos das pernas, tonifica as pernas e melhora o equilíbrio. Ela faz parte da sequência de posturas em pé do yoga Ashtanga Vinyasa (p. 385).

1 Na Postura da Montanha (p. 46), transfira o peso para a perna esquerda. Pressione o pé esquerdo contra o chão. Coloque a mão esquerda na cintura. A pressão dos dedos sobre o abdômen tem efeito semelhante ao da Trava Ascendente (p. 338). Dobre o joelho direito para erguer o pé direito. Segure o dedão com os dedos indicador e médio da mão direita. Estire a perna direita e alongue o lado interno do pé para fora. Mantenha a perna esquerda estirada ereta. Mova a frente da coxa esquerda para trás e firme-se sobre a planta do pé. Mantenha os quadris na mesma altura. Faça cinco respirações nesta postura.

2 Ainda segurando o dedão, leve a perna direita para o lado e gire a cabeça para olhar por cima do ombro esquerdo. Pressione o quadril direito para baixo, estirando o lado direito da cintu-

Posturas em Pé

ra. Fique nesta postura durante cinco respirações.

3. Leve a perna direita de volta para a frente. Firme os músculos abdominais para impedir que a perna desça ao soltar o dedão. Aponte os dedos para fora e mantenha o pé erguido com a força dos músculos da coxa e do abdômen. Leve a mão direita até a cintura, pressionando os dedos no abdômen. Erga o pé direito o máximo que puder. Não se incline para trás, mas continue erguendo o peito. Fique nesta potura durante cinco respirações.

4. Abaixe a perna direita e repita o processo do outro lado.

INFORMAÇÕES

OLHAR: Dedão e lado.

POSTURAS PREPARATÓRIAS: Postura da Árvore, Postura da Extensão.

POSTURAS COMPENSATÓRIAS: Postura do Meio Arco Elevada, Postura da Montanha.

ABRANDAMENTOS: a) Dobre o joelho e firme-o com uma mão. b) Coloque a mão embaixo da coxa em lugar de no dedão. c) Dobre o joelho enquanto segura o dedão. d) Use um cinto em volta da frente do pé. e) Faça a postura diante de uma parede para ajudar a se equilibrar.

EFEITO: Flexibilidade.

Postura do Meio Arco Elevada

Utthita Ardha Dhanurasana. Esta postura de equilíbrio em pé com flexão para trás aumenta a elasticidade da coluna, tonifica os órgãos abdominais e fortalece as pernas. O elemento equilíbrio é um lembrete de que força e delicadeza são possíveis ao mesmo tempo.

1 Na Postura da Montanha (p. 46), inspire profundamente, fazendo o ar circular por todo o corpo. Lentamente, transfira o peso do corpo para o pé esquerdo e leve o pé direito para trás, firmando-o no chão atrás de você com dedão. Com as mãos nos quadris, erga o corpo a partir da parte baixa da coluna e arqueie as costas numa longa flexão para trás.

2 Dobre o joelho direito e eleve o calcanhar do chão. Continue fazendo a flexão enquanto respira algumas vezes para alongar os músculos das costas.

3 Puxe o calcanhar em direção à nádega direita com a mão direita segurando pelo lado externo do tornozelo. Pressione o pé direito para trás enquanto puxa o tornozelo para a frente com a mão direita formando um grande arco. Erga a perna direita para trás de modo que a coxa fique paralela ao chão e a canela mais vertical, com a planta do pé voltada para o alto. Pressione o quadril e as costelas do lado direito para a frente

de maneira a empinar o torso para a frente.

4. Dobre a perna de apoio e incline-se para a frente ao estirar o braço direito paralelamente ao chão, com a palma voltada para cima. Junte as pontas dos dedos indicador e polegar. Fixe o olhar no ponto de união do polegar e do indicador. Respire calma e regularmente, equilibrando-se sobre a perna esquerda, enquanto o pé direito continua estirado para trás e para cima. Deixe que a curva da coluna se estenda por trás do coração enquanto mantém o peito aberto e os ombros nivelados.

5. Solte o pé direito enquanto expira. Volte para a Postura da Montanha. Repita todo o processo do outro lado.

INFORMAÇÕES

OLHAR: Pontas dos dedos da mão.

POSTURAS PREPARATÓRIAS: Postura do Guerreiro Virabhadra 3, Postura do Arco, Postura da Extensão Lateral como um Cisne sobre uma Perna.

POSTURAS COMPENSATÓRIAS: Versão relaxante da Postura da Extensão, Postura da Extensão Lateral.

ABRANDAMENTOS: a) Não faça a última etapa. b) Pratique perto de uma parede para se equilibrar.

EFEITO: Foco.

Postura do Rei dos Dançarinos

Natarajasana. Esta bela e extremamente desafiadora postura requer equilíbrio e um alto grau de flexibilidade nas costas, pernas e ombros. Ela é dedicada a Shiva, o destruidor, o terceiro deus da Tríade Hinduísta, que é O Senhor da Dança.

1 Na Postura da Montanha (p. 46), erga o pé direito do chão, leve o joelho para trás e dobre a perna direita de maneira que a planta do pé fique voltada para cima. Gire os dedos para o lado de fora e com a mão direita segure o pé direito pelo lado interno. Mantenha a perna de apoio estirada e firme.

2 Gire o cotovelo para fora e para cima (para conseguir agarrar o dedão do pé direito) enquanto estende o braço direito para trás da cabeça e, ao mesmo tempo, puxa o pé direito mais para perto do dorso da cabeça. Enquanto faz isso, mantenha o quadril direito pressionado para baixo e procure colocá-lo paralelo ao chão. Estenda o braço esquerdo horizontalmente, com a palma da mão voltada para baixo, e junte as pontas dos dedos indicador e polegar. Esta é a Postura do Rei dos Dançarinos 1 (a foto na página seguinte mostra a postura do lado esquerdo do corpo).

Posturas em Pé

3 Para fazer a Postura do Rei dos Dançarinos 2, estenda a mão esquerda para trás e segure o pé esquerdo. Estire a cabeça para trás e acomode seu dorso no arco do pé.

4 Expirando, abaixe a perna esquerda e os braços e volte lentamente para a Postura da Montanha. Repita a postura do outro lado.

INFORMAÇÕES

OLHAR: Pontas dos dedos indicador e polegar da mão estendida para a frente na Postura do Rei dos Dançarinos 1. O ponto da terceira visão na Postura do Rei dos Dançarinos 2.

POSTURAS PREPARATÓRIAS: Postura do Sapo, do Meio Arco Elevada, do Pombo Real sobre um Pé.

POSTURAS COMPENSATÓRIAS: Postura de um Único Pé Estendido para Cima, Postura da Extensão.

ABRANDAMENTOS a) Pratique na posição deitada no chão, levando primeiro o calcanhar até a nádega e depois erguendo a coxa do chão para levar o calcanhar até a cabeça. b) Apoie-se numa parede, a uma distância de mais ou menos 60 centímetros para se equilibrar. c) Use um cinto em volta do pé erguido.

EFEITO: Rejuvenescimento, energização.

Posturas Sentadas e Outras Feitas no Chão

As posturas sentadas e outras feitas no chão ajudam a soltar as tensões e a recuperar o equilíbrio do corpo. As flexões para a frente tonificam os órgãos abdominais e acalmam o sistema nervoso. Elas neutralizam os efeitos negativos do stress. A prática de flexões para a frente coloca a mente num estado mais receptivo e intuitivo. Nesse estado, você pode ouvir o que diz seu coração. Com a mente calma e o corpo apoiado no chão para fazer as posturas sentadas, explore seus modos de entregar-se a elas em vez de forçá-las.

Postura da Criança

Balasana. Esta postura de relaxamento restaura o equilíbrio e a harmonia do corpo e coloca a mente num estado de abertura e receptividade. Introduza-a em sua prática entre outras posturas mais difíceis.

1 Ajoelhe-se no chão com os joelhos unidos. Deixe as nádegas descansarem sobre os calcanhares.

2 Estire a coluna para cima. Ao expirar, incline-se para a frente a partir da pélvis para dobrar o corpo de modo que

o peito descanse sobre as coxas e a cabeça no chão. Estenda os braços para trás ao lado do corpo com os dorsos das mãos ao lado dos pés e os dedos levemente dobrados. Alargue as costas enquanto solta as tensões dos ombros pelos braços. Deixe os cotovelos relaxados. Desfaça toda tensão do pescoço. Relaxe e solte a parte inferior da coluna.

3 A Postura da Criança é ótima para explorar a respiração. Como a frente do torso esbarra nas coxas, a expansão do peito e do abdômen é limitada. A cada inspiração, sintonize-se com o movimento da respiração na parte dorsal do torso. Sinta se abrir e se soltar para fora toda a sua extensão até o sacro. Cada expiração provoca uma espécie de integração interna. Observe o fluxo da respiração natural percorrendo todo o corpo. Permita que a leve pressão do chão contra a testa solte e relaxe profundamente a parte frontal do crânio.

INFORMAÇÕES

OLHAR: Olhos fechados voltados para o interior.

POSTURAS PREPARATÓRIAS: Postura do Selo do Yoga.

POSTURAS COMPENSATÓRIAS: Postura do Alongamento Frontal, Postura do Gafanhoto.

ABRANDAMENTOS: a) Use um cobertor fino dobrado atrás dos joelhos. b) Use uma almofada embaixo das pontas dos pés, se sentir necessidade. c) Se os quadris subirem ao ponto de causar a sensação desconfortável de pressionar o nariz, use quantas almofadas achar necessário para descansar a testa. Como alternativa você pode descansar a cabeça sobre as mãos uma em cima da outra. d) Se você tem bastante flexibilidade e sente que não consegue relaxar o pescoço como deveria, coloque uma ou várias camadas de cobertores sobre as coxas antes de deitar o peito para que a cabeça penda um pouco mais.

EFEITO: Centramento.

Postura da Criança (estendida)

Utthita Balasana. Esta versão estendida da Postura da Criança é um pouco mais ativa do que a original, por abrir os ombros e o peito e deixar que a respiração circule por todo o peito e o abdômen.

1 Ajoelhe-se no chão com os joelhos bem afastados. Quanto maior a abertura, mais intenso será o esforço dos quadris. Com os dedões unidos, sente as nádegas sobre os calcanhares, estire a coluna para cima e, ao expirar, deixe as mãos deslizarem para a frente ao estender a parte superior do corpo. Tente manter as nádegas em contato com os calcanhares ao estender-se para a frente pelas mãos – no começo, use as mãos para acomodar as nádegas sobre os calcanhares. Alongue toda a extensão que vai dos quadris até as axilas e, em seguida, das axilas até as pontas dos dedos das mãos. Afaste os ombros das orelhas e deixe a nuca se alongar enquanto a testa repousa no chão. Enquanto permanece nesta postura, empurre a pélvis mais para a frente e deixe as costelas se soltarem entre as coxas.

Postura do Embrião

Pindasana. Todos nós vivemos situações em que sentimos como se a vida fosse feita de tantas tensões, preocupações e exigências que não conseguimos dar conta. Nessas horas, é importante recorrer à energia vital interior que está sempre à nossa disposição; temos apenas que nos aquietar o suficiente para acessá-la.

1 Fique na Postura da Criança (p. 100), com os joelhos no chão e a parte superior do corpo deitada sobre as coxas. Deixe a cabeça se virar para um lado, com a face apoiada no chão. Deixe os dedos levemente dobrados para dentro das palmas das mãos. Acomode as mãos entre o queixo e os joelhos.

2 Entre em sintonia com o ritmo suave da respiração. Sinta o aconchego de sua calma e segurança. Com os olhos fechados, inspire e leve o ar para o centro do peito, soltando e relaxando mais profundamente o corpo todo a cada respiração. Fique nesta postura pelo tempo que quiser.

INFORMAÇÕES

OLHAR: Olhos fechados voltados para o interior.

POSTURAS PREPARATÓRIAS: Postura da Criança, Postura do Selo do Yoga.

POSTURAS COMPENSATÓRIAS: Postura do Alongamento Frontal.

ABRANDAMENTOS: Ver Postura da Criança.

EFEITO: Suavizante.

Postura do Bastão

Dandasana. Esta postura básica é o ponto inicial e final de todas as posturas e torções sentadas. Ela desperta o corpo todo em preparação para outros asanas mais complexos. Ela nos desafia a prestar atenção em todos os detalhes.

1 Sente-se no chão com as pernas estendidas para a frente. Mantenha os dedões, as laterais internas dos pés e os joelhos unidos. Ative intensamente as pernas, contraindo os músculos das coxas em direção aos ossos e ativando os músculos ao redor das rótulas. Pressione as partes de trás dos joelhos no chão. Não deixe que pernas girem para fora.

2. Afaste os calcanhares e os ísquios um do outro, estirando os calcanhares para fora e inclinando levemente a pélvis para a frente. Você vai sentir o alongamento na parte de trás das pernas, como também na parte inferior da coluna. É importante não deixar descer a parte inferior da coluna, esforçando-se para mantê-la erguida a partir da base da pélvis. Procure manter o peso distribuído igualmente entre os ísquios.

3. Coloque as mãos espalmadas no chão ao lado dos quadris com os dedos apontados para a frente. Deixe o peito erguer-se e abrir os ombros para os lados.

4. Contraia o umbigo na direção da coluna de maneira a sentir a frente do torso se alongar. Com o cóccix atuando como base de sustentação, esta postura possibilita ao resto da coluna vertebral se erguer a partir dessa base e mantê-la estirada e ereta.

5. Examine a posição da cabeça e do pescoço. Mantenha o queixo paralelo ao chão, o que o impede de projetar-se para a frente e ajuda a manter a nuca bem estirada. As fotos mostram uma vista de frente Ⓐ e de lado Ⓑ.

INFORMAÇÕES

OLHAR: Diretamente à frente.

POSTURAS PREPARATÓRIAS: Postura da Montanha.

POSTURAS COMPENSATÓRIAS: Postura do Alongamento Frontal.

ABRANDAMENTOS: a) Coloque um cobertor dobrado sob os ísquios. b) Sente-se em postura ereta com as costas contra uma parede e as nádegas o máximo possível próximas da parede.

EFEITO: Calmante.

Postura Favorável

Sukhasana. Esta postura simples abre os quadris e os músculos abdutores das coxas. Para quem ainda não consegue fazer a Postura do Lótus (p. 152), esta é uma opção confortável de postura para meditar e praticar o pranayama.

1 Sente-se confortavelmente no chão com as pernas cruzadas. Aproxime mais os joelhos para que os pés fiquem mais afastados um do outro. Cada joelho deve estar alinhado com o quadril de seu respectivo lado. Flexione ambos os pés de maneira que suas laterais externas, e não seus dorsos, fiquem em contato com o chão. Esta postura, com as tíbias paralelas, é mais aberta. Se os joelhos estiverem acima das articulações dos quadris, será difícil manter a coluna ereta. Nesse caso, sente-se sobre quantos cobertores dobrados forem necessários para elevar o assento.

2 Para ativar mais intensamente os quadris, faça uma flexão para a frente na Postura Favorável. Coloque as mãos no chão à sua frente, inspire e alongue toda a extensão que vai do osso púbico até a base da garganta.

Expire e solte as mãos, mantendo a abertura na frente do tronco.

3. Mantenha as extremidades dianteiras dos ísquios pressionadas contra o chão e o peito erguido enquanto, com a respiração, você solta lentamente as mãos e as leva mais para a frente.

INFORMAÇÕES

OLHAR: Diretamente para a frente quando na postura ereta, olhos fechados durante a flexão para a frente.

POSTURAS PREPARATÓRIAS: Exercícios preparatórios para a abertura dos quadris da Postura do Meio Lótus Atado, Postura da Cara de Vaca, Postura do Ângulo Fechado, Postura Reclinada do Ângulo Fechado.

POSTURAS COMPENSATÓRIAS: Postura da Criança, Postura do Selo do Yoga.

ABRANDAMENTOS: Pratique com uma perna de cada vez, usando uma cadeira como assento.

EFEITO: Centramento.

Deixe a respiração dissolver qualquer tensão em torno da articulação dos quadris enquanto você permanece nesta postura por mais ou menos um minuto. Ao erguer-se, inverta o cruzamento das pernas e repita o processo do outro lado.

Postura Favorável (com extensão dos dedos dos pés)

Sukhasana. Passamos a maior parte do tempo com os pés presos em sapatos. Em consequência disso, nossos pés têm menos vitalidade do que poderiam ter. Revitalize os dedos de seus pés estirando-os nesta flexão para a frente. Ao olhar para os dedos de seus pés em qualquer outra postura, lembre-se de estirá-los.

1 Acomode-se na Postura Favorável (p. 106) com a perna esquerda na frente da direita. Flexione-se para a frente e use a mão direita para ajudar a enfiar os dedos da mão esquerda entre os dedos do pé direito. Enfie os dedos até onde for possível.

2 Em seguida, tente o melhor possível introduzir os dedos da mão direita entre os dedos do pé esquerdo. Aperte suavemente cada um dos dedos.

3.Flexione os calcanhares dos pés, flexione-se para a frente e mova os cotovelos para a frente, como se fossem asas dos lados do corpo. Ao expirar, alongue a parte superior do corpo para a frente até colocar a testa no chão. Fique nesta postura durante dez respirações, mantendo ambos os ísquios no chão e a parte frontal do torso tão alongada quanto a dorsal. Se estiver confortável, aproveite a oportunidade para treinar manter a mente imparcial diante das adversidades.

4.Inspire para erguer-se e solte as mãos. Cruze as pernas na posição contrária para repetir a postura.

INFORMAÇÕES

OLHAR: Olhos fechados ou voltados para a ponta do nariz.

POSTURAS PREPARATÓRIAS: Postura Favorável.

POSTURAS COMPENSATÓRIAS: Postura da Criança, Postura do Alongamento Frontal.

ABRANDAMENTOS: a) Simplesmente coloque os dedos das mãos em volta dos dedos dos pés e aperte-os. b) Eleve o assento com almofadas. c) Permaneça em postura ereta.

EFEITO: Extensão, flexibilidade.

Postura do Leão

Simhasana. Esta postura nos encoraja a expressar conscientemente o nosso lado feroz! Ela ativa as travas para conter a energia interior (bandhas) e desobstrui a passagem da garganta. É um excelente exercício para os músculos faciais e, por expressar a natureza própria, faz você se sentir revitalizado.

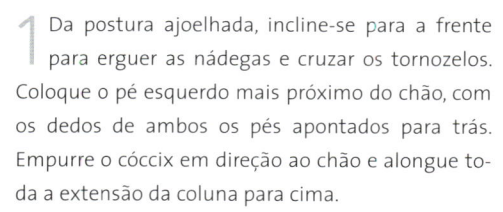

1 Da postura ajoelhada, incline-se para a frente para erguer as nádegas e cruzar os tornozelos. Coloque o pé esquerdo mais próximo do chão, com os dedos de ambos os pés apontados para trás. Empurre o cóccix em direção ao chão e alongue toda a extensão da coluna para cima.

2 Coloque as palmas das mãos sobre os joelhos com os braços totalmente estendidos. Abra bem os dedos e energize toda a extensão dos braços desde os ombros até as pontas dos dedos.

3\. Feche os olhos e faça uma inspiração longa e profunda. Ao expirar, incline-se um pouco para a frente, abra a boca o máximo possível e estire a língua para fora até onde conseguir. Tente fazer com que ela chegue até o queixo. Gire os olhos para trás e olhe para o ponto da terceira visão que fica entre as sobrancelhas. Ao expirar, solte um rugido do fundo da garganta. Mantenha-se nesta postura respirando pela boca. Sinta a pele do rosto se esticar. Com a boca totalmente aberta e respirando por ela, você entra em contato com a sua natureza animal.

INFORMAÇÕES

OLHAR: Terceira visão.

POSTURAS COMPENSATÓRIAS: Postura Reclinada do Ângulo Fechado.

ABRANDAMENTOS: a) Coloque um cobertor dobrado sob os tornozelos. b) Faça esta postura numa simples posição ajoelhada.

EFEITO: Soltura.

4\. Retorne a língua para dentro da boca, feche as mandíbulas e os olhos. Continue nesta postura sentada antes de repetir a sequência. Cruze as pernas na posição contrária para repetir mais duas vezes.

Postura Perfeita

Siddhasana. Esta postura aumenta a circulação na coluna lombar e na região pélvica. Ela também facilita a mobilidade das articulações dos joelhos e tornozelos e é uma excelente postura sentada para a prática de pranayama, recitação de mantras ou meditação.

1 Sente-se na Postura do Bastão (p. 104). Dobre a perna direita e mova o calcanhar direito em direção à linha central do corpo. A planta do pé direito deverá descansar sobre a parte interna da coxa. Leve o pé esquerdo para a frente do tornozelo direito e diante do calcanhar direito.

2 Uma alternativa é dobrar a perna direita e pressionar o calcanhar contra o períneo. Acomode a planta e a lateral externa do pé esquerdo entre o músculo da panturrilha direita e a coxa. Com os joelhos abertos você tem uma base sólida para manter a postura sentada.

INFORMAÇÕES

OLHAR: Ponta do nariz/olhos fechados voltados para dentro.

POSTURAS PREPARATÓRIAS: Ficar na postura sentada imóvel é mais fácil depois de ter feito o aquecimento com algumas das posturas gerais de yoga.

POSTURAS COMPENSATÓRIAS: Postura do Cadáver.

ABRANDAMENTOS: a) Coloque o calcanhar da primeira perna na linha central do corpo em vez de no períneo. b) Sente-se sobre um cobertor dobrado se os joelhos ficarem afastados do chão. c) Sente-se com as costas apoiadas numa parede.

EFEITO: Meditativo.

3 Firme seu peso sobre os ísquios e use essa base para alongar a coluna para cima. Com os braços estendidos e os cotovelos soltos, apoie as mãos sobre os joelhos. Coloque as palmas das mãos para cima ou para baixo ou use o selo das mãos (mudra) de sua preferência.

4 Empurre o queixo levemente em direção à garganta para que as vértebras do pescoço se alinhem com a coluna. Mantenha os olhos fechados ou suavemente repousados na ponta do nariz. Fique nesta postura por algum tempo, respirando profunda e suavemente e deixando o ar circular por todo o corpo. Toda vez que praticar a Postura Perfeita, escolha uma perna para dobrar primeiro.

5 Para fazer a Postura do Selo do Yoga (ver p. 155), aperte um pulso com a outra mão nas costas. Inspire, estenda toda a coluna, expire e flexione-se para a frente. Se possível, coloque a testa para descansar no chão. Esta postura, que também pode ser praticada de joelhos, é calmante e adequada como preparatória para a meditação.

Postura da Cabeça além do Joelho

Janu Shirshasana. Esta postura tonifica o fígado, o baço e os rins. Em vez de iniciar tentando fazer a cabeça chegar até o joelho, criando uma curvatura nas costas, tente antes preencher o espaço vazio entre o umbigo e a coxa, depois entre o peito e a coxa, para só então colocar a testa sobre a canela.

1 Sente-se no chão na Postura do Bastão (p. 104). Dobre o joelho direito para o lado. Mantenha uma pequena abertura entre a sola do pé e a coxa esquerda. Alinhe os quadris.

2 Estire-se pelo calcanhar esquerdo. Ao inspirar, erga os braços acima da cabeça. A partir do baixo-ventre, vire o torso para a esquerda e alinhe o esterno com o fêmur esquerdo. Mantendo a coluna alongada, expire ao dobrar a parte superior do corpo para a frente e envolver o pé esquerdo com as mãos.

3 Se conseguir alcançar o pé com as mãos, aumente o desafio, levando o joelho direito para trás e o mais longe possível para o lado. Nesta posição, o dorso do pé direito chegará ao chão. O quadril direito ficará mais para trás do que o esquerdo.

INFORMAÇÕES

OLHAR: Ponta do nariz (ou com o queixo sobre a canela, nos dedos do pé).

POSTURAS PREPARATÓRIAS: Postura do Bastão, Postura da Criança (estendida), flexão para a frente na Postura Favorável, Postura do Ângulo Fechado.

POSTURAS COMPENSATÓRIAS: Postura do Herói, Postura do Alongamento Frontal.

ABRANDAMENTOS: a) Sente-se sobre um cobertor dobrado. b) Passe um cinto em volta da ponta do pé. c) Quem tiver algum problema nos joelhos pode deixar o calcanhar da perna dobrada mais afastado da virilha ou estender a perna para o lado.

EFEITO: Calmante.

4 Uma variação mais avançada é sentar-se sobre o calcanhar da perna dobrada. Coloque o calcanhar sob o períneo e, se possível, a articulação do tornozelo em ângulo reto. Os dedos devem ficar mais apontados para a frente do que para o lado. Quando combina esta postura com a Grande Trava (p. 341), você cria a mudra conhecida como Grande Selo.

5 Ainda nesta postura, continue movendo as costelas flutuantes para a frente. Afaste os ombros das orelhas. Passe as mãos em volta da planta do pé, segurando a mão esquerda com a direita. Pressione a parte de trás do joelho esquerdo contra o chão. Estenda para fora os dedos do pé. Aumente a intensidade do estiramento sobre o lado direito da parte inferior das costas, pressionando a coxa e o joelho direitos contra o chão. Fique nesta postura durante dez respirações ou mais. Inspire para se erguer e repetir a postura do outro lado.

Postura da Cabeça além do Joelho com Rotação

Parivrtta Janu Shirshasana. A maioria dos movimentos que executamos cotidianamente envolve flexões para a frente. Este alongamento lateral ativa os pequenos músculos entre as costelas laterais, proporcionando ao torso uma torção bem-vinda.

1 Sente-se no chão na Postura do Bastão (p. 104). Siga as instruções referentes à Postura da Cabeça Além do Joelho (p. 114) para dobrar e posicionar a perna direita. Erga o braço direito para o lado e gire-o a partir do ombro para que a palma da mão se volte para trás. Começando o movimento a partir do baixo-ventre, gire o tronco para a direita e passe o braço por trás das costas para colocar a mão na parte interna da coxa esquerda.

2 Com o braço esquerdo estendido, estirando toda a extensão do lado esquerdo entre o quadril e a axila, leve-o em direção ao pé para segurá-lo pela lateral interna. Alongue a extensão que vai das costelas até a coxa do lado esquerdo. Mova o ombro direito

para cima e para trás para abrir bem o peito para a direita.

3. Ao adquirir flexibilidade, o ombro esquerdo exerce pressão sobre a parte interna do joelho esquerdo. Já é um bom começo se conseguir levar o cotovelo ao chão, enquanto segura o pé. Curve as costelas do lado esquerdo para dentro e as do lado direito para fora para formar um "C" com a coluna.

4. Na segunda etapa, gire os dedos da mão esquerda para cima, sem largar o pé. Tire a mão direita da coxa e passe-a por cima da cabeça para segurar os dedos do pé esquerdo. Mova o ombro direito para trás até ficar diretamente acima do ombro esquerdo. Dobre o cotovelo esquerdo para aproximar o ombro esquerdo do chão. Pressione todo o lado direito do tronco (curvando-o e afastando a coluna do chão) para alongar os pequenos músculos entre as costelas do lado direito. Olhe para cima por baixo do antebraço. Fique nesta postura de cinco a dez respirações e, em seguida, repita todo o processo do outro lado.

INFORMAÇÕES

OLHAR: Para cima.

POSTURAS PREPARATÓRIAS: Postura do Ângulo Lateral, Postura Favorável com Rotação, Postura do Portão, Postura do Portão com a perna na Postura do Herói.

POSTURAS COMPENSATÓRIAS: Postura do Alongamento Frontal, Postura da Extensão das Costas.

ABRANDAMENTOS: a) Coloque a mão direita no sacro ou no chão atrás. b) Leve a mão esquerda apenas até a coxa ou a canela. c) Use um cito para prender o pé estendido

EFEITO: Centramento.

Postura da Extensão das Costas

Pashchimottanasana. A parte dorsal do corpo é intensamente alongada quando a parte superior é dobrada sobre a parte inferior. Com a cabeça bem encaixada, esta postura oferece a oportunidade de retomar o contato com nosso ser mais profundo.

1 Sente-se na Postura do Bastão (p. 104), com as palmas das mãos ou pontas dos dedos no chão ao lado dos quadris. Avance um pouco a pélvis para colocar mais peso sobre a parte dianteira dos ísquios. Os ísquios se afundam no chão quando você inspira e leva os braços para cima. Erga o peito e alongue a coluna em direção ao topo da cabeça.

2 Ao expirar, contraia levemente o baixo-ventre na direção da coluna enquanto flexiona a parte superior do corpo para a frente, estendendo os braços ao longo das pernas para com as mãos segurar os pés pelos dedões ou pelas laterais, ou ainda passar ambas as mãos entrelaçadas por trás das solas dos pés.

3 Manter o peito aberto, não permitindo que a parte superior das

costas se curve, deixa a respiração livre. Ao inspirar, olhe para a frente, erga o peito e afaste as costelas flutuantes dos quadris em direção aos joelhos. Esse movimento para a frente deve começar no baixo-ventre e na coluna lombar e não na cabeça e nos ombros.

4 Se conseguir alcançar facilmente os pés, dobre os cotovelos e intensifique a postura ao expirar, levando a testa até os joelhos. Se o peito não se aproximar das coxas, não force a cabeça, mas mantenha as vértebras do pescoço alinhadas com o resto da coluna vertebral. Afaste os ombros das orelhas.

5 Quando alcançar a extensão máxima nesta postura, continue respirando profundamente pelo tempo que o alongamento for prazeroso. Mantenha as partes de trás das pernas totalmente em contato com o chão. Esforce-se para manter a curvatura anterior da pélvis enquanto a coluna se alonga para a frente.

6 Inspire para sair da postura. Contraia o baixo-ventre na direção da coluna,

INFORMAÇÕES

OLHAR: Dedos dos pés ou terceira visão.

POSTURAS PREPARATÓRIAS: Postura do Bastão, Postura da Extensão, Postura da Cabeça Além dos Joelhos.

POSTURAS COMPENSATÓRIAS: Postura do Alongamento Frontal, Postura do Gafanhoto.

ABRANDAMENTOS: a) Mantenha os joelhos dobrados, ver versão relaxante da Postura da Extensão das Costas. b) Dobre os joelhos e descanse o peito sobre as coxas. c) Leve as mãos até as coxas ou as canelas em vez de até os pés.

EFEITO: Calmante.

erga os braços e o peito. Abaixe os braços para os lados dos quadris expirando e retorne à Postura do Bastão.

Postura do Herói

Virasana. Esta postura sentada sobre os joelhos alonga os músculos da frente das coxas e abre as articulações dos tornozelos. Muitas pessoas consideram esta postura apropriada para a meditação, uma vez que reduz o suprimento de sangue para as pernas, acalmando as sensações do corpo. Ao sair da Postura do Herói, desfrute a corrente de sangue novo para os joelhos.

1 Ajoelhe-se no chão com os pés bem separados e os joelhos afastados o máximo possível. Para sentar-se entre os pés, você pode girar com as mãos as panturrilhas para fora e empurrá-las em direção aos calcanhares para aproximá-las o máximo possível da parte externa das coxas. Os pés devem ficar com o dorso contra o chão. Os dedos devem ficar voltados para trás nesta postura e nunca para os lados, pois colocaria em risco a parte interna dos joelhos. Mantenha os fêmures paralelos. Pegue o dedão de cada pé com o polegar e o indicador e separe-o do segundo dedo. Continue abrindo todos os dedos e alargando as solas dos pés.

2 Acomode bem os ísquios no chão. A partir dessa base sólida, sente-se em postura ereta e empurre o baixo-ventre na direção da coluna e sinta-a se alongar para cima. Descanse as mãos com as palmas voltadas para cima sobre os joelhos, com as pontas do polegar e do

indicador se tocando levemente. Olhe diretamente para a frente ou, com os olhos fechados, focalize-os no ponto entre as sobrancelhas. Fique nesta postura pelo tempo que desfrutar descer às profundezas do seu próprio ser.

INFORMAÇÕES

OLHAR: Ponta do nariz.

POSTURAS PREPARATÓRIAS: Postura da Extensão das Costas com Três Membros, Postura da Criança.

POSTURAS COMPENSATÓRIAS: Postura Reclinada do Ângulo Fechado, Postura da Cabeça Além do Joelho, Postura do Bastão, Postura do Alongamento Frontal.

ABRANDAMENTOS: a) Junte os dedões para sentar-se sobre os calcanhares.
b) Sente-se sobre uma almofada;
c) Afaste um pouco os joelhos.
d) Use um cobertor dobrado sob os tornozelos internos. e) Coloque um pedaço de tecido fino atrás dos joelhos.

EFEITO: Centramento.

3 Quando quiser sair da postura, inspire e erga as mãos acima da cabeça. Com os braços totalmente estendidos, entrelace os dedos e estenda as palmas das mãos em direção ao teto. Esta é a Postura da Montanha Ⓐ. Quando soltar os braços, deixe as palmas das mãos levemente apoiadas sobre os calcanhares e dobre a parte superior do corpo para a frente e, se puder, leve a testa a descansar no chão Ⓑ. Em seguida, erga-se e fique de quatro.

Postura da Extensão das Costas com Três Membros

Tryanga Mukhaikapada Pashchimottanasa. Esta postura alonga os músculos das pernas e deixa os joelhos e tornozelos flexíveis. Ela é também recomendada para quem sofre de ciática. Como a maioria das outras flexões para a frente, ela tonifica os órgãos digestivos.

1. Sente-se na Postura do Bastão (p. 104), pressionando com força as partes de trás dos joelhos no chão.

2. Dobre o joelho direito e leve o pé direito para o lado do quadril direito. Incline-se para a esquerda e coloque o polegar direito sobre os músculos da panturrilha. Com o polegar, empurre a carne da panturrilha para o lado direito e na direção do calcanhar. Os dedos dos pés devem ficar apontados diretamente para trás ou levemente para dentro, com a parte dorsal tanto do dedão como do dedo mínimo tocando o chão. Tome muito cuidado ao fazer isso, pois se os dedos estiverem apontados para fora, os joelhos podem sofrer algum dano. Mantenha os ísquios paralelos um ao

outro para que o joelho direito fique relativamente próximo do esquerdo.

3 Firme-se bem sobre a nádega direita para que o peso do corpo fique distribuído igualmente entre os dois ísquios. Se nesta etapa o tornozelo direito doer, pratique a Postura do Herói (p. 120).

4 Inspirando, alongue a parte frontal do corpo. Deixe o peito subir ao levar o ar até a área do abdômen abaixo do umbigo. Expire e flexione-se para a frente, mantendo a frente do torso estendida. Segure o pulso direito com a mão esquerda por trás do pé. Descanse a testa ou o queixo sobre a canela esquerda além do joelho.

> **INFORMAÇÕES**
>
> **OLHAR:** Dedão do pé.
>
> **POSTURAS PREPARATÓRIAS:**
> Postura do Herói, Postura da Extensão das Costas.
>
> **POSTURAS COMPENSATÓRIAS:**
> Postura do Gato, Postura do Alongamento Frontal.
>
> **ABRANDAMENTOS:** a) Coloque um cobertor dobrado ou qualquer outro apoio embaixo da nádega esquerda. b) Coloque algum apoio sob o dorso do pé da perna dobrada. c) Dobre o joelho da perna estendida para a frente. d) Use um cinto em volta da frente do pé estirado.
>
> **EFEITO:** Calmante, enraizamento.

5 Desencurve e solte os ombros para que relaxem enquanto trabalham por você. Reacomode-se sobre o ísquio direito. Intensifique a postura, levando o peito para a frente e para baixo. Faça dez respirações nesta postura.

6 Erga-se inspirando e, expirando, estenda a perna direita para voltar à Postura do Bastão. Repita a postura pelo outro lado.

Postura da Garça

Kraunchasana. Nesta postura, a perna estendida fica parecendo o pescoço e a cabeça de uma ave. Ela alonga os tendões das pernas e dá flexibilidade aos quadris, joelhos e tornozelos. É semelhante à Postura da Extensão das Costas com Três Membros, só que numa outra relação com a gravidade.

1 Sente-se na Postura do Bastão (p. 104). Flexione o joelho esquerdo e leve o pé esquerdo para o lado do quadril esquerdo, com os dedos apontados diretamente para trás ou levemente para dentro, mas não para fora. Incline-se para a direita e com o polegar esquerdo empurre a carne da panturrilha para a direita e para baixo na direção do calcanhar. Volte a sentar-se na postura ereta e firme-se sobre o ísquio direito para manter o peso igualmente distribuído entre ambas as nádegas. O dorso do dedão e do dedo mínimo deve tocar o chão e os joelhos devem ficar apenas alguns centímetros afastados um do outro. Se nesta fase o tornozelo direito doer, pratique a Postura do Herói (p. 120) e a Postura da

Extensão das Costas com Três Membros (p. 122) antes de tentar esta postura.

2 Flexione o joelho direito e aproxime-o do tronco. Segure o calcanhar direito com ambas as mãos. Estenda a perna direita verticalmente. Ao fazer isso, use ambas as mãos para exercer pressão sobre o calcanhar como se quisesse encurtar a distância entre o calcanhar direito e o ísquio direito. Apesar de parecer contraditório, esse procedimento de fato ajuda a estender a perna.

3 Aperte os músculos da coxa direita contra o fêmur e abra a parte de trás do joelho direito, mantendo a perna direita (o pescoço da garça) estendida. Erguendo-se a partir do cóccix, curve a parte inferior da coluna e lentamente leve o queixo até a canela direita, olhando para o pé direito acima. Se possível, segure o pulso esquerdo com a mão direita. Não curve as costas nem deixe o peito cair. Mantenha a perna direita centrada. Fique nesta postura durante dez respirações.

4 Expirando, abaixe a perna direita e estenda a esquerda para repetir o processo do outro lado.

INFORMAÇÕES

OLHAR: Dedos do pé.

POSTURAS PREPARATÓRIAS: Postura do Herói, Postura da Extensão das Costas com Três Membros, Postura da Extensão das Costas.

POSTURAS COMPENSATÓRIAS: Postura do Ângulo Fechado, Postura do Alongamento Frontal.

ABRANDAMENTOS: a) Não vá até a etapa final. b) Use um cinto em volta do pé e/ou flexione a perna erguida. c) Coloque algo acolchoado para apoiar o dorso do pé da perna dobrada.

EFEITO: Desafiador, calmante.

Postura dos Dedões de Ambos os Pés

Ubhaya Padangushthasana. Esta postura tem efeitos similares aos da Postura da Extensão das Costas (p. 118), mas acrescidos do desafio de manter o equilíbrio.

1. Sente-se na Postura do Bastão (p. 104) com as pernas estendidas. Flexione os joelhos e leve os calcanhares para perto das nádegas. Segure o dedão de cada pé com o polegar e o indicador da mão do respectivo lado. Expirando, estenda as pernas para o alto, de maneira a ter de se equilibrar sobre as nádegas. Afunde os ísquios no chão e contraia o abdômen na direção da coluna. Evite deixar que as costelas desçam sobre o abdômen – contraia a parte inferior da coluna e erga o peito na direção dos joelhos enquanto alonga a coluna. Mantenha a parte de trás das pernas bem estirada até os calcanhares. Vire o rosto para cima, mantendo a nuca estirada.

2. Se estiver confortável nesta postura, você poderá fazer como na Postura da Extensão das Costas, entrelaçando os dedos das mãos em volta dos pés. Fique nesta postura fazendo várias respirações antes de sair dela.

INFORMAÇÕES

OLHAR: Terceira visão.

POSTURAS PREPARATÓRIAS: Postura do Barco, Postura da Extensão das Costas, Postura da Garça, Postura da Garça em Meio Lótus.

POSTURAS COMPENSATÓRIAS: Postura do Cadáver, Postura do Alongamento Frontal.

ABRANDAMENTOS: a) Mantenha os joelhos dobrados, com os antebraços dobrados atrás deles. b) Use um cinto em volta das pontas dos pés. c) Segure os calcanhares em lugar dos dedos dos pés e puxe-os com firmeza ao estender as pernas e o torso. d) Pratique usando uma parede como apoio para as costas ou os pés.

EFEITO: Foco.

---

3 Da posição sentada, erga as pernas para o alto. Flexione os joelhos até onde as canelas ficarem paralelas ao chão. Estenda os antebraços ao longo das canelas e coloque os dedos das mãos em volta dos calcanhares. Mantenha as coxas coladas ao abdômen Ⓐ. Expirando, tente estender as pernas e vencer a resistência dos dedos em volta dos calcanhares. Puxe mais as coxas em direção ao peito. Leve o rosto em direção às canelas. Abra os joelhos por trás para estirá-los totalmente. Esta postura pode também se tornar uma mudra, o Selo do Raio Ⓑ. Para transformar esta postura numa mudra, pratique a Grande Trava (p. 341). Ao expirar, solte as mãos e as pernas no chão para descansar na Postura do Cadáver (p. 310).

Postura do Portão

Parighasana. A forma incomum desta postura é um convite a ampliar a visão de quem somos e de que maneira atuamos no mundo. Praticada de ambos os lados, esta postura aumenta a circulação de prana, a nossa energia vital.

1 Ajoelhe-se e estenda o pé esquerdo para o lado, de maneira que o calcanhar fique alinhado ao joelho direito. Ative os músculos da coxa direita, empurrando os dedos do pé esquerdo contra o chão. Coloque a palma da mão esquerda sobre a coxa esquerda. Firme-se sobre o cóccix e estire toda a extensão da coluna para cima. Ao inspirar, eleve o braço direito.

2 Mova o quadril esquerdo para a frente até ficar diretamente acima do joelho. Ao expirar, curve bem o lado esquerdo da cintura para dentro e estenda o braço esquerdo alinhado com a frente da perna esquerda, com a palma da mão ainda voltada para cima. Resista à tentação de deixar-se pender para a

Posturas Sentadas e Outras Feitas no Chão

frente e mantenha o dorso do corpo no mesmo plano.

3 Inspirando, erga toda a extensão do lado direito, do joelho até as pontas dos dedos da mão. Expire e curve o braço direito por cima da cabeça em direção ao pé esquerdo. Mantenha a axila direita aberta, soltando o braço direito para trás para que os ombros fiquem um acima do outro. Leve as palmas das mãos uma em direção à outra e vire a cabeça para olhar para cima por baixo do braço direito. Fique nesta postura durante algumas respirações, sentindo as costelas superiores se expandirem.

4 Solte o braço direito inspirando e elevando o tronco de volta para o centro. Retorne a perna esquerda para a posição ajoelhada. Feche os olhos e faça algumas respirações, percebendo a diferença subjetiva em extensão entre os lados direito e esquerdo. Em seguida, repita todo o processo do outro lado.

INFORMAÇÕES

OLHAR: Para cima, por baixo da axila.

POSTURAS PREPARATÓRIAS: Postura do Ângulo Lateral, Postura da Cabeça além do Joelho com Rotação, Postura do Portão.

POSTURAS COMPENSATÓRIAS: Postura do Alongamento Frontal, Postura da Extensão das Costas, Postura do Cachorro Olhando para Baixo.

ABRANDAMENTOS: a) Pressione a palma da mão esquerda contra a coxa para se apoiar. b) Mantenha a mão direita no quadril ou estenda-a verticalmente para cima. c) Pratique com as pernas cruzadas.

EFEITO: Soltura.

Postura do Ângulo Preenchido

Upavishta Konasana. Esta postura alonga a parte interna das coxas, tonifica as pernas, abre os quadris e estimula a circulação sanguínea na região pélvica. É uma das posturas mais eficientes para quem sofre de problemas ginecológicos, uma vez que regula o fluxo menstrual e o funcionamento dos ovários. É uma ótima postura para ser praticada durante a menstruação ou a gestação.

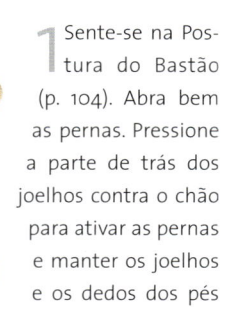

1. Sente-se na Postura do Bastão (p. 104). Abra bem as pernas. Pressione a parte de trás dos joelhos contra o chão para ativar as pernas e manter os joelhos e os dedos dos pés estendidos e não deixar que rolem para os lados. Coloque as mãos no chão ao lado dos quadris. Estenda os calcanhares para longe dos quadris para alongar a parte de trás das pernas. Erga o peito e gire a pélvis para a frente, aumentando a curva para dentro da parte inferior das costas. Fique nesta postura durante algumas respirações.

2. Expirando, incline-se para a frente com os braços estendidos para segurar os dedões com os dedos indicador e médio. Mesmo que seja fácil perceber como a parte dorsal do tronco

se alonga nesta posição, o desafio aqui é continuar alongando a frente do torso. Contraia o umbigo na direção da coluna a cada inspiração (ver Trava Ascendente, p. 338) e evite curvar as costas. Contraia fortemente os músculos da frente das coxas. E mantenha-se na postura respirando mais algumas vezes.

3. Expire e estenda o peito mais para a frente ao abaixá-lo. Descanse a testa ou, se possível, o queixo e o peito no chão. Estenda as mãos para fora para abrir o peito. Continue mantendo os dedos dos pés e os joelhos apontados para cima. Respire suave e ininterruptamente e seja paciente ao entregar-se mais intensamente a esta postura. Para sair dela, coloque as mãos sob os joelhos para apoiar-se enquanto volta a juntar as pernas.

INFORMAÇÕES

OLHAR: Para a frente e para cima.

POSTURAS PREPARATÓRIAS: Postura da Cabeça Além do Joelho, Postura da Extensão das Costas, Postura da Extensão sobre os Pés Afastados.

POSTURAS COMPENSATÓRIAS: Postura do Ângulo Fechado, Postura da Cara de Vaca, Postura do Alongamento Frontal.

ABRANDAMENTOS: a) Não vá até a etapa final. b) Use cintos em volta dos pés ou coloque as mãos em algum ponto mais acima nas pernas. c) Sente-se sobre um cobertor dobrado e/ou apoie as costas contra uma parede.

EFEITO: Calmante.

Postura Lateral do Ângulo Preenchido

Parshva Upavishta Konasana. O alongamento lateral combate a rigidez nas costas e dá flexibilidade e fluidez ao corpo. Esta versão acrescida de torção traz alívio para a parte inferior das costas de maneira semelhante ao efeito da Postura da Cabeça Além do Joelho (p. 114).

1 Sente-se com as pernas bem abertas, com as rótulas e os dedos dos pés apontados para cima. Estirando os calcanhares, gire os dedos dos pés em direção ao torso. Toque o chão atrás de vocês com as pontas dos dedos. Faça algumas respirações para estirar o torso a partir dos quadris. Em vez de ranger os dentes para intensificar o alongamento, deixe que ele seja uma experiência fácil e prazerosa.

2 Quando se sentir à vontade com o alongamento, estenda o braço esquerdo para o alto. Coloque a mão direita sobre a coxa direita. Expirando, faça uma curva acentuada da extensão que vai do quadril esquerdo até o pulso interno da mão esquerda ao inclinar-se para a direita. Curve mais todo o lado direito do torso e estenda mais o lado esquerdo, como se quisesse que as costelas do lado esquerdo tocassem a parede lateral. Esse estiramento das costelas do lado esquerdo faz com que a postura produza uma sensação de leveza.

3 Se você tem mais flexibilidade, segure o pé com ambas as mãos. Procure não insistir em alcançar o pé à custa do achatamento ou perda das curvas laterais. Mantenha o ombro esquerdo acima do direito, não à sua frente. Firme bem o ísquio esquerdo no chão. Estenda uma linha de energia entre o quadril e a mão do lado esquerdo. Faça dez respirações nesta postura.

4 Agora é a vez de acrescentar a torção a esta postura, girando a partir do baixo-ventre e levando o umbigo até acima da coxa. Estenda a parte inferior da coluna do lado esquerdo diagonalmente, alinhando o esterno com a perna direita. Abaixe o ombro e o braço do lado esquerdo para alinhá-los com os do lado direito. Prenda com ambas as mãos a parte da frente do pé. Energize mentalmente a perna esquerda. Pressione toda a extensão da parte de trás da perna contra o chão e estire-a pelo calcanhar. Contraia o umbigo a cada inspiração. Deixe que as costelas flutuantes se aproximem do joelho a cada expiração. Toda vez que expirar, sinta a cintura se estreitar com a intensificação da torção. Faça cinco ou dez respirações prolongadas nesta postura antes de repeti-la do outro lado.

INFORMAÇÕES

OLHAR: Ponta do nariz.

POSTURAS PREPARATÓRIAS: Postura Favorável com Rotação, Postura do Portão.

POSTURAS COMPENSATÓRIAS: Postura do Ângulo Fechado, Postura da Cara de Vaca.

ABRANDAMENTOS: a) Flexione o joelho direito. b) Faça o alongamento lateral até a segunda etapa. c) Para fazer a torção, coloque a mão na coxa ou na canela.

EFEITO: Flexibilidade.

Postura do Ângulo Fechado

Baddha Konasana. Esta postura sentada alonga intensamente os músculos abdutores da parte interna das coxas. As pessoas com rigidez nos quadris se beneficiarão com a prática diária desta postura. Com o foco voltado para a base do períneo, todos os órgãos da região pélvica são tonificados e revigorados pela prática desta postura.

1. Na Postura do Bastão (p. 104), dobre os joelhos para o lado de fora e junte as plantas dos pés. Puxe as pernas em direção ao corpo e acomode os calcanhares no períneo.

2. Firme as pontas dos dedos no chão atrás das costas. Firme-se bem sobre os ísquios ao alongar a coluna para cima e erguer o peito. Leve a atenção para os lados internos de ambas as coxas. Estire-se para fora em direção à parte interna dos joelhos, como se quisesse tocar as paredes laterais com os joelhos. Isso ajudará a aproximar os joelhos do chão. Faça algumas expirações prolongadas para aliviar qualquer tensão nas partes internas das coxas – não dá para fazer esse alongamento à força. Se você deixar e se entregar, ele simplesmente ocorre!

3 Se sentir que está "bem firme" na postura ereta, segure os pés com ambas as mãos. Use os polegares para afastar os dedões e abrir bem as solas dos pés como se fossem páginas de um livro. Isso ajuda a soltar os joelhos em direção ao chão. Alternativamente, procure ajudar a elevar o torso dos quadris, entrelaçando os dedos em volta dos pés e estirando os lados da cintura para cima.

4 Coloque os cotovelos contra os lados internos das coxas e force-os a descer, flexionando a parte superior do corpo para a frente. Mantenha a frente do corpo alongada ao levar a testa até o chão.

5 Uma versão para equilibrar a Postura do Ângulo Fechado é a Postura com Pressão do Umbigo. Com as mãos, erga o máximo possível os pés para o alto. Puxe então os dedões em direção ao peito. Enquanto os pés se movem em direção ao corpo, os joelhos os pressionam na direção contrária. Se possível, estenda mais os antebraços para segurar os cotovelos.

INFORMAÇÕES

OLHAR: Ponta do nariz ou para a frente.

POSTURAS PREPARATÓRIAS: Postura da Criança (estendida), da Guirlanda, posturas preparatórias para a Postura do Lótus.

POSTURAS COMPENSATÓRIAS: Postura Lateral do Ângulo Preenchido, Postura do Herói, Postura do Alongamento Frontal.

ABRANDAMENTOS: a) Sente-se com as costas contra uma parede. b) Eleve o assento com uma almofada ou cobertor dobrado. c) Coloque um peso, como um saquinho de areia, em cima de cada coxa.

EFEITO: Abertura.

Postura Reclinada do Ângulo Fechado

Supta Baddha Konasana. Esta postura abre suavemente os quadris e os músculos abdutores das partes internas das coxas. Ela alivia muitos distúrbios dos órgãos digestivos e reprodutores, uma vez que a pélvis é beneficiada com um constante suprimento de sangue. Esta versão abre o peito e estimula a respiração regular.

1 Sente-se no chão na Postura do Bastão (p. 104). Coloque uma pilha de cobertores dobrados sob o sacro. Junte as solas dos pés, abra os joelhos e descanse os calcanhares no períneo. Use um cinto macio para firmar os pés e causar uma contração agradável no sacro. Se isso acontecer, coloque o cinto em volta das laterais externas dos pés, passe-o pelos lados internos dos joelhos e em volta da parte mais baixa das costas. Ao sentar-se na postura ereta, o cinto fica um pouco afastado das partes internas das coxas. Deixe-o solto e aperte-o só depois de ter se deitado.

2 Deite-se de costas, vértebra por vértebra, até estirar-se totalmente no chão, com as nádegas em contato com o chão e a parte superior do corpo apoiada sobre a almofada. Talvez você consiga aproximar os calcanhares do corpo e apertar mais o cinto. Verifique se a nuca está alinhada com a coluna, o queixo contraído na direção do peito. Pode ser mais confortável usar um pequeno apoio para que a cabeça fique mais alta que o peito. Se quiser, use uma almofada para os olhos.

3. Descanse os braços ao lado do corpo, feche os olhos e fique atento ao seu próprio ser. Solte o abdômen. Relaxe qualquer tensão que houver nas articulações dos quadris ao entregar-se e deixar as partes internas das coxas cederem à força da gravidade. Descanse nesta postura de cinco a dez minutos, respirando de maneira suave e uniforme.

4. A seguinte opção é a mais fácil de ser praticada. Deite-se no chão na Postura do Cadáver (p. 310). Junte as solas dos pés na altura das virilhas e incline os joelhos para os lados. Tente encontrar a distância entre calcanhar/virilha que for mais confortável para o corpo. Descanse com os braços relaxados ao lado do corpo. Com o queixo contraído na direção do peito, sinta a nuca alongada.

INFORMAÇÕES

OLHAR: Para dentro.

POSTURAS PREPARATÓRIAS: Postura da Criança (estendida).

POSTURAS COMPENSATÓRIAS: Postura da Criança, Postura do Herói.

ABRANDAMENTOS: a) Use cobertores dobrados para apoiar cada joelho.
b) Deite-se de costas sobre um apoio mais alto.

EFEITO: Bem-estar.

Postura da Guirlanda

Malasana. Esta postura de intenso agachamento com os pés unidos é extremamente benéfica para os músculos, órgãos e tecidos moles da pélvis abdominal. Revigora as pernas, abre os quadris e dá mais apoio ao alongamento da coluna. Esta postura simples constitui um desafio inesperado para muitos ocidentais que não têm o hábito de se agachar.

1 Na posição em pé com os pés separados na linha dos quadris, flexione-se bem para a frente como para fazer a versão relaxante da Postura da Extensão das Costas (p. 313). Gire os dedos dos pés para fora, dobre os joelhos, erga os calcanhares e abaixe as nádegas para agachar-se bem. Afaste bem os joelhos para que fiquem alinhados com os dedos dos pés.

2 Estenda as mãos para tocar o chão à sua frente. Apoie os dedos no chão para distribuir o peso através da pélvis e permitir que os quadris pendam para trás. Em seguida, aproxime os calcanhares do chão.

3. Se os calcanhares se aproximarem, ou tocarem o chão, aproxime os pés até os dedões se tocarem e coloque os calcanhares no chão. Imagine que tem um pequeno peso no cóccix puxando em direção ao chão. Flexione-se para a frente e, se possível, apoie os antebraços no chão, com os dedos apontados para a frente. Se for fácil fazer isso, disponha os antebraços ao longo do chão abaixo das pernas de modo que os dedos fiquem apontados para trás. Segure os calcanhares e flexione o tronco mais para a frente.

4. Para completar a postura, gire internamente os ombros para passar um braço de cada vez por baixo das canelas e colocar o dorso das mãos sobre o sacro. Prenda as mãos pelos dedos entrelaçados. Solte os calcanhares no chão. Sem se criticar, desfrute da versão que tenha conseguido fazer. Fique nesta postura por cinco a dez respirações completas.

INFORMAÇÕES

OLHAR: Ponta do nariz.

POSTURAS PREPARATÓRIAS: Postura do Ângulo Fechado, Postura do Ângulo Preenchido, Postura da Cabeça Além do Joelho.

POSTURAS COMPENSATÓRIAS: Postura do Herói, Postura do Bastão, Postura do Alongamento Frontal.

ABRANDAMENTOS: a) Não faça todas as fases da sequência. Use um cobertor dobrado sob os calcanhares. b) Use um cinto para prender as mãos nas costas.

EFEITO: Centramento.

Postura Cara de Vaca

Gomukhasana. Vista de cima, esta postura fica parecendo a cara de uma vaca, com os pés no lugar dos chifres e os joelhos no lugar da boca. Muitas pessoas acham que é preciso muito treinamento para conseguir colocar os pés em posição simétrica e ficar parecendo uma vaca e não um unicórnio! Esta postura dá flexibilidade aos quadris e pernas, como também aos ombros.

1 Começar pelo aquecimento dos quadris com uma Postura com o Tornozelo no Joelho ajuda muitas pessoas. Sente-se de pernas cruzadas com a perna esquerda na frente. Com as mãos, coloque-a de modo que o tornozelo esquerdo fique em cima do joelho direito. Posicione a perna de baixo de modo que o tornozelo direito fique no chão embaixo do joelho esquerdo e as tíbias formem um triângulo com as coxas. Flexione os calcanhares, ativando os músculos da parte interna das coxas e das panturrilhas. Deixe o joelho esquerdo ceder à lei da gravidade. Para aumentar a abertura do quadril, incline-se para a frente e deslize as mãos pelo chão. Fique nesta postura por um minuto antes de trocar de lado.

2 Sente-se no chão com os pés afastados e os joelhos levemente dobrados. Passe o pé direito por baixo do joelho esquerdo, coloque o calcanhar próximo do quadril esquerdo, com os dedos apontados para a esquerda. A seguir, leve

o pé esquerdo para perto do quadril direito, com os dedos apontados para a direita. Agora, o joelho esquerdo deve estar em cima do direito. Se não estiver, abra os quadris, como na preparação para a Postura Cara de Vaca (p. 140) e Postura da Extensão das Costas com Meio Lótus Atado (p. 146). Mantenha o peso igualmente distribuído entre os ísquios. Empurre o joelho esquerdo com as mãos para uni-lo ao direito.

3 Estenda o braço esquerdo para o lado e gire o ombro para dentro de modo que a palma da mão fique voltada para trás e o polegar para baixo. Dobre o cotovelo e coloque a mão esquerda nas costas, com a palma voltada para fora. Estenda braço direito para cima, gire-o a partir do ombro para que o polegar aponte para trás, e dobre o cotovelo para prender as mãos nas costas. Mova o cotovelo direito para trás e mais para a linha central atrás da cabeça e erga o peito. Vista de frente Ⓐ, vista de trás Ⓑ. Solte primeiro as mãos e depois as pernas e repita a postura do outro lado.

INFORMAÇÕES

OLHAR: Para cima.

POSTURAS PREFARATÓRIAS: Postura Favorável, Postura do Meio Lótus, Postura da Extensão das Costas em Cara de Vaca.

POSTURAS COMPENSATÓRIAS: Postura do Herói, Postura da Criança (estendida), Postura do Bastão.

ABRANDAMENTOS: a) Use um bloco ou cobertor dobrado para sentar-se.
b) Use um cinto para aproximar e prender as mãos.

EFEITO: Centramento.

Postura da Extensão das Costas em Cara de Vaca

Gomukhasana Pashchimottanasana. É impossível "trapacear" nesta postura. A pressão da perna de cima sobre a coxa impede qualquer movimento inconsciente do joelho e aumenta a intensidade da postura. A posição dos braços minimiza a curvatura das costas e mantém ativos os músculos da parte superior da coluna.

1 Na Postura do Bastão (p. 104), flexione a perna direita e coloque-a atravessada por cima da coxa esquerda, de maneira que os dedos do pé direito fiquem apontados para o lado. O joelho direito deve ser colocado em cima do esquerdo.

2 Erga o braço direito bem para o alto. Solte a articulação do ombro e gire o ombro internamente, de maneira que os dedos mínimos se voltem para a frente. Dobre o cotovelo para descer a mão direita até entre as escápulas. Estenda o braço esquerdo para o lado, gire o braço e o ombro para dentro, de maneira que o polegar se volte para baixo e arraste a mão esquerda para cima nas costas até agarrar a mão direita.

3 Erga a cabeça e contraia o queixo em direção à garganta, mantendo a nuca estirada. Erga o centro do coração, abrindo o cotovelo de cima em direção ao teto e atrás da cabeça até aproximá-lo mais da linha central do corpo.

4 Mantenha a postura ereta. Erga o torso para afastá-lo da pélvis. Se estiver à vontade nesta postura, ao expirar, contraia o baixo-ventre na direção da coluna, enquanto alonga a frente do corpo até as pernas e dobra a sua parte superior para a frente. Tente fazer com que as costelas flutuantes ultrapassem o joelho que está por cima. Use os músculos abdominais para ir mais para a frente e depois para baixo. Fique nesta postura durante cinco respirações, abrindo os ombros ao estender-se para a frente. A posição dos braços deixou a coluna preparada para manter-se relativamente ereta. Agora, sem curvar as costas, solte os braços, pegue o pé ou perna da frente e faça uma Postura da Extensão. Ao inspirar, erga a parte superior do corpo e solte os braços ao expirar e retornar à Postura do Bastão. Repita todo o processo do outro lado.

INFORMAÇÕES

OLHAR: Para os dedos do pé da frente.

POSTURAS PREPARATÓRIAS: Postura da Extensão das Costas, Meia Postura do Yogue Matsyendra.

POSTURAS COMPENSATÓRIAS: Postura do Alongamento Frontal, Postura do Gafanhoto.

ABRANDAMENTOS: a) Deixe o joelho da perna de cima solto no ar com a planta do pé no chão. b) Não faça a flexão para a frente. c) Use um cinto para arrastar as mãos uma em direção à outra.

EFEITO: Abertura.

Postura do Sábio Marichi A

Marichyasana A. Esta postura alonga os tendões das pernas, abre os quadris e estimula a circulação de sangue nas regiões pélvica e abdominal.

1 Sente-se na Postura do Bastão (p. 104). Flexione o joelho direito e coloque o calcanhar direito na frente do ísquio direito, de modo que os dedos fiquem apontados para a frente. Deixe um espaço de 5 a 8 centímetros entre o pé direito e a parte interna da coxa esquerda. Tente puxar a canela mais para dentro, aproximando o calcanhar um pouco mais da nádega.

2 Com a mão esquerda atrás do corpo pressione o chão para fazer a pélvis avançar para a frente. Você pode erguer as nádegas do chão para facilitar esse movimento. Passe o braço direito por cima da parte interna da perna direita para colocar a axila direita contra a canela direita. Gire o ombro direito para dentro, de maneira que o polegar aponte para dentro e para o chão.

3 Leve agora a mão para trás, passando o braço por cima do joelho dobrado. Com o braço direito firme no lugar, abaixe ambas as nádegas até o chão.

4. Estenda o braço esquerdo para a frente, gire o ombro para dentro e passe o braço por trás para prender o pulso esquerdo com a mão direita. Expirando, alongue a frente do corpo, flexione-se para a frente e estire as costelas flutuantes, afastando-as dos quadris. Estenda o topo da cabeça na direção dos dedos dos pés e deixe o queixo tocar na canela esquerda. Mantenha a perna esquerda ativa, com o joelho e os dedos do pé esquerdo voltados para cima, não para o lado. Pressione a parte de trás da perna esquerda contra o chão. Pressione a planta do pé direito no chão e ative a perna como se fosse ficar em pé. Mantenha os ombros paralelos ao chão e afaste ambos os pulsos das costas como para estirar os braços. Fique nesta postura durante dez respirações. Expirando, solte as mãos e volte para a Postura do Bastão antes de repetir tudo do outro lado.

INFORMAÇÕES

OLHAR: Dedos do pé à frente.

POSTURAS PREPARATÓRIAS: Postura da Cabeça Além do Joelho, Postura da Extensão das Costas, Postura do Sábio Marichi C.

POSTURAS COMPENSATÓRIAS: Postura do Alongamento Frontal.

ABRANDAMENTOS: a) Use um cinto para aproximar e prender as mãos nas costas. b) Não faça a flexão para a frente. c) Também é possível fazer esta torção girando o tronco para a esquerda (afastando-o do joelho dobrado), em vez da flexão para a frente.

EFEITO: Calmante, ancoramento.

Postura da Extensão das Costas com Meio Lótus Atado

Ardha Baddha Padma Pashchimottanasana. Esta flexão para a frente abre os quadris, os joelhos e alonga a coluna. Com o aumento da circulação sanguínea, os órgãos abdominais são tonificados. A posição do calcanhar também beneficia o sistema digestivo.

1 Muitas pessoas consideram que prender uma perna junto do peito é um ótimo exercício para aquecer os quadris. Pegue o joelho e o pé e pressione-os ao mesmo tempo ou, se conseguir, prenda-os entre as curvas dos cotovelos com os dedos das mãos entrelaçados. Em seguida, trabalhe a articulação do quadril, movendo lentamente a perna dobrada de um lado para outro. Sem pressa, ative todos os movimentos do quadril. Repita o processo do outro lado.

2 Sente-se no chão com ambas as pernas estendidas na Postura do Bastão (p. 104). Dobre o joelho esquerdo como na posição de aquecimento. Para colocar a perna na Postura do Meio Lótus (p. 152), prenda o pé esquerdo perto do umbigo e deixe o joelho esquerdo mover-se para a frente quando ele descer em direção ao chão (de maneira a produzir uma sensação de rolar a esfera do fêmur na articulação do quadril quando encaixa os quadris para a frente).

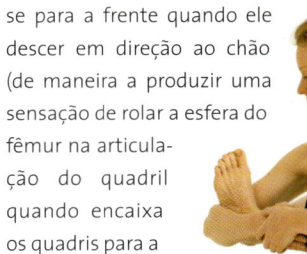

INFORMAÇÕES

OLHAR: Dedos do pé à frente ou ponta do nariz.

POSTURAS PREPARATÓRIAS: Postura Reclinada do Ângulo Fechado, Postura da Cabeça Além do Joelho, Postura da Guirlanda, Postura da Cara de Vaca.

POSTURAS COMPENSATÓRIAS: Postura da Extensão das Costas com Três Membros, Postura do Alongamento Frontal.

ABRANDAMENTOS: a) Pratique apenas a primeira etapa. b) Não passe o braço em volta do corpo. c) Use um cinto em volta do pé estendido e/ou do tornozelo do joelho dobrado. d) Leve o braço estendido só até o joelho. e) Coloque a planta do pé da perna dobrada no chão em vez de em cima da coxa.

EFEITO: Calmante.

3 Coloque o tornozelo externo bem em cima da coxa direita. Se apenas a lateral externa do pé esquerdo tocar a coxa, você corre o risco de estirar demais os ligamentos, de modo que é melhor fazer posturas que ajudam a abrir o quadril e preparar-se para chegar a esta postura num estágio mais avançado.

4 Ao expirar, gire o torso para a esquerda, gire o ombro esquerdo para dentro e passe o antebraço esquerdo por trás da cintura para segurar os dedos do pé esquerdo com os dedos da mão esquerda.

5 Alongue a coluna antes de dobrar a parte superior do corpo para a frente a partir dos quadris, levando o peito em direção à coxa direita e segurando o pé direito com a mão direita. Prenda o dedão do pé esquerdo entre o polegar e o indicador da mão esquerda.

6 Fique nesta postura enquanto faz de cinco a dez respirações. Continue movendo o peito para a frente, abrindo o centro do coração enquanto empurra as escápulas para baixo. Alongue a frente do corpo. Inspire para erguer-se e repetir a postura do outro lado.

Postura do Sábio Marichi B

Marichyasana B. Esta postura alonga os tendões das Pernas, abre os quadris e estimula a circulação sanguínea na região pélvica. Devido à pressão do calcanhar contra o abdômen, ela estimula os órgãos digestivos.

1 Sente-se na Postura do Bastão (p. 104). Dobre o joelho esquerdo e coloque o pé na maior altura possível da coxa direita, na Postura do Meio Lótus (p. 152). Para preparar-se para esta postura (do Meio Lótus), ver a Postura da Extensão das Costas com Meio Lótus Atado (p. 146).

2 Dobre o joelho direito e coloque o pé direito na frente do ísquio direito, com a planta do pé pressionando o chão e os dedos apontados diretamente para a frente. Deixe um espaço de 2 a 3 centímetros entre o pé direito e a parte interna da coxa esquerda. Expire e estenda o braço direito para a frente por cima da parte interna da coxa direita. Gire o ombro internamente de maneira que o cotovelo fique voltado para cima. Afaste as costelas do lado direito da parte interna da coxa, pressionando a mão esquerda

no chão atrás para maximizar esta flexão para a frente.

3 Estenda a mão direita para trás pelo lado direito, passando o braço em volta do joelho dobrado. Estenda a mão esquerda para trás e segure com ela o pulso direito.

4 Expire e flexione-se para a frente, levando a testa em direção ao chão. Mantenha os ombros paralelos ao chão. Mantenha o torso alongado e as costas retas. Afaste os punhos das costas e erga-os para o alto. Fique nesta postura durante dez ou mais respirações.

5 Expire, solte as mãos, sente-se, estenda as pernas e, em seguida, repita a postura do outro lado.

INFORMAÇÕES

OLHAR: Ponta do nariz.

POSTURAS PREPARATÓRIAS: Postura do Sábio Marichi A, Postura do Meio Lótus, Postura da Extensão das Costas com Meio Lótus Atado.

POSTURAS COMPENSATÓRIAS: Postura do Alongamento Frontal.

ABRANDAMENTOS: a) Não vá até a etapa final da prática. b) Use um cinto para prender as mãos nas costas. c) Em vez de manter as mãos presas nas costas, segure o joelho direito com ambas as mãos e fique simplesmente em postura sentada ereta.

EFEITO: Calmante.

Postura da Cabeça além do Joelho C

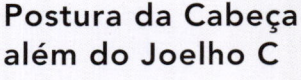

Janu Shirshasana C. Esta postura atua intensamente sobre as articulações dos dedos dos pés, dos quadris e dos joelhos. Ela também alonga os tendões das pernas e o tendão calcâneo, além de tonificar os órgãos abdominais.

1 Sente-se na Postura do Bastão (p. 104). Dobre o joelho direito e segure o calcanhar direito com a mão esquerda e os dedos do pé direito com a mão direita (com o antebraço direito introduzido entre a coxa e a canela). Coloque os dedos do pé na frente do períneo, empurrando-os em direção ao corpo com a mão direita, enquanto a mão esquerda puxa o calcanhar para a frente em posição vertical. Esta é uma postura extremamente intensa para muitas pessoas. Quem não estiver preparado para fazer a flexão para a frente, poderá praticá-la na postura sentada ereta. Para muitas pessoas, a prática de yoga inclui contentar-se com ir apenas até esta etapa da postura.

2 Para acrescentar a torção a esta postura, gira-se o abdômen para a esquerda. Inspirando, estenda a mão e o ombro direitos para a frente para segurar o pé esquerdo pela lateral interna.

3. Expirando, flexione-se para a frente, esforçando-se para descansar a cabeça sobre a canela esquerda e estender o topo da cabeça em direção aos dedos do pé.

4. Estenda a mão esquerda para a frente para segurar o pulso direito além do pé. Se tiver suficiente flexibilidade, descanse o queixo sobre a canela e olhe para a frente. Esta é a completa Postura da Cabeça Além do Joelho C.

5. Independentemente de até onde você conseguiu chegar, mantenha-se na postura contraindo os músculos do baixo-ventre (ver Trava Ascendente, p. 338) a cada inspiração. Isso dará estímulo para o peito mover-se mais para a frente a cada expiração – sinta as costelas flutuantes avançando mais pela coxa em direção ao joelho.

6. Inspire para erguer-se. Volte à Postura do Bastão e repita todo o processo do outro lado.

INFORMAÇÕES

OLHAR: Dedão do pé à frente.

POSTURAS PREPARATÓRIAS: Postura da Cabeça Além do Joelho, Postura do Ângulo Fechado, Postura Favorável (com extensão dos dedos dos pés).

POSTURAS COMPENSATÓRIAS: Versões sentadas da Postura do Bastão e da Postura do Barco, ambas durante o estiramento dos dedos dos pés e a extensão além do joelho; Postura do Alongamento Frontal.

ABRANDAMENTOS: a) Não vá até a etapa final da prática. b) Segure a coxa, canela ou tornozelo da perna estendida se não conseguir alcançar o pé, ou use um cinto em volta da frente do pé.

EFEITO: Calmante.

Postura do Lótus

Padmasana. Esta é a mais clássica das posturas de yoga e, por reduzir a circulação de sangue nas pernas (e com isso distrair as sensações), é uma das melhores para a prática de meditação e pranayama. É a postura em que Buda costuma ser representado.

1. Faça a Postura do Lótus depois de ter feito as posturas preparatórias especificadas na Postura da Cara de Vaca (p. 140) e a Postura da Extensão das Costas com Meio Lótus Atado (p. 146).

2. Sente-se na Postura do Bastão (p. 140). Dobre o joelho direito e segure o pé direito com ambas as mãos. Dessa posição do pé elevado, em vez de simplesmente descer o calcanhar direito sobre a coxa esquerda, experimente rolar a esfera do cóccix na articulação do quadril para que o joelho direito fique apontado para a frente e não para o lado direito e os quadris se aproximem pela frente. Leve o pé direito o mais alto possível da coxa esquerda, aproximando o calcanhar do umbigo. Esta postura é às vezes chamada de Postura do Meio Lótus. Coloque as mãos sobre a canela e a coxa da frente perto do joelho e aperte-as, exercendo uma força benéfica sobre o joelho.

3. Ⓐ

3. Dobre agora o joelho esquerdo para fora. Em vez de colocar o pé esquerdo por cima do joelho direito e na altura mais afastada possível da coxa direita, aproxime por meio da expiração o joelho direito mais para perto do chão para que o tornozelo esquerdo possa deslizar por cima dele e escorregar pela coxa. Ⓐ As plantas de ambos os pés devem ficar voltadas para cima. Ⓑ Se sentir dor nos joelhos, faça antes as posturas preparatórias. Como a Postura do Lótus cria uma pequena curva na parte baixa da coluna, troque de perna a cada vez que praticá-la.

ADVERTÊNCIA

De acordo com o *Hatha Yoga Pradipika*, "a Postura do Lótus cura todos os males". Mas isso requer flexibilidade nos joelhos e quadris e muitos ocidentais a consideram uma prática extremamente avançada, não indicada para iniciantes. Muitos praticantes de yoga constataram que é preciso ter uma década ou mais de prática de yoga para entrar na Postura do Lótus de maneira segura. Nunca force as pernas a ficarem nesta postura, uma vez que pode prejudicar os joelhos. Com a prática consistente – a chave para o sucesso no yoga – os quadris e joelhos ganham aos poucos a flexibilidade necessária para a permanência confortável nesta postura.

INFORMAÇÕES

OLHAR: Diretamente para a frente no plano horizontal ou com os olhos fechados.

POSTURAS PREPARATÓRIAS: Postura Perfeita, Postura do Ângulo Fechado, posturas preparatórias para a Postura do Meio Lótus, Postura da Cara de Vaca, Postura da Extensão das Costas com Meio Lótus Atado, Postura do Sábio Marichi B, Postura do Sábio Marichi D.

POSTURAS COMPENSATÓRIAS: Postura do Herói, Postura do Bastão.

ABRANDAMENTOS: a) Coloque o pé esquerdo embaixo da perna direita em vez de em cima dela. b) Sente-se simplesmente numa postura de pernas cruzadas.

EFEITO: Calmante, meditativo.

Postura do Lótus Atada

Baddha Padmasana. Neste desdobramento da Postura do Lótus (p. 152), as mãos são cruzadas nas costas para pegar os pés. Esse esforço estende intensamente os ombros, abre o peito e reduz a curvatura da parte superior da coluna. A versão com flexão para a frente também facilita a digestão.

1 Sente-se na Postura do Lótus (p. 152) com a perna direita dobrada à frente da esquerda. Ao entrar nesta postura, mantenha os joelhos o mais próximos possível e os calcanhares bem no alto das coxas, de maneira que os pés ficam um pouco fora das coxas.

2 Passe a mão esquerda por trás das costas. Flexione-se para a frente para tocar com ela o dedão do pé esquerdo. Gire o torso para a esquerda e use a mão direita para se necessário puxar o pulso esquerdo. Coloque mais pressão para puxar o calcanhar em direção ao abdômen.

3 Com uma torção agora para a direita, estenda o braço direito

para cima e gire-o nas costas e por cima do braço esquerdo, de maneira que os cotovelos fiquem próximos um do outro. Estenda a mão direita para pegar o pé direito. No início, a flexão para a frente facilita um pouco manter o aperto da mão sobre o pé esquerdo. Mantenha a postura ereta, contraindo o abdômen para dentro, empurrando os ombros para trás e erguendo o peito enquanto vira a cabeça para o alto.

4. Uma nova postura é criada pela flexão para a frente, dobrando o torso sobre os calcanhares para levar o queixo ao chão com as mãos ainda presas. Esta é chamada de Postura do Selo do Yoga, uma versão mais difícil da postura descrita na Postura Perfeita (p. 112). Erga-se inspirando, solte as mãos, estenda as pernas e repita o processo do outro lado.

INFORMAÇÕES

OLHAR: Ponta do nariz.

POSTURAS PREFARATÓRIAS: Postura do Lótus. Postura do Sábio Bharadvaja II.

POSTURAS COMPENSATÓRIAS: Postura do Herói.

ABRANDAMENTOS: a) Use um cinto em volta de cada pé. b) Em vez de segurar os pés, entrelace os dedos das mãos nas costas ou coloque cada mão em torno do cotovelo contrário.

EFEITO: Calmante.

Postura do Feto no Útero

Garbha Pindasana. Neste desdobramento da Postura do Lótus (p. 152), as mãos são introduzidas entre as coxas e as canelas. Além dos benefícios usuais da Postura do Lótus, ela tonifica os órgãos abdominais. Antes de tentar fazê-la, é imprescindível o domínio da Postura do Lótus.

1. Sente-se na Postura do Lótus (p. 152), dobrando primeiro a perna direita. Verifique se os joelhos estão próximos um do outro e se os calcanhares estão bem no alto das coxas.

2. Introduza a mão direita entre a coxa e a canela direitas. (A não ser que suas pernas sejam muito finas – e você tenha treinamento avançado na Postura do Lótus – não há ali muito espaço livre, de modo que lubrificar os antebraços com água quente antes de tentar introduzi-los pode ajudar.) Empurre delicadamente o braço até conseguir dobrar o cotovelo.

3. Introduza agora a mão esquerda entre a coxa e a canela esquerdas até

conseguir dobrar o cotovelo. Empurre os joelhos em direção ao peito, dobre ambos os cotovelos para colocar uma mão a cada lado da face, se possível levando os dedos até as orelhas. Mantenha-se em equilíbrio sobre os ísquios enquanto faz várias respirações prolongadas. Inspirando, solte os braços, estenda as pernas e repita a postura do outro lado.

4 Na Postura do Feto no Útero, os praticantes avançados de Ashtanga Vinyasa Yoga (p. 385), balançam as costas para a frente e para trás, girando um pouco a cada vez até terem completado um círculo. Use uma superfície acolchoada. O impulso do último giro para a frente as colocam na Postura do Galo, na qual os braços suportam todo o peso do corpo.

INFORMAÇÕES

OLHAR: Ponta do nariz.

POSTURAS PREPARATÓRIAS:
Postura do Lótus.

POSTURAS COMPENSATÓRIAS:
Postura do Herói, Postura do Alongamento Frontal.

ABRANDAMENTOS: a) Em vez de introduzir os braços entre a coxa e a canela, coloque os braços em torno das pernas e leve os joelhos até o peito.

EFEITO: Calmante.

Postura da Retenção

Kumbhakasana. Nesta postura, o corpo mantém-se firme e reto como uma prancha. De maneira similar a um exercício abdominal, esta postura fortalece os braços e pulsos, além de tonificar os músculos abdominais. A parte superior das costas expande-se totalmente, aumentando a oxigenação dos tecidos musculares e soltando as tensões acumuladas entre as escápulas.

1 Ajoelhe-se no chão com as mãos afastadas na linha dos ombros. Com as mãos na frente dos ombros, coloque mais peso à frente sobre elas. Coloque pressão sobre as palmas das mãos como se estivesse estirando os braços. Pressione as vértebras entre as escápulas para o alto, de maneira a esticar a pele entre elas e alargar a parte superior do corpo. Mantenha a nuca estirada, com o rosto voltado para baixo e o queixo levemente contraído em direção à garganta. Envolva totalmente os músculos abdominais contraindo-os em direção à coluna. Esta é a versão ajoelhada da Postura da Retenção.

2 Firmando-se sobre os dedos dos pés, erga os joelhos. Alinhe os quadris para

INFORMAÇÕES

OLHAR: Ponta do nariz.

POSTURAS PREPARATÓRIAS: Postura do Cachorro Olhando para Baixo, Postura do Bastão Apoiada Sobre os Quatro Membros.

POSTURAS COMPENSATÓRIAS: Postura do Gafanhoto, Postura da Ponte com Apoio, Exercícios para soltar os pulsos.

ABRANDAMENTOS: a) Faça só a primeira etapa da versão ajoelhada da Postura da Prancha. b) Permaneça por pouco tempo.

EFEITO: Fortalecimento.

que toda a extensão, desde o dorso da cabeça, passando pelo sacro e indo até os calcanhares, fique num mesmo plano. Tome cuidado para não baixar demais os quadris – se estiver desmoronando, use os músculos abdominais para voltar a firmá-los. Se as nádegas erguerem-se em forma de montanha, veja se os ombros estão corretamente posicionados. Leve o peso para a frente para que os ombros fiquem alinhados aos pulsos – talvez você tenha que arrastar as mãos para a frente.

3 Erga agora a parte superior das costas para a argá-la e abrir as escápulas. Aperte as nádegas uma contra a outra e empurre o baixo-ventre em direção à coluna. Comprima toda a área que vai do osso púbico até as costelas inferiores. Estire o cóccix em direção aos calcanhares. Pressione igualmente ambas as palmas das mãos no chão. Fique nesta postura durante cinco respirações. Da Postura da Retenção, você pode se abaixar e entrar na Postura do Bastão Apoiado sobre os Quatro Membros (p. 160), ou erguer-se para entrar na Postura do Cachorro Olhando para Baixo (p. 162).

Postura do Bastão Apoiada Sobre os Quatro Membros

Chaturanga Dandasana. Nesta postura de força, muitas vezes referida como Postura do Crocodilo, todo o peso do corpo recai sobre as mãos e os pés. Ela ativa os braços, pulsos e ombros e tonifica o abdômen. É uma das posturas de algumas das sequências da Saudação ao Sol B (p. 42).

1 Deite-se de bruços no chão. Dobre os cotovelos e coloque as mãos espalmadas no chão abaixo dos ombros, com os dedos apontados para a frente. Firme-se sobre as pontas dos pés separados um do outro por aproximadamente 25 centímetros.

2 Contraia os músculos abdominais e erga o corpo todo do chão, de maneira que seu peso fique apoiado inteiramente sobre as mãos e os dedos dos pés, com o peito entre os polegares. Mantenha o corpo todo bem reto. Contraia o abdômen em direção ao centro do corpo para que, ao erguer-se, ele vá junto! Isso impedirá qualquer oscilação da postura. Não erga as nádegas para o alto. Envie uma corrente de energia para trás através dos calcanhares e solte-a pelo topo da cabeça. Aperte os cotovelos contra o corpo. Fique nesta postura por dez ou mais respirações.

3 Uma alternativa é expirar e rolar para a frente sobre as pontas dos pés para que o peso seja suportado apenas pelos dorsos dos pés e pelas mãos. Isso coloca uma pressão extra sobre os ombros e braços. Dessa posição, você pode rolar de volta para cima das pontas dos pés da postura inicial ou, como na sequência B da Saudação ao Sol (p. 42), esticar os cotovelos e continuar na Postura do Cachorro Olhando para Cima (p. 244).

4 Para passar da Postura da Retenção (p. 158) para a Postura do Bastão Apoiada Sobre os Quatro Membros, contraia o abdômen e mova os ombros para a frente dos dedos das mãos e, ao mesmo tempo, dobre os cotovelos para formar ângulos retos. Para evitar a sensação de queda, mova o peito para a frente e deixe o nariz a cerca de 30 centímetros do chão à frente das pontas dos dedos.

INFORMAÇÕES

OLHAR: Ponta do nariz.

POSTURAS PREPARATÓRIAS: Postura da Retenção.

POSTURAS COMPENSATÓRIAS: Postura do Cachorro Olhando para Cima, Exercícios para soltar os pulsos.

ABRANDAMENTOS: a) Não role para a frente para fazer a última etapa. b) Flexione os joelhos e deixe-os tocar o chão para aliviar o peso sobre as mãos. c) Solte o peso do corpo no chão e simplesmente use as mãos para fazer pressão.

EFEITO: Energização.

Postura do Cachorro Olhando para Baixo

Adho Mukha Shvanasana. Esta postura se assemelha a um cachorro se estirando. A coluna, os tendões das pernas e os ombros são todos vigorosamente alongados e a inversão fornece um fluxo adicional de sangue para a cabeça.

1 Fique na Postura da Montanha (p. 46). Inspirando, erga os braços para cima da cabeça. Expire e flexione-se a partir dos quadris para fazer a Postura da Extensão (p. 68), com as mãos dos lados dos pés. Inspire e olhe para a frente, afastando o peito das coxas. Ao expirar, passe primeiro o pé direito e depois o esquerdo para trás (ou dê um salto leve com os dois juntos). Mantenha a distância mínima de 90 centímetros tanto entre os pés como entre as mãos.

2 Coloque os pés na linha dos quadris com as pernas firmes e retas. Assegure-se de que os dedos intermediários estejam apontados para a frente e que o peso não esteja recaindo sobre a lateral externa das mãos. Pressione as palmas das mãos no chão e leve o peito mais para perto das coxas, enquanto empurra os ísquios das nádegas para o alto, alongando a coluna. Mova os quadris para trás e para cima, afastando-os dos pulsos.

3 Uma vez que você tenha alcançado a extensão máxima para cima da coluna, concentre-se em abrir as partes de trás das pernas. Firme-se sobre os calcanhares e estenda bem os joelhos, sem travá-los. Quando as plantas dos

INFORMAÇÕES

OLHAR: Umbigo.

POSTURAS PREPARATÓRIAS: Postura da Extensão, Postura da Cara de Vaca (ombros), Postura da Retenção, Postura da Extensão sobre os Pés Afastados (pulsos).

POSTURAS COMPENSATÓRIAS: Postura da Montanha, exercícios para soltar os pulsos, Postura do Meio Arco Elevada.

ABRANDAMENTOS: a) Flexione os joelhos na direção do peito. b) Leve os joelhos para o chão, as nádegas para o alto e estenda os braços para a frente.

EFEITO: Fortalecimento, revigorante.

---

pés estiverem inteiramente pisando o chão, afaste mais os pés para trás de maneira a aumentar o desafio.

4. Gire os ombros para fora de maneira que as partes superiores dos braços se afastem das orelhas. Deixe o topo da cabeça descer mais em direção ao chão e a nuca se alongar. Contraia o queixo e olhe na direção do umbigo.

5. Fique nesta postura de dez a trinta respirações calmas e profundas para vitalizar todo o corpo. Para sair, inspire e olhe para a frente, avançando os pés ou dando um salto para colocar-se entre as mãos. Expirando, passe para a Postura da Extensão, com a cabeça em direção aos joelhos. Em seguida, inspire e erga os braços e o tronco de volta para a Postura da Montanha.

Sequência da Postura Reclinada do Dedão do Pé

Supta Padangushthasana. Esta postura alonga os tendões dos músculos das pernas, flexibiliza as articulações das pernas e dos quadris e solta a parte inferior das costas. Como as costas são mantidas apoiadas no chão, o risco de ocorrer alguma lesão, como nas flexões para a frente sentadas ou em pé, é reduzido.

1. Deite-se de costas com os pés unidos. Eleve a perna direita em linha reta, sem dobrar o joelho. Estenda a mão direita e segure o dedão com os dedos indicador e médio (ou use um cinto para facilitar o alcance). Descanse a palma da mão esquerda sobre a coxa esquerda, para que os músculos da coxa se firmem no lugar e não a deixem pender para os lados. Mantenha o pé esquerdo ativo, ou apontando para os dedos ou flexionando firmemente o tornozelo para pressionar o calcanhar para fora. Uma ótima maneira de manter esta perna ativa é deitar-se perpendicularmente contra uma parede e pressionar o calcanhar contra ela.

2. Depois de um ou dois minutos, erga a cabeça e use os músculos abdominais para levar o peito na direção do joelho direito. Ao mesmo tempo, aproxime a perna direita do torso, de modo

que a cabeça fique contra a canela direita. Fique nesta postura por cinco respirações.

3 Leve o dorso da cabeça para o chão e gire a perna direita para fora, de modo que os dedos do pé fiquem apontados para o lado. Mantendo os quadris nivelados, abaixe a perna para o lado direito. Em determinado ponto, a perna esquerda pode perder sua base de sustentação e você sentir que vai desmoronar. Se isso ocorrer, retorne à posição inicial e restabeleça uma boa base, pressionando a coxa esquerda contra o chão e o calcanhar esquerdo para fora. Prossiga lentamente até chegar a seu máximo. Gire a cabeça para a esquerda e mantenha-se nesta posição de cinco a dez respirações lentas.

4 Retorne a perna direita para o centro e, com a mão esquerda, segure a lateral interna do pé direito. Gire a perna toda para dentro até os dedos ficarem voltados para dentro. Pressione o polegar direito no ponto em que a coxa se articula com o tronco. Continue pressionando ali para manter o lado direito da cintura alongado. Passe a perna direita por cima do corpo para o lado esquerdo, mantendo o lado direito do sacro apoiado no chão. Gire a cabeça para olhar à direita. Faça de cinco a dez respirações nesta posição. Repita todo o processo do outro lado.

INFORMAÇÕES

OLHAR: Dedão do pé/lado.

POSTURAS PREPARATÓRIAS: Flexões para a frente em posturas sentadas.

POSTURAS COMPENSATÓRIAS: Postura da Ponte com Apoio.

ABRANDAMENTOS: a) Segure o tornozelo em lugar do dedão. b) Use um cinto para prender o pé erguido.

EFEITO: Repousante.

Postura de Hanumat

Hanumanasana. Esta postura graciosa, porém desafiadora, que lembra as acrobacias executadas por bailarinos e ginastas, alonga intensamente os músculos da frente e de trás das coxas. Ela recebeu o nome Hanumat em homenagem ao deus macaco, pelos saltos fantásticos que essa divindade deu a serviço de seu senhor Rama.

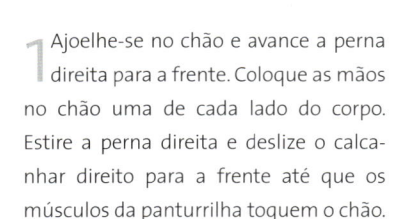

1. Ajoelhe-se no chão e avance a perna direita para a frente. Coloque as mãos no chão uma de cada lado do corpo. Estire a perna direita e deslize o calcanhar direito para a frente até que os músculos da panturrilha toquem o chão.

2. Ao mesmo tempo, deslize o joelho e o pé esquerdos para trás, com os dedos apontados diretamente para trás, até que a frente da coxa esquerda toque o chão. Force as pernas e os quadris para baixo. Ajuste os quadris. Avance o quadril esquerdo para encaixar ambos à frente. Faça com que a perna dianteira fique apontada diretamente para a frente. A rótula deve ficar voltada diretamente para cima, para que a perna não vire para o lado.

3. Com as pernas já estendidas, sente-se no chão e junte as mãos diante do peito em posição de prece ou leve-as em posi-

INFORMAÇÕES

OLHAR: Ponta do nariz.

POSTURAS PREPARATÓRIAS: Postura da Cabeça Além do Joelho, Postura da Extensão Lateral, Postura da Extensão Lateral como um Cisne sobre uma Perna, Meia Postura Reclinada do Herói, Postura do Sapo, Postura de Anjaneya.

POSTURAS COMPENSATÓRIAS: Postura do Herói, Postura do Cadáver.

ABRANDAMENTOS: a) Mantenha as mãos no chão; b) Use blocos para apoiar o períneo ou as mãos. c) Não passe para a postura de flexão para a frente.

EFEITO: Calmante.

ção de prece com os braços estendidos para o alto. Fique nesta postura durante dez respirações ou mais Ⓐ. Em seguida, flexione-se para a frente, expirando e segure o pulso esquerdo com a mão direita além do pé, descansando a cabeça sobre a canela direita Ⓑ.

4. Para sair da postura, volte as mãos para os lados do corpo e erga o corpo. Depois dessa intensa soltura, tome cuidado ao apoiar-se sobre as mãos para aproximar as pernas. Troque de perna para repetir o processo todo do outro lado, na mesma proporção de tempo. É comum as pessoas acharem mais fácil fazer a postura de um lado. Neste caso, demore-se mais no lado mais rijo.

Postura da Cabeça com um Pé

Eka Pada Shirshasana. Esta postura ativa os quadris e estimula a circulação sanguínea nas regiões pélvica e abdominal. Esta flexão extrema para a frente coloca muita pressão sobre a parte baixa da coluna e exige muito cuidado com o pescoço.

1 Sente-se na Postura do Bastão (p. 104). Puxe o joelho direito para cima e segure o pé direito com a mão esquerda. Coloque a mão direita no chão ao lado do quadril direito, com o braço por dentro do joelho direito.

2 Leve o joelho direito para trás e estenda a perna esquerda, levando aos poucos a mão e o joelho direitos para trás o mais longe possível do ombro. O joelho direito deve estar atrás do ombro para você poder dar o passo seguinte.

3 Expirando, segure a canela com a mão esquerda, empurrando a perna toda bem para trás e, com a ajuda de ambas as mãos, coloque o pé direito atrás da cabeça. Mantenha a perna esquerda reta, com os

INFORMAÇÕES

OLHAR: Ponta do nariz.

POSTURAS PREPARATÓRIAS: Posturas da Tartaruga e da Tartaruga Reclinada, Postura do Braço sob uma Perna.

POSTURAS COMPENSATÓRIAS: Postura do Cadáver, Postura do Alongamento Frontal, Postura do Camelo.

ABRANDAMENTOS: a) Não leve o pé até atrás da cabeça. b) Apoie o queixo com ambas as mãos para ajudar a alongar o pescoço na posição ereta final. c) Não vá até a última etapa (deitada).

EFEITO: Calmante.

---

dedos apontados para cima. Alongue as costas e o pescoço o máximo possível e erga o queixo para olhar para a frente. Junte as mãos em posição de prece na frente do peito.

4 Deite-se de costas lentamente, mantendo o pé esquerdo no chão. Esta é chamada de Postura de Bhairava, em homenagem a esse aspecto do deus hindu Shiva. Inspirando, volte a sentar-se, solte a perna direita e estenda-a. Repita o processo do outro lado.

Posturas da Tartaruga e da Tartaruga Reclinada

Supta Kurma Asana. Nestas posturas, o dorso fica parecendo o casco de uma tartaruga. Elas alongam a parte baixa das costas, tonificam os órgãos abdominais, abrem os quadris e acalmam o sistema nervoso.

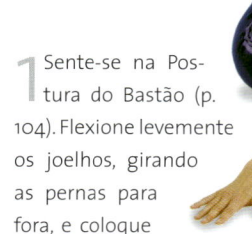

1 Sente-se na Postura do Bastão (p. 104). Flexione levemente os joelhos, girando as pernas para fora, e coloque os pés afastados a uma distância aproximada de 60 centímetros. Flexione-se para a frente a partir dos quadris e gire um pouco para um lado, depois para outro, para passar os braços, um de cada vez, por baixo dos joelhos. Gire de novo de um lado para outro para aproximar o máximo possível os ombros dos joelhos. Estenda os braços para os lados.

2 Continue flexionando-se e olhando diretamente para a frente. Deslize os pés para os lados para levar o queixo e os ombros ao chão. Alongue a frente do

corpo e leve o peito em direção ao chão. Estire as pernas e gire-as de maneira que os joelhos fiquem voltados para cima. Erga os pés do chão para que as partes de trás dos joelhos pressionem os ombros para baixo. Abra o peito. Esta é a Postura da Tartaruga. Fique nesta postura por dez ou mais respirações.

3 Gire os ombros para dentro e dobre os cotovelos para levar os braços para as costas na altura dos quadris. Balance-se um pouco de um lado para outro se necessário. Coloque as mãos na região lombar da coluna e prenda uma a outra com firmeza. Leve os pés, um de cada vez, em direção ao centro acima da cabeça e cruze as pernas na altura dos tornozelos. Esta é a Postura da Tartaruga Reclinada. Fique nesta postura durante dez ou mais respirações. Em seguida, troque a posição dos pés e repita a postura pelo mesmo tempo do outro lado.

4 Inspirando, dobre um pouco os joelhos, sacuda os ombros para libertá-los dos joelhos e volte à posição sentada.

INFORMAÇÕES

OLHAR: Ponto da terceira visão.

POSTURAS PREPARATÓRIAS: Postura da Extensão sobre os Pés Afastados, Postura do Ângulo Preenchido, Sequência da Postura Reclinada do Dedão do Pé, Postura da Cabeça com um Pé.

POSTURAS COMPENSATÓRIAS: Postura do Alongamento Frontal, Postura do Cachorro Olhando para Cima, Postura do Cachorro Olhando para Baixo.

ABRANDAMENTOS: a) Descanse a testa, em vez do queixo, no chão na Postura da Tartaruga. b) Não estenda as pernas na Postura da Tartaruga. c) Não cruze os tornozelos na Postura da Tartaruga Reclinada. d) Use um cinto para aproximar as mãos na Postura da Tartaruga Reclinada.

EFEITO: Calmante.

Postura do Sono dos Yogues

Yoga Nidrasana. Esta é uma das mais intensas flexões para a frente. Uma vez dominada, é uma postura extremamente relaxante que contribui para a saúde do corpo todo. Esta flexão para a frente aumenta a circulação de sangue na região abdominal e no sistema digestivo em particular.

1 Comece preparando o corpo com uma sequência de flexões para a frente. Outra postura preparatória é deitar-se de costas, agarrar um pé com ambas as mãos e levá-lo até a testa, ao mesmo tempo em que pressiona o joelho em direção ao chão. Depois de ter praticado com um pé de cada vez, faça com ambos juntos.

2 Deite-se de costas, dobre os joelhos e segure os tornozelos, se possível, os calcanhares. Comece a empurrar os joelhos para o chão, aproximando-os das axilas, enquanto os pés ultrapassam o nível da cabeça. Deixe que a parte baixa da coluna se erga do chão para intensificar a flexão para a frente. Demore-se para fazer isso com uma expiração estável e prolongada.

3 Concluída a fase preparatória, erga a cabeça do chão e leve as mãos até os lados externos dos calcanhares. Erga bem um ombro de cada vez para que os joelhos passem para cima deles. Balance-se um pouco de um lado para outro, se necessário.

4 Cruze os tornozelos, um de cada vez, atrás da cabeça. Com as pernas engatadas, mova os ombros para cima até ficarem bem acima dos joelhos e esforce-se para abrir o peito. Estenda os braços para fora do torso e, girando para dentro a partir dos ombros, leve uma mão de cada vez para trás e prenda uma na outra nas costas.

Erga o peito para trás e descanse a cabeça na "almofada" formada pelos pés. Fique nesta postura durante dez ou mais respirações.

5 Solte as mãos e repita a postura com as pernas cruzadas ao contrário.

INFORMAÇÕES

OLHAR: Para cima.

POSTURAS PREPARATÓRIAS: Postura da Cabeça com um Pé, Postura da Tartaruga.

POSTURAS COMPENSATÓRIAS: Postura do Alongamento Frontal, Postura do Cachorro Olhando para Baixo, Postura do Cachorro Olhando para Cima, Postura do Camelo.

ABRANDAMENTOS: a) Pratique com uma perna de cada vez.

EFEITO: Calmante.

Torções e Outros Exercícios para Tonificar os Músculos Abdominais

No corpo humano, o centro da gravidade está no abdômen. Nele, está o centro de atividade de todos os importantes órgãos abdominais. As torções levam o sangue recém-oxigenado para nutrir os órgãos e os intestinos. Juntamente com o efeito de sua massagem, as torções promovem o funcionamento saudável dos processos digestivos e eliminatórios. Tonificar os músculos abdominais é vital para manter a boa postura da coluna lombar e protegê-la da dor nas costas.

As torções também oferecem a chance de ver as coisas de outra perspectiva. Liberam uma grande quantidade de tensão dos pequenos músculos em volta da coluna. São excelentes práticas para promover o equilíbrio. Quando a pessoa está irrequieta e agitada, as torções tendem a acalmá-la. E quando a pessoa está cansada e apática, elas levantam o ânimo. Da próxima vez que você se sentir tomado pelas tensões, faça-as girar em espiral numa longa torção e, em seguida, enquanto seu corpo se desenrosca, sinta como o mesmo acontece com a sua mente.

Postura do Alongamento da Perna para o Alto

Urdhva Prasarita Padasana. Está postura é excelente para tonificar a barriga. Ela fortalece os músculos da coluna lombar e do abdômen. Como existem muitas variações possíveis, experimente para ver qual delas é a mais desafiadora e qual é a mais fácil de ser alcançada.

1 Deite-se no chão de costas, com as pernas estendidas, os braços estirados para cima da cabeça e as mãos pressionando o chão pelo lado dorsal. Inspirando, estenda os braços mais para cima e erga as pernas em direção ao teto. Contraia o baixo-ventre em direção à coluna ao expirar e baixar as pernas de volta para o chão. Repita esses movimentos de cinco a dez ou mais vezes. Quanto maior o controle e a lentidão dos movimentos, melhor o efeito. Não prenda a respiração, mas mantenha-a estável, para que os movimentos do corpo possam ser sincronizados com os dela.

2 Talvez você queira abaixar as pernas a determinados intervalos, depois de mantê-las erguidas por várias respirações em ângulos de 60 e 30 graus e novamente quando os calcanhares estiverem cinco centímetros acima do chão. Os músculos abdominais estão dando o máximo de si, portanto, persevere nesta última etapa. Respire profunda e regularmente. Mantenha os ombros relaxados.

INFORMAÇÕES

OLHAR: Ponta do nariz.

POSTURAS PREPARATÓRIAS: Postura do Barco, Postura da Retenção, Postura da Rotação do Abdômen, Postura do Peixe com as Pernas Elevadas.

POSTURAS COMPENSATÓRIAS: Postura Reclinada do Ângulo Fechado, Postura do Cadáver.

ABRANDAMENTOS: a) Flexione os joelhos. b) Flexione os joelhos e coloque os pés no chão atrás das nádegas. c) Segure os joelhos com as mãos. Ao expirar, dobre os cotovelos e puxe os joelhos para junto do peito. A cada inspiração, abra os braços acima da cabeça e estenda os pés na direção do teto. d) Solte as pernas e os braços no chão ao expirar.

EFEITO: Fortalecimento.

Todas essas variações podem ser feitas com as mãos embaixo do sacro ou com as palmas no chão junto dos quadris.

Postura do Barco

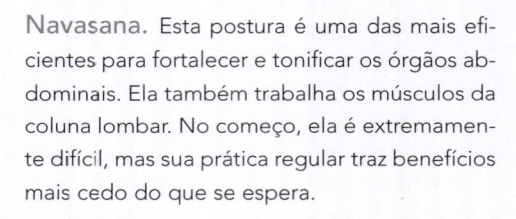

Navasana. Esta postura é uma das mais eficientes para fortalecer e tonificar os órgãos abdominais. Ela também trabalha os músculos da coluna lombar. No começo, ela é extremamente difícil, mas sua prática regular traz benefícios mais cedo do que se espera.

1 Sente-se na Postura do Bastão (p. 104) com as mãos no chão ao lado dos quadris. Ao expirar, incline o corpo levemente para trás, enquanto flexiona os joelhos e ergue as pernas do chão. Flexione os joelhos de maneira que as canelas fiquem paralelas ao chão. Com as mãos, mantenha as coxas para trás. Contraia a parte baixa das costas para que fique mais côncava. Erga o peito. Estenda os braços para a frente com as palmas voltadas uma para a outra. Puxe os ombros para trás e leve o peito para a frente (em direção aos joelhos), abrindo-o ao estirar os dedos das mãos. Faça de cinco a oito respirações nesta posição. Descanse e repita todo o processo ou passe para a etapa 2.

INFORMAÇÕES

OLHAR: Dedos dos pés.

POSTURAS PREPARATÓRIAS:
Postura do Alongamento da Perna para o Alto, Postura do Peixe com as Pernas Elevadas.

POSTURAS COMPENSATÓRIAS:
Postura do Cadáver, Postura do Alongamento Frontal.

ABRANDAMENTOS: a) Na primeira etapa, deixe os dedos dos pés tocarem levemente o chão. b) Mantenha os joelhos flexionados. c) Reduza o tempo de permanência na postura.

EFEITO: Fortalecimento.

2 Para completar a Postura do Barco com os joelhos flexionados, estenda lentamente as pernas para cima o máximo que puder. Os pés devem ficar mais ao alto do que a cabeça. Com os músculos abdominais trabalhando intensamente, concentre-se em manter as pernas estendidas e a parte superior do corpo erguida para que as costas não se curvem. Se tiver força suficiente, entrelace os dedos das mãos atrás da cabeça, mantendo os cotovelos abertos. Cuidado para não afundar a coluna lombar ou deixar o peito cair em direção à barriga. Depois de cinco a oito respirações, saia da postura expirando.

Postura Favorável com Rotação

Parivrtta Sukhasana. A felicidade é sentida na área do coração. Nesta postura, o peito descansa suavemente sobre a base de apoio na pélvis. Desfrute a sensação de plenitude que esta postura proporciona.

1 Cruze as pernas e afaste bem os calcanhares para que cada um fique próximo ou embaixo do joelho que está por cima. (As tíbias devem ficar mais ou menos paralelas.) Coloque as pontas dos dedos no chão diretamente atrás das nádegas e apontando para fora do corpo.

2 Pressione ambos os ísquios igualmente no chão e lentamente mova a parte baixa da coluna para dentro e para cima. Leve a respiração até o períneo enquanto alonga a coluna e os lados do corpo para cima. Relaxe o diafragma na extremidade das costelas inferiores, permitindo que os pulmões desçam e acariciem o abdômen.

3 Inspire profundamente até a base do peito, fazen-

INFORMAÇÕES

OLHAR: Para o lado.

POSTURAS PREPARATÓRIAS: Flexão para a frente na Postura Favorável.

POSTURAS COMPENSATÓRIAS: Torção para ambos os lados, flexão para a frente na Postura Favorável.

ABRANDAMENTOS: a) Use menos os braços. b) Reduza a intensidade da torção.

EFEITO: Centramento.

---

do-o expandir. Respire pelo coração. Relaxe a parte superior do peito. Empurre suavemente o queixo em direção à garganta. Observe até onde no torso o ar está chegando. Consegue encher a bacia da pélvis?

4 Erga os braços em direção ao teto. Alongue toda a extensão que vai dos quadris até as axilas e, em seguida, das axilas até as pontas dos dedos das mãos. Mantendo o tronco o mais alongado e expandido possível, expire e gire o peito para a esquerda. Observe por um instante quais os músculos que contribuem para a torção.

5 Com a mão direita sobre o lado externo do joelho esquerdo e a mão esquerda no chão um pouco atrás do lado do corpo, use-as para intensificar a torção. Mantenha o queixo levemente contraído e os ombros nivelados. Fique nesta postura durante dez respirações, contraindo levemente o baixo-ventre na direção da coluna e expandindo o coração e o peito ao inspirar e intensificando mais a torção ao expirar.

6 Saia da postura inspirando e permaneça por um instante no centro, com os olhos fechados, sentindo os efeitos de ter exercitado apenas um lado. Repita a torção pelo outro lado.

Meia Postura do Yogue Matsyendra

Ardha Matsyendrasana. A pressão da coxa contra o abdômen massageia os órgãos internos e promove seu funcionamento saudável.

1 Na Postura do Bastão (p. 104), flexione os joelhos e coloque os pés no chão. Dobre o joelho esquerdo e leve o pé para trás na direção da nádega direita, com o calcanhar diretamente à frente do ísquio direito.

2 Erga a perna direita e passe-a por cima da coxa esquerda para que o pé fique perto do joelho esquerdo. Pressione os ísquios contra o chão. Contraia levemente a parte baixa das costas para dentro e para cima, soltando a coluna até o topo da cabeça. Com as pontas dos dedos da mão direita pressionando o chão, inspire e estenda o braço esquerdo para cima, estirando-o até os dedos.

3 Expirando, gire o abdômen e o peito para a direita. Sem perder a extensão do torso, leve o cotovelo esquerdo para o lado externo da coxa direita. For-

ce-o contra a coxa enquanto ele resiste para auxiliar a torção para a direita.

Passe a mão direita por trás do corpo. Olhe por cima do ombro direito.

4 Leve o cotovelo esquerdo para fora do joelho direito, sem encurtar o lado esquerdo da cintura. Leve a axila esquerda para o mais perto possível do joelho, mantendo a extensão da coluna. Estenda o braço esquerdo e leve a mão para a frente do pé direito.

5 Fique respirando nesta postura, comprimindo levemente o baixo-ventre em direção à coluna ao expirar e erguendo o peito e alongando a coluna ao expirar para intensificar a torção.

6 Inspirando, solte as mãos e retorne o peito para o centro. Desdobre as pernas e descanse na Postura do Bastão antes de repetir a torção do outro lado.

INFORMAÇÕES

OLHAR: Por cima do ombro de trás.

POSTURAS COMPENSATÓRIAS: Postura do Alongamento Frontal, Postura da Extensão das Costas.

POSTURAS PREPARATÓRIAS: Postura Favorável com Rotação, Postura do Sábio Marichi C.

ABRANDAMENTOS: a) Abrace o joelho da frente com o braço contrário enquanto pressiona o torso contra a coxa. b) Se não conseguir juntar as mãos, deixe a mão de trás descansar no chão e dobre o cotovelo da frente num ângulo de 90 graus, com os dedos apontados para o alto. c) Uma opção intermediária é passar o braço direito pela "janela" embaixo do joelho para agarrar a mão esquerda.

EFEITO: Equilíbrio – tanto revigorante como calmante.

Postura do Sábio Bharadvaja

Bharadvajasana. Esta torção simples é muito eficiente para soltar a tensão do pescoço, dos ombros e da coluna. Quando giramos para ambos os lados, podemos encontrar nosso centro. Esta torção é uma oportunidade para voltarmos a atenção para dentro de nós mesmos e descobrirmos a sabedoria que guardamos nas profundezas de nosso corpo.

1 Sente-se com as pernas na Postura do Bastão (p. 104). Flexione os joelhos e leve os pés para o lado do quadril esquerdo, com as solas voltadas para cima. Coloque o pé esquerdo por baixo com o dorso do direito descansando sobre a sua planta. Os fêmures devem estar mais ou menos em posição paralela.

2 Pressione os ísquios das nádegas no chão e estenda toda a coluna. Leve o braço esquerdo através do corpo para colocar a mão esquerda em cima do joelho direito. Coloque a mão direita no chão atrás do corpo.

3 Inspirando, erga mais o torso. Expirando, e mantendo a extensão da coluna, faça um movimento de torção para cima a partir do lado esquerdo do baixo-ventre até o ombro direito.

4 Inspirando, endireite o torso. Incline-se para a frente e, com o pulso da mão esquerda voltado para fora, deslize os dedos para baixo do joelho direito. Passe agora o braço direito por trás da cintura e segure a parte superior do braço esquerdo com a mão direita. Inclinando-se para a frente fica mais fácil prendê-lo, endireite de novo a coluna na posição vertical. Contraia o queixo e gire a cabeça para olhar por cima do ombro direito.

INFORMAÇÕES

OLHAR: Para o lado.

POSTURAS PREPARATÓRIAS: Postura Favorável com Rotação, Meia Postura do Yogue Matsyendra.

POSTURAS COMPENSATÓRIAS: Postura do Alongamento Frontal, Postura da Extensão das Costas, flexão para a frente na Postura Favorável, Postura da Criança (estendida), Postura do Cachorro Olhando para Baixo.

ABRANDAMENTOS: a) Faça apenas a primeira etapa. b) Coloque uma almofada sob a nádega esquerda. c) Mantenha a mão esquerda no chão em vez de atrás da cintura.

EFEITO: Centramento.

5 Fique nesta postura de cinco a dez respirações, alongando a coluna a cada inspiração e intensificando mais a torção a cada expiração. Empurre o dorso do pulso para fora do torso e leve o ombro direito mais para trás para intensificar a torção. Apoie-se mais sobre o ísquio esquerdo.

6 Solte os braços inspirando, estenda as pernas e repita a torção do outro lado.

Postura do Bastão com Rotação e Postura da Extensão das Costas com Rotação para Cima

Parivrtta Dandasana e Utthita Parivrtta Pashchimottanasana. Nestas flexões para a frente, a coluna toda, como também a parte dorsal das pernas são alongadas, os órgãos abdominais fortemente contraídos e os rins são espremidos, renovando o suprimento de sangue para todo o corpo.

1 Na Postura do Bastão (p. 104), estenda a mão direita para a frente e segure a lateral externa do pé esquerdo (flexione o joelho se necessário). Inspirando, erga a perna esquerda do chão, ao mesmo tempo em que ergue o tronco em postura ereta. Gire agora toda a parte superior do corpo para a esquerda, estendendo o braço esquerdo para trás do corpo na altura do ombro. Volte a palma da mão para fora e gire a cabeça para olhar por cima do ombro esquerdo. Esta é uma extensão para a frente com torção da coluna.

2 Faça algumas respirações nesta postura, erguendo a perna e a coluna para cima a cada inspiração e intensificando a torção a partir do baixo-ventre a cada expiração. Solte a parte frontal ao expirar, abaixe a perna erguida e estenda ambos os braços acima da cabeça. Retorne para a Postura do Bastão e repita a torção do outro lado.

3 Para fazer a Postura da Extensão das Costas, sente-se primeiro na Postura do Bastão. Inspire ao elevar os braços acima da cabeça. Cruze os braços na altura dos pulsos e expire estendendo a parte superior do corpo para a frente e segure os pés com as mãos. A mão direita segura o pé esquerdo e a mão esquerda o pé direito, mantendo o pulso esquerdo por cima do direito.

4 Faça algumas respirações para preparar-se para esta flexão para a frente. Erga então o cotovelo e a axila do lado esquerdo mais para o alto e comece a girar o abdômen e o peito para cima. Vire o rosto para olhar por baixo da parte superior do braço esquerdo.

5 Estire uniformemente os calcanhares enquanto as mãos pressionam os pés para intensificar a torção. A cada expiração, contraia o baixo-ventre em direção à coluna e gire mais intensamente para a direita. Depois de cinco a dez respirações nesta postura, repita-a do outro lado.

INFORMAÇÕES

OLHAR: Para o polegar de trás ou totalmente para o lado.

POSTURAS PREPARATÓRIAS: Postura da Extensão das Costas, Postura da Rotação do Abdômen, Postura Grandiosa com Rotação.

POSTURAS COMPENSATÓRIAS: Postura Reclinada do Ângulo Fechado, Postura do Cadáver, Postura do Alongamento Frontal.

ABRANDAMENTOS: a) Mantenha o(s) joelho(s) dobrado(s). b) Primeira etapa – mantenha a mão da perna erguida no chão atrás da nádega. c) Use um cinto em volta do pé erguido. d) Segunda etapa – mantenha cada mão sobre o joelho contrário.

EFEITO: Centramento.

Postura do Portão com a perna na Postura do Herói

Vira Parighasana. Os movimentos lineares que repetimos diariamente tendem a restringir a totalidade de quem somos, mas a forma incomum desta postura é um convite a ampliarmos nossa visão. Ela expande os músculos intercostais para permitir que o ar penetre mais livremente nos pulmões.

1 Sente-se no chão na Postura do Bastão (p. 104), com as pernas totalmente estendidas. Flexione a perna direita para colocar o calcanhar direito ao lado da nádega direita, com o dorso do pé contra o chão. Os ísquios devem ficar em posição perpendicular um ao outro para que o joelho direito aponte para o lado.

2 Inspirando, estenda toda a coluna e erga o braço esquerdo acima da cabeça. Expirando, gire o torso para a direita, colocando a mão esquerda para descansar sobre o joelho direito e virando a cabeça para olhar por cima do ombro direito.

3 Flexione o joelho direito de maneira que o calcanhar fique no chão. Inspire e estenda a coluna para cima. Ao expirar, mantendo a barriga e o peito girados para a direita, abaixe o ombro esquerdo e acomode-o dentro do joelho esquerdo.

4 Inspire ao estender o braço direito por cima da cabeça para segurar o dedão do pé esquerdo estendido. Agarre o pé esquerdo estendido. Exerça pressão sobre o pé esquerdo para curvar as costelas do lado direito para cima. A sensação é a de que as costelas estão se abrindo e distribuindo a flexão lateral de maneira mais igual por toda a coluna. Segure o joelho direito e dobre o cotovelo esquerdo. Deixe o torso ceder mais profundamente a esta torção. Gire a cabeça para olhar para cima por baixo da parte superior do braço direito. Fique respirando nesta torção pelo tempo em que ela for prazerosa.

5 Saia dela inspirando, erguendo o torso ao mesmo tempo em que ergue os braços e gira o peito para olhar para a frente. Ao expirar, abaixe os braços para os lados dos quadris. Repita a postura do outro lado.

INFORMAÇÕES

OLHAR: Para o infinito.

POSTURAS PREPARATÓRIAS: Postura do Portão, Postura do Sábio Marichi C, Postura Grandiosa com Rotação, Postura da Extensão das Costas com Rotação.

POSTURAS COMPENSATÓRIAS: Postura da Criança, Postura do Alongamento Frontal, Postura em Ângulo Reclinado.

ABRANDAMENTOS: a) Flexione o joelho da perna estendida para o alto, aproximando o pé. b) Estenda a mão do alto por cima da cabeça, em vez de agarrar o pé da frente.

EFEITO: Soltura.

Postura da Rotação do Abdômen

Jathara Parivartanasana. Esta torção da coluna apoiada no chão comprime os órgãos abdominais, liberando as toxinas acumuladas. A versão inicial pode fazer milagres no sentido de mobilizar e aliviar a tensão na coluna lombar. A postura completa age intensamente como meio de tonificar os músculos abdominais.

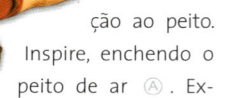

1 Deite-se de costas no chão. Pressione a parte baixa das costas contra o chão e alongue a coluna. Abra os braços na altura dos ombros, com as palmas das mãos sobre o chão.

2 Empurre o queixo na direção do peito, permitindo que a nuca se alongue. Relaxe os ombros, afastando-os das orelhas.

3 Expirando, erga os joelhos em direção ao peito. Inspire, enchendo o peito de ar Ⓐ. Expirando, deixe que os joelhos pendam juntos para a direita. Mantenha os ombros em contato com o chão e gire a cabeça para a esquerda Ⓑ. Inspire ao levar os joelhos de volta para o peito. E expire ao deixá-los pender para a esquerda, para continuar a prática do outro lado.

4. Depois de cinco repetições de cada lado, deixe que os joelhos pendam para a direita e descanse enquanto faz várias respirações prolongadas. A cada inspiração, visualize a coluna se alongando em direção ao topo da cabeça. A cada expiração, deixe afundar um pouco mais o ombro de trás no chão. Tente fazer com os joelhos em diferentes posições. Sua aproximação ou distanciamento das axilas muda o lugar das costas que você sente alongar.

5. Depois de treinar nesta versão mais fácil, faça a postura com as pernas estendidas, se possível. Primeiro, gire os quadris para a direita, de modo que os dedos dos pés fiquem apontados para a mão esquerda.

6. Ao expirar, abaixe as pernas e tente alcançar os dedos dos pés com os da mão. Inspire para erguer-se, girar os quadris para a esquerda e repetir a torção para o outro lado. Procure fazer cinco repetições de cada lado.

7. Na última repetição, com as pernas voltadas para a esquerda, segure os dedos ou a lateral do pé esquerdo com a mão esquerda e estenda os calcanhares para fora ao torcer o abdômen para a direita. Afunde o lado direito das costas no chão enquanto olha para a mão direita. Fique nesta postura respirando várias vezes antes de repetir a torção para o lado direito.

INFORMAÇÕES

OLHAR: Para a mão de trás.

POSTURAS PREPARATÓRIAS: Postura do Alongamento da Perna para o Alto, Postura do Barco, Postura Favorável com Rotação, Postura do Triângulo com Rotação.

POSTURAS COMPENSATÓRIAS: Postura do Gafanhoto, Postura do Alongamento Frontal.

ABRANDAMENTOS: a) Se o ombro se erguer quando os joelhos pendem para o chão, vá levando a mão do mesmo lado em direção às nádegas até que ambos os ombros se aproximem do chão. b) Deixe a cabeça voltada para cima se sentir rigidez no pescoço. c) Fique com os joelhos dobrados em vez de estendidos.

EFEITO: Fortalecimento, centramento.

Postura Grandiosa com Rotação

Parivrtta Utkatasana. Agachar-se é uma forte tendência natural do corpo humano a buscar contato com a terra. Nesta versão, a torção da parte superior do corpo massageia os músculos abdominais e fortalece as pernas.

1 Fique em pé na Postura da Montanha (p. 46) com os pés afastados na distância do quadril. Inspirando, estenda os braços para cima da cabeça e alongue a coluna. Expirando, flexione-se para a frente com os joelhos dobrados, levando o peito em direção às coxas e as mãos ao chão. Inspirando, firme-se sobre as plantas dos pés e erga os braços e o peito para a frente, afastando-os das coxas. Continue erguendo o peito, estirando-se pelos dedos das mãos até a coluna e os braços ficarem paralelos ao chão.

2 Erga os ísquios para o alto. Respire tranquila e regularmente enquanto se firma sobre os calcanhares. Você vai perceber todo o esforço feito pelas coxas. Abaixe mais as nádegas em direção aos calcanhares mesmo com os braços e a coluna estendendo-se mais para cima.

INFORMAÇÕES

OLHAR: Para o lado.

POSTURAS PREPARATÓRIAS: Postura da Extensão, Postura Grandiosa, Postura do Triângulo com Rotação.

POSTURAS COMPENSATÓRIAS: Postura da Montanha, Postura da Árvore.

ABRANDAMENTOS: a) Flexione menos os joelhos. b) Descanse as mãos no quadril e no joelho do lado para o qual você está girando.

EFEITO: Revigorante.

Abaixe as mãos até o peito e junte-as em posição de prece.

3 Ao expirar, gire o peito para a direita e incline-se para a frente para apoiar o cotovelo esquerdo sobre o lado externo do joelho direito. Pressione o cotovelo contra o joelho, enquanto o joelho faz pressão contra o cotovelo para intensificar a torção. Mantenha os polegares diante do esterno, pressionando as palmas das mãos uma contra a outra. Mova o joelho direito para a frente para nivelá-lo com o esquerdo. Sinta uma espiral subindo pela parte superior do corpo a partir do sacro. Vire a cabeça para olhar por cima do ombro direito. Afunde-se mais sobre o assento formado pelas nádegas. Transfira o peso do corpo levemente para trás para que os joelhos não fiquem demasiadamente à frente dos tornozelos – isso fará com que os músculos da parte superior das coxas atuem com mais intensidade. Fique nesta postura durante cinco respirações.

4 Para sair da postura, inspire e deixe que os braços ergam o corpo de volta para a Postura da Montanha. Repita o processo do outro lado.

Postura do Sábio Bharadvaja II

Bharadvajasana II. Esta torção simples em postura sentada solta as tensões acumuladas na parte superior das costas e nos ombros. Embora esta torção possa ser menos intensa do que a versão I apresentada na p. 184, a posição das pernas constitui um grande desafio para quem tem os quadris rijos.

1 Sente-se na Postura do Bastão (p. 104), flexione o joelho esquerdo e coloque o pé ao lado da coxa esquerda. O pé deve ficar com o dorso contra o chão e os dedos apontados para trás. Dobre a perna direita para cima. Erga-a para o alto e leve o tornozelo direito até a metade da coxa esquerda. Deixe o joelho soltar-se no chão.

2 Contraia levemente os músculos abdominais em direção à coluna ao estender o cóccix em direção ao chão. Incline-se levemente para trás e empurre os ísquios para o chão.

3 Inspirando, erga o braço direito para o alto. Com um movimento a partir do baixo-ventre, gire para a direita. Alongue-se ao

INFORMAÇÕES

OLHAR: Para o lado.

POSTURAS PREPARATÓRIAS: Postura do Sábio Bharadvaja, Meia Postura do Yogue Matsyendra, Postura Cara de Vaca, posturas preparatórias para a Postura do Meio Lótus.

POSTURAS COMPENSATÓRIAS: Postura do Alongamento Frontal, Postura da Extensão das Costas, Postura do Barco, Postura do Cachorro Olhando para Baixo.

ABRANDAMENTOS: a) Pressione a mão direita no chão atrás do corpo. b) Use um cinto em volta do tornozelo direito. c) Coloque a mão esquerda por cima do joelho direito.

EFEITO: Centramento.

interna do pulso deve ficar voltada para fora e a palma da mão fazendo o máximo de pressão possível contra o chão. Com um movimento em espiral a partir do baixo-ventre, gire o torso mais para a direita e olhe por cima do ombro esquerdo. Gire os globos oculares para que captem o máximo possível da paisagem ao redor. A cada inspiração, alongue toda a coluna e, a cada expiração, intensifique a torção.

5 Volte à Postura do Bastão expirando. Repita a torção do outro lado.

girar a partir do umbigo em direção ao ombro direito e dali, até as pontas dos dedos da mão direita. Gire o ombro para dentro, dobre o cotovelo e passe o braço por trás da cintura para segurar os dedos do pé direito.

4 Mantendo a torção, passe a mão esquerda por cima do corpo e prenda-a sob a coxa direita. A parte

Postura do Sábio Matsyendra com a perna em Meio Lótus

Ardha Padma Matsyendrasana. Esta postura desafiadora abre os quadris, os joelhos e os ombros. Devido à pressão do calcanhar contra o abdômen, ela tonifica os órgãos abdominais e melhora o funcionamento digestivo. Como com todas as posturas de yoga, é recomendável que esta também seja feita com o estômago vazio.

1 Comece na Postura do Bastão (p. 104). Flexione o joelho direito para colocar-se na Postura do Meio Lótus (p. 152) e aproxime o calcanhar do umbigo. Se necessário, prepare-se de acordo com as instruções detalhadas para a Postura da Extensão das Costas com Meio Lótus Atado (p. 146) e a Postura da Cara de Vaca (p. 140). A patela esquerda deve ficar diretamente voltada para cima para que a perna não role para o lado de fora. Estenda o calcanhar esquerdo para fora.

2 Ter braços longos é uma vantagem para fazer esta torção! Considere que seu braço começa no abdômen em vez de no ombro. Expire e gire o abdômen para a esquerda ao estender o braço esquerdo para o lado.

3 Gire o ombro esquerdo para dentro e leve o braço por trás para colocar a mão na parte interna da coxa direita.

INFORMAÇÕES

OLHAR: Para trás por cima do ombro.

POSTURAS PREPARATÓRIAS: Postura da Extensão das Costas com Meio Lótus Atado, Postura do Sábio Bharadvaja II, Postura do Sábio Marichi B, Postura do Sábio Marichi C, Postura do Sábio Marichi D.

POSTURAS COMPENSATÓRIAS: Postura do Alongamento Frontal, Postura da Extensão das Costas.

ABRANDAMENTOS: a) Não coloque a perna esquerda na Postura do Meio Lótus, mas descanse o pé no chão perto da parte interna da coxa da perna estendida, como na Postura da Cabeça Além do Joelho. b) Firme a mão no chão atrás do corpo ou coloque-a na coxa em vez de na canela. c) Use um cinto em volta da canela da perna flexionada.

EFEITO: Abertura.

Ainda a partir do umbigo e movendo o ombro para trás, faça os dedos andarem para a frente até a canela direita. Incline-se para a frente e use a outra mão para firmar a canela.

4. Inspire, erga o peito e estire as costas. Estenda o braço direito para a frente, abaixe a mão e coloque-a sobre a lateral externa do pé esquerdo. Vire a cabeça para olhar para trás por cima do ombro esquerdo. Intensifique a torção a partir do abdômen ao mover o ombro para trás e para cima para abrir o peito para o lado. Fique nesta postura durante dez respirações. Expire, solte as mãos e volte a sentar-se na Postura do Bastão. Em seguida, repita a postura do outro lado.

Postura do Sábio Marichi C

Marichyasana C. Esta postura abre os quadris, alivia as dores nas costas e tonifica os órgãos abdominais, além de alongar os ombros. Por ser uma postura em que uma parte do corpo é pressionada pela outra, ela pode ser um desafio mental para muitas pessoas.

1 Sente-se na Postura do Bastão (p. 104). Flexione o joelho direito e leve o pé direito para a frente do ísquio direito, com a planta do pé pressionando o chão e os dedos apontados diretamente para a frente. Deixe um espaço de 5 a 8 centímetros entre o pé direito e a parte interna da coxa esquerda. (Uma opção mais fácil para os iniciantes é colocar os dedos do pé direito levemente virados para dentro para que o joelho incline-se para a linha central do corpo.) Coloque a mão direita alguns centímetros atrás do quadril direito, com os dedos apontados para trás. Coloque a mão esquerda sobre a parte externa do joelho direito. Expirando, contraia o abdô-

INFORMAÇÕES

OLHAR: Para a frente por cima do ombro.

POSTURAS PREPARATÓRIAS: Postura Favorável com Rotação, Postura do Sábio Marichi A, Postura do Sábio Bharadvaja.

POSTURAS COMPENSATÓRIAS: Postura do Alongamento Frontal, Postura da Extensão das Costas.

ABRANDAMENTOS: a) Se não for possível prender as mãos, coloque a mão esquerda no pé ou no quadril direito. b) Use um cinto para prender as mãos nas costas.

EFEITO: Abertura.

---

men e gire para a direita. Faça várias respirações para intensificar a torção, usando a mão esquerda como apoio para mover o corpo mais para a direita.

2 Quando estiver em condições, leve o cotovelo esquerdo por cima do joelho direito, com a axila o mais perto possível da parte externa do joelho. Inspirando, erga o peito e estenda as costas, a partir da base da coluna e, expirando, passe o braço esquerdo em volta do joelho direito, de maneira que a mão esquerda se aproxime do quadril esquerdo. Estenda o braço direito, passe-o pelas costas e prenda as mãos – se possível a mão esquerda segura o pulso direito. Gire a cabeça no sentido contrário ao do tronco para olhar para a frente por cima do ombro esquerdo. Não se deixe inclinar para trás. Firme-se sobre a sola do pé direito, particularmente sobre a polpa do dedão do pé.

3 Intensifique a torção, pressionando o pé direito no chão, como para se colocar em pé, e afastando a parte interna do joelho da axila esquerda. Estire-se pelos cotovelos. Mantenha a perna da frente (a estendida) ativa, estendendo-a pelo calcanhar. Fique nesta postura durante dez respirações.

4 Expirando, solte as mãos e volte para a Postura do Bastão. Em seguida, repita a postura do outro lado.

Torções e Outros Exercícios

Postura do Sábio Marichi D

Marichyasana D. A torção nesta postura desafiante abre os quadris, os joelhos e os ombros. Devido à pressão do calcanhar contra o abdômen, ela tonifica os órgãos abdominais e melhora o funcionamento digestivo. Antes de praticá-la, procure fazer um bom aquecimento para reduzir o risco de lesão nos tornozelos e joelhos.

1 Sente-se na Postura do Bastão (p. 104). Flexione o joelho esquerdo para ficar na Postura do Meio Lótus (depois de fazer os exercícios preparatórios descritos nas pp. 140 e 146). Tome o tempo que for necessário para tentar várias vezes até conseguir aproximar o máximo possível o calcanhar do umbigo. Para evitar distender os ligamentos da lateral externa do pé, procure fazer com que uma maior parte do tornozelo fique apoiada sobre a coxa direita, em vez de apenas a lateral externa do pé.

2 Flexione o joelho direito e leve o pé direito para a frente do osso da nádega direita. Os dedos do pé devem apontar diretamente para a frente e a planta do pé ficar firmemente apoiada no chão.

3 Erga o braço esquerdo para o alto, incline-se para trás apoiando-se sobre a mão direita e respire alongando o torso, particularmente do lado direito Ⓐ. Ao expirar, gire para a direita e passe o cotovelo esquerdo por cima do joelho direito. Inspirando, erga o

peito e estenda as costas; em seguida, expire, intensificando a torção para a direita enquanto estende a axila por cima da canela direita. Para facilitar, pressione a coxa para dentro com a mão direita. Gire o ombro para dentro de maneira que o cotovelo fique apontado para cima.

4 Passe o braço esquerdo em volta da parte externa do joelho direito para colocar a mão esquerda atrás perto do quadril esquerdo. Mantendo-se firme nesta posição, com a parte superior do braço pressionando a perna direita, leve o braço direito por trás das costas para segurar com a mão esquerda o pulso da mão direita. Gire os ombros e o pescoço mais para a direita e olhe por cima do ombro direito. Fique nesta postura durante dez respirações.

5 Expirando, solte as mãos e volte para a Postura do Bastão. Em seguida, repita a postura do outro lado.

INFORMAÇÕES

OLHAR: Para trás por cima do ombro.

POSTURAS PREPARATÓRIAS: Postura Favorável com Rotação, Postura do Sábio Marichi B, Postura do Sábio Marichi C, Postura do Sábio Bharadvaja II.

POSTURAS COMPENSATÓRIAS: Postura do Alongamento Frontal.

ABRANDAMENTOS: a) Se não for possível prender as mãos, coloque a mão esquerda no pé ou no quadril direito e deixe a mão direita no chão atrás das costas. b) Use um cinto para aproximar as mãos nas costas.

EFEITO: Abertura.

Postura do Laço

Pashasana. Esta postura desafiante, em que os braços funcionam como corda em volta das pernas, trabalha os tornozelos e os ombros, além de torcer intensamente o abdômen. Para que os tornozelos fiquem bem acomodados no chão nesta postura, é necessário que se tenha um bom equilíbrio.

1 Da Postura da Montanha (p. 46), agache-se totalmente até sentar-se sobre os calcanhares com os joelhos unidos. Não deixe os pés se voltarem para fora, mas mantenha-os juntos pelos dedões. Gire o abdômen totalmente para a direita e coloque a mão direita no chão para se equilibrar. Intensifique a torção pressionando a mão esquerda sobre o lado externo da coxa direita enquanto esta opõe resistência à pressão.

2 Continue intensificando a torção com o cotovelo esquerdo fazendo pressão contra o joelho esquerdo. Aproxime o máximo possível os calcanhares do chão. Mova o ombro esquerdo para a frente e o direito para trás e erga o peito. Não se incline para trás, mas estire-se para a frente e para cima a partir da base da coluna. Mantenha os joelhos apontados para a frente. Faça algumas respirações nesta postura.

3. Estenda o ombro esquerdo para a frente para colocar a axila em contato com o joelho. Gire o ombro para dentro (de maneira que o cotovelo fique voltado para a frente) e leve a mão pela esquerda até abaixo das canelas. Ⓐ Leve a mão até perto do quadril esquerdo. Leve o peso do corpo para a frente e erga a mão direita do chão. Gire o ombro e o braço direito para dentro e passe o braço por trás das costas para juntar as mãos. Ⓑ Olhe por cima do ombro direito, abrindo o máximo possível o peito para o lado.

4. Depois de fazer cinco respirações, ao expirar, solte as mãos e gire o tronco de volta para a frente. Repita a postura pelo outro lado.

INFORMAÇÕES

OLHAR: Para o lado.

POSTURAS PREPARATÓRIAS: Postura do Sábio Marichi C, Postura da Guirlanda, Postura Grandiosa com Rotação.

POSTURAS COMPENSATÓRIAS: Postura da Extensão, Postura da Guirlanda, Postura do Alongamento Frontal.

ABRANDAMENTOS: a) Coloque um cobertor dobrado ou um bloco sob os calcanhares para facilitar o equilíbrio. **b)** Coloque a mão da frente no chão perto dos dedos dos pés para intensificar a torção. **c)** Segure um cinto com as mãos para conseguir passar totalmente os braços em volta das pernas. **d)** Passe o braço esquerdo em volta apenas da perna esquerda, de maneira que ele fique entre os joelhos. **e)** Não faça a última etapa (o atamento).

EFEITO: Abertura.

Postura da Balança

Tolasana. Neste prolongamento da Postura do Lótus, as nádegas são elevadas do chão. Ela aumenta a força dos ombros, como também dos braços e do abdômen. O resultado que demonstra o domínio desta postura ocorre quando a pessoa consegue elevar-se do chão de maneira suficientemente confortável para manter-se na postura.

1 Sente-se na Postura do Lótus (p. 152). Mantenha os joelhos bem próximos para que o lótus seja bem "fechado".

2 Coloque as mãos ao lado dos quadris, com os dedos apontados para a frente. Pressione as mãos com firmeza e, ao expirar, feche bem as travas (bandhas) e erga as nádegas do chão. Leve os joelhos o mais perto possível do peito. Empurre os ombros para baixo para abrir bem as escápulas. Mantenha-se nessa posição durante dez ou mais respirações prolongadas.

3 Expirando, abaixe o corpo, solte as mãos, estenda as pernas e repita a postura pelo outro lado.

4 Se seu corpo não estiver preparado para fazer a Postura do Lótus, sente-se de pernas cruzadas (ver Postura Favorável, p. 106). Puxe os joelhos para perto do tronco de maneira a reduzir o máximo possível o tamanho do corpo. Ative os músculos abdominais. Pressione as mãos contra o chão bem à frente dos quadris. Incline-se para a frente e erga as nádegas e, possivelmente, também os pés do chão.

INFORMAÇÕES

OLHAR: Ponta do nariz.

POSTURAS PREPARATÓRIAS: Postura do Lótus (e exercícios preparatórios), Postura do Barco, Postura do Braço sob uma Perna.

POSTURAS COMPENSATÓRIAS: Postura da Montanha, Exercícios para soltar os pulsos.

ABRANDAMENTOS: a) Da Postura Favorável, erga apenas as nádegas, deixando os pés no chão.

EFEITO: Fortalecimento.

Postura do Pêndulo

Lolasana. Esta postura dinâmica, em que o corpo fica suspenso entre os braços, como se fosse o pingente de um colar, fortalece os ombros e os músculos abdominais.

1. Ajoelhe-se no chão com os pés unidos para sentar-se sobre os calcanhares. Esta é chamada de Postura do Raio.

2. Apoiando-se sobre as mãos firmes no chão, vire as pontas dos pés e incline-se para a frente de maneira que os ombros fiquem alinhados com as pontas dos dedos das mãos e os joelhos adiante dos antebraços. Firme-se sobre as mãos, erga um pouco as nádegas e erga os joelhos do chão.

3. Incline-se mais para a frente e, com a força dos músculos abdominais,

estenda totalmente os braços para puxar os joelhos em direção ao peito. Torne o corpo o mais compacto possível. Aponte os dedos dos pés para trás enquanto se equilibra sobre as mãos. Abra as escápulas e empurre o chão com as palmas das mãos, distribuindo igualmente o peso. Em posição suspensa como um pingente, balance-se algumas vezes para a frente e para trás.

4 Ao expirar, leve as pernas de volta para o chão. Com o domínio desta postura, é também possível entrar nela a partir da Postura Favorável (p. 106), erguendo-se e descruzando as pernas.

INFORMAÇÕES

OLHAR: Ponta do nariz.

POSTURAS PREPARATÓRIAS: Postura do Cachorro Olhando para Baixo, Postura do Barco, Postura da Balança, Postura da Pressão sobre os Braços.

POSTURAS COMPENSATÓRIAS: Postura da Montanha, Exercícios para soltar os pulsos, Postura do Alongamento Frontal.

ABRANDAMENTOS: a) Eleve a altura das mãos com blocos de espuma ou de madeira. b) Erga apenas os joelhos do chão, deixando os pés tocá-lo levemente.

EFEITO: Fortalecimento.

Postura da Garça em Meio Lótus

Ardha Padma Kraunchasana. Esta postura alonga intensamente a parte de trás das pernas estiradas para cima da posição sentada, além de trabalhar intensamente os músculos abdominais. Esta postura é em sua forma muito semelhante à Postura da Extensão das Costas com Meio Lótus Atado (p. 146), só que numa relação diferente com a gravidade.

1 Sente-se no chão com as pernas estendidas na Postura do Bastão (p. 104). Flexione o joelho direito para o lado de fora e leve o tornozelo direito para cima da coxa esquerda. Para evitar distender os ligamentos, coloque a parte externa do calcanhar direito, e não a lateral do pé, contra a coxa. Para evitar forçar o joelho, os quadris devem estar preparados para esta postura. Para preparar os quadris para esta postura, ver a Postura Cara de Vaca (p. 140) e a Postura da Extensão das Costas com Meio Lótus Atado (p. 146).

2 Dobre o joelho esquerdo para dentro na direção do peito e segure o calcanhar esquerdo com as mãos. Ⓐ Continue pressionando o calcanhar enquanto estende a perna para o alto. Erga a parte superior do corpo e coloque a perna estendida em

posição mais vertical. Leve a perna para perto do rosto. Ⓑ Firme-se sobre os ísquios e contraia a coluna lombar para dentro na direção do umbigo para evitar curvar a parte baixa das costas. Mantenha os ombros relaxados ao alongar a parte de trás da perna estendida.

3 Depois de completar várias respirações nesta postura, contraia os músculos abdominais, preparando-se para soltar a perna. Puxe a perna mais para dentro, tire as mãos dela e estenda os braços para fora em posição paralela ao chão. Mantenha a perna estirada para o alto e fique nesta postura durante cinco respirações. Expire e desça a perna para o chão. Repita a postura do outro lado.

INFORMAÇÕES

OLHAR: Ponta do nariz.

POSTURAS PREPARATÓRIAS: Preparações para a Postura da Cara de Vaca e a Postura da Extensão das Costas com Meio Lótus Atado, Postura da Extensão das Costas com Meio Lótus Atado, Postura do Meio Lótus Atado, Postura do Barco.

POSTURAS COMPENSATÓRIAS: Postura do Herói, Postura do Alongamento Frontal.

ABRANDAMENTOS: a) Mantenha a perna elevada flexionada. b) Use um cinto em volta do pé da perna erguida. c) Leve as mãos até o músculo da panturrilha ou da coxa da perna elevada em vez de até o calcanhar. d) Coloque a planta ou a lateral do pé da perna flexionada no chão.

EFEITO: Fortalecimento.

Postura do Peixe com as Pernas Elevadas

Uttana Pada Matsyasana. Neste prolongamento da Postura do Peixe (p. 262), as pernas são erguidas do chão estiradas. Esta postura aumenta a força dos músculos abdominais e, por colocar mais pressão sobre as vértebras cervicais, as protege da perda de densidade óssea. Sua prática é recomendável após a Postura de Todos os Membros (p. 286) e suas variações.

1 Deite-se de costas com os pés unidos. Estenda os braços ao longo dos lados do corpo e coloque as mãos, com as palmas voltadas para baixo, embaixo das nádegas. Pressionando os cotovelos para baixo, erga o peito do chão. Empenhe-se para erguer o peito até onde for possível. Coloque pressão sobre o esterno para erguer o centro do coração. Vire a cabeça para trás, estenda o queixo para cima e descanse o topo da cabeça no chão como na Postura do Peixe. Contraia as vértebras lombares para a frente do corpo. Com essa curvatura aumentada na parte baixa das costas, aproxime o topo da cabeça do

sacro, deixando recair sobre a cabeça o peso do torso. Não sustente o peso do corpo com os braços.

2 Sem mover a cabeça nem o peito, erga as pernas e estenda-as para fora. Junte as palmas das mãos na altura do abdômen de maneira que os braços voltados para cima formem um ângulo de 45° e fiquem paralelos às pernas. Mantenha as pernas e os braços retos e estenda os dedos dos pés. O peso do corpo recairá apenas sobre o topo da cabeça e as nádegas.

3 Expirando, abaixe as pernas e os braços, solte a cabeça e descanse no chão.

INFORMAÇÕES

OLHAR: Ponta do nariz.

POSTURAS PREPARATÓRIAS: Postura do Peixe, Postura do Barco, Postura da Lua.

POSTURAS COMPENSATÓRIAS: Postura da Ponte com Apoio, Postura da Extensão das Costas, Exercícios para soltar o pescoço.

ABRANDAMENTOS: a) Flexione os joelhos. b) Flexione os joelhos para ajudar a erguer as pernas para o alto. c) Deixe as pontas dos dedos dos pés tocarem levemente o chão.

EFEITO: Fortalecimento.

Posturas de Equilíbrio sobre os Braços

A falta de equilíbrio é causa de muito stress e tende a criar problemas. Encontrando seu equilíbrio numa postura de yoga, você pode restabelecer o equilíbrio em todas as outras áreas de sua vida. As posturas de equilíbrio desenvolvem a autonomia e aumentam a autoconfiança.

As posturas de equilíbrio sobre os braços, em que eles sustentam o peso do corpo, aumentam a força. Com a parte superior do corpo fortalecida, as tensões no pescoço e nos ombros tendem a se desfazer. As posturas de equilíbrio aumentam a resistência e integram a mente e o corpo num único esforço para manter você no lugar.

Postura da Pressão sobre os Braços

Bhujapidasana. Esta postura fortalece os pulsos, os braços e os ombros. Também trabalha os músculos abdutores, que são usados para pressionar as pernas contra os braços.

1 Fique em pé com os pés paralelos separados por uma distância de mais ou menos 30 centímetros. Flexione-se para a frente, erga o calcanhar esquerdo e introduza o braço esquerdo entre as pernas para firmar o ombro atrás do joelho esquerdo. Coloque a mão espalmada no chão, bem ao lado do calcanhar esquerdo e com os dedos apontados para a frente. A mão direita fica apoiada no chão mais à frente.

2 Não se agache demais – mantenha as nádegas no alto para poder repetir a sequência com o braço direito. Apoie então a parte de trás das coxas o mais alto possível sobre a parte superior dos braços, como se estivessem sentadas sobre os cotovelos.

3 Incline-se aos poucos para trás, transferindo o peso do corpo dos pés para as mãos. Estenda os braços e equilibre-se sobre as mãos. Erga os pés do chão e cruze os tornozelos. Pressione as coxas contra os braços para impedir que eles escorre-

guem para baixo. Fique nesta postura de cinco a dez respirações. Troque a posição dos tornozelos a cada vez que repetir a prática.

4. A partir daqui, os praticantes avançados podem expirar, dobrar os cotovelos, inclinar o corpo para a frente, suspender os pés atrás entre as mãos e abaixar o topo da cabeça, ou, se possível, o queixo em direção ao chão, olhando para a frente. Trabalhe os músculos abdominais e não deixe que os pés toquem o chão. Fique nesta postura de cinco a dez respirações. Inspirando, volte a erguer-se, cruze os calcanhares no sentido contrário e repita a postura.

INFORMAÇÕES

OLHAR: Ponta do nariz.

POSTURAS PREPARATÓRIAS: Postura do Cachorro Olhando para Baixo, Postura do Braço sob uma Perna.

POSTURAS COMPENSATÓRIAS: Postura da Montanha, Exercícios para soltar os pulsos.

ABRANDAMENTOS: a) Não vá até a etapa final. b) Exercite transferir o peso dos pés para as mãos. c) Use blocos para apoiar as mãos. d) Na etapa final, leve o topo da cabeça, em lugar do queixo, para o chão.

EFEITO: Fortalecimento.

Postura da Cegonha

Bakasana. Nesta postura, todo o peso do corpo recai sobre as mãos. Ela fortalece os pulsos, os braços e os ombros, como também os músculos abdominais. Ela requer muita concentração e, por nos ajudar a vencer o medo de dar com a cara no chão, aumenta a confiança em outras áreas de nossa vida.

1. Fique na Postura da Montanha (p. 46). Agache-se e coloque as mãos espalmadas no chão, na linha dos ombros a aproximadamente 25 centímetros na frente dos pés, com os dedos médios apontando para a frente. Com os pés próximos um do outro, Fique sobre as pontas dos pés, afaste os joelhos e flexione os cotovelos. Erga os calcanhares mais para o alto e leve o peso para a frente para colocar os joelhos contra os antebraços, o mais perto possível das axilas. Continue a pressionar os joelhos contra os antebraços.

2. Incline-se lentamente para a frente, transferindo o peso do corpo dos pés para as mãos. Confie no apoio de seus braços ao deixar o rosto se mover para a frente. Uma vez que o peso esteja sobre as mãos, erga os pés para o alto e estire os braços o máximo possível. Mantenha os pés unidos. Para desenvolver os músculos dos pulsos e protegê-los, "agarre" o chão com as

INFORMAÇÕES

OLHAR: Ponta do nariz.

POSTURAS PREPARATÓRIAS: Postura do Cachorro Olhando para Baixo, Postura da Pressão sobre os Braços.

POSTURAS COMPENSATÓRIAS: Postura da Montanha, Postura do Camelo, Exercícios para soltar os pulsos.

ABRANDAMENTOS: a) Pratique transferir o peso dos dedos dos pés para as palmas das mãos e vice-versa.
b) Não estenda os braços antes de aprender a se equilibrar sobre os cotovelos dobrados. c) Use blocos para apoiar as mãos.

EFEITO: Fortalecimento.

pontas dos dedos. Esta é a Postura da Cegonha. Fique nela de cinco a dez respirações e mantenha a concentração para sair dela. Dobre lentamente os cotovelos, coloque os pés de volta no chão e volte para a postura em pé.

3 Da Postura da Cegonha, os praticantes avançados podem dobrar mais os cotovelos e estender uma perna para trás para passar para a Postura da Cegonha Equilibrada sobre uma Perna. Fique nela por alguns segundos, dobre a perna levantada para voltar para a Postura da Cegonha e, em seguida, repetir a postura do outro lado.

Postura do Yogue Vasishtha

Vasishthasana. Esta postura fortalece os pulsos, os braços, os ombros e o abdômen. A etapa final também aumenta a flexibilidade das pernas. É provável que você necessite usar toda a sua força para ficar nesta postura. Use o poder da mente para manter-se estável nesta postura.

1. Faça a Postura do Cachorro Olhando para Baixo (p. 162). Gire o calcanhar direito para fora, mantendo a lateral externa no chão atrás em linha reta com a mão direita. Leve o pé esquerdo para o chão na frente.

2. Transfira o peso do corpo para a frente em direção à mão direita.

Para conseguir abaixar os quadris e ficar com o corpo em linha reta, o ombro direito deve estar exatamente acima do pulso direito; se necessário, retorne, portanto, à Postura do Cachorro Olhando para Baixo e encurte ou aumente a distância entre as mãos e os pés.

3 Coloque o pé esquerdo em cima do direito e estenda os calcanhares. Gire o tronco para a esquerda ao estender a mão esquerda para o alto. Não deixe que os quadris se verguem, usando os músculos abdominais para manter o corpo todo reto. Gire a cabeça para olhar para a mão esquerda acima. Equilibre-se nesta postura e fique nela de cinco a dez respirações.

4 Flexione o joelho da perna erguida para a frente na direção do peito e segure o dedão do pé com os dedos indicador e médio da mão esquerda. Estenda o braço e a perna para cima. Se conseguir equilibrar-se, vire a cabeça e olhe para o dedão do pé. Fique nesta postura de cinco a dez respirações.

5 Expirando, abaixe a perna erguida, solte o dedão do pé e mude a posição da mão direita e dos pés para alongar-se enquanto faz algumas respirações na Postura do Cachorro Olhando para Baixo. Repita a postura do outro lado.

INFORMAÇÕES

OLHAR: A mão de cima.

POSTURAS PREPARATÓRIAS: Sequência da Postura da Mão no Dedão do Pé, Sequência da Postura Reclinada do Dedão do Pé, Postura do Cachorro Olhando para Baixo, Postura do Bastão Apoiada sobre os Quatro Membros.

POSTURAS COMPENSATÓRIAS: Exercícios para soltar os pulsos, Postura do Cachorro Olhando para Baixo, Postura da Criança.

ABRANDAMENTOS: a) Flexione o joelho da perna de baixo e descanse-o, como também a canela da mesma perna no chão, com os dedos do pé apontados para trás.
b) Equilibre-se sobre o antebraço em vez de sobre a mão apoiada no chão.
c) Apoie a planta do pé de baixo numa parede. d) Não faça a última etapa.

EFEITO: Fortalecimento.

Variações da Postura do Yogue Vasishtha

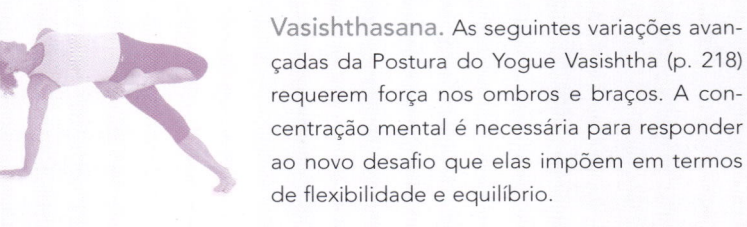

Vasishthasana. As seguintes variações avançadas da Postura do Yogue Vasishtha (p. 218) requerem força nos ombros e braços. A concentração mental é necessária para responder ao novo desafio que elas impõem em termos de flexibilidade e equilíbrio.

1 Comece na Postura do Yogue Vasishtha (p. 218) e estenda o braço de cima ao longo do corpo. Mantenha o corpo todo reto.

2 Flexione o joelho de cima em direção ao peito. Segure o pé com a mão de cima e estenda o joelho para aproximar o cacanhar da nádega do lado de cima. Pressionando o dorso do pé para a frente, gire a mão para fora, levando o cotovelo para cima e para fora até os dedos da mão ficarem apontados para fora do pé. Use a mão para fazer o pé avançar para o lado do quadril. Fique nesta postura de cinco a dez respirações.

INFORMAÇÕES

OLHAR: Ponta do nariz.

POSTURAS PREPARATÓRIAS: Postura do Yogue Vasishtha, Postura do Sapo, preparações para a Postura do Meio Lótus, Postura do Meio Lótus Atado.

POSTURAS COMPENSATÓRIAS: Exercícios para soltar os pulsos, Postura da Montanha, Postura da Extensão das Costas, Postura do Embrião ou Postura (Estendida) da Criança.

ABRANDAMENTOS: a) Flexione o joelho da perna de baixo e descanse-o juntamente com a canela no chão, com os dedos dos pés apontados para trás. b) Equilibre-se sobre o antebraço em vez de sobre a mão apoiada no chão. c) Apoie a planta do pé de baixo numa parede. d) Não segure os dedos do pé na Postura do Yogue Vasishtha. e) Mantenha os dedos da mão apontados para trás na Postura do Sapo em Plano Inclinado

EFEITO: Fortalecimento, centramento.

3 Expirando, solte a perna e, de maneira controlada, volte para Postura do Cachorro Olhando para Baixo (p. 162). Descanse na Postura da Criança (p. 100) se necessário, antes de repetir a postura do outro lado pela mesma extensão de tempo.

4 Para fazer esta postura, comece na postura básica do Yogue Vasishtha em plano inclinado. Pressione a planta do pé no chão e dobre a perna de cima para dentro. Leve o pé até a raiz da coxa de apoio na Postura do Meio Lótus (p. 152). Passe o braço de cima por trás das costas e segure os dedos do pé na posição do lótus. Fique nesta postura de cinco a dez respirações.

5 Para sair desta postura, solte o pé esquerdo, estenda a perna direita e volte para a Postura do Cachorro Olhando para Baixo e, se necessário, descanse antes de repetir a postura do outro lado.

Postura do Braço sob uma Perna

Eka Hasta Bhujasana. Com uma perna estendida, o peso a ser erguido pelos braços é muito maior. Esta postura cria força nos pulsos, braços e ombros. E para fazê-la, é preciso ter muita força nos músculos abdominais.

1 Sente-se na Postura do Bastão (p. 104). Com a ajuda da mão direita, puxe o joelho direito para cima e segure o pé direito com a mão esquerda. Leve o joelho direito o mais para trás possível do ombro direito, mantendo o joelho dobrado de maneira que o pé direito fique acima do joelho esquerdo.

2 Coloque a mão direita no chão ao lado do quadril direito, com os dedos apontados para a frente e o braço por

dentro do joelho direito. Coloque a mão esquerda no chão ao lado do quadril esquerdo com os dedos apontados diretamente para a frente. O objetivo é pressionar com toda a força a panturrilha direita contra o braço, como se fosse esmagar a parte superior do braço. Com os cotovelos dobrados, mas não travados, pressione as mãos no chão e erga o corpo todo. Mantenha a perna esquerda estendida, paralela ao chão ou, se possível, erga-a mais. Pressione a perna direita contra o braço para impedir que ele deslize. Estire os dedos dos pés. Fique nesta postu-

INFORMAÇÕES

OLHAR: Ponta do nariz.

POSTURAS PREPARATÓRIAS: Postura do Cachorro Olhando para Baixo, Postura da Pressão sobre os Braços, Postura do Barco.

POSTURAS COMPENSATÓRIAS: Exercícios para soltar os pulsos, Postura da Montanha, Postura das Mãos sobre os Pés.

ABRANDAMENTOS: a) Deixe o pé esquerdo no chão, erguendo apenas as nádegas do chão. b) Use blocos para apoiar as mãos.

EFEITO: Fortalecimento.

ra durante cinco ou mais respirações num mesmo ritmo.

3 Expirando, leve o corpo de volta para o chão, solte a perna direita e estenda-a. Repita toda a sequência do outro lado pela mesma extensão de tempo.

Postura do Sábio Ashtavakra

Ashtavakrasana. Esta postura extremamente intensa fortalece os pulsos, braços e ombros. Ela desenvolve um sentimento de cooperação no interior do corpo, fazendo com que você perceba o delicado equilíbrio entre deixar-se pender para a frente e a resistência dos braços para segurá-lo.

1 Sente-se no chão com o joelho esquerdo flexionado para cima. Pegue a perna esquerda, dobre-a para a frente e passe-a por cima do braço esquerdo. A parte interna do joelho deve ficar bem aninhada sobre a parte mais alta do braço ou sobre o ombro, se possível.

2 Coloque a mão esquerda espalmada no chão ao lado e diante da nádega esquerda. Os dedos devem ficar apontados para a frente e o cotovelo dobrado de maneira a empurrar com força a coxa para trás e firmar o joelho no alto. Coloque a mão direita espalmada no chão um pouco à frente e ao lado da nádega direita. Cruze os tornozelos de maneira que o direito fique por cima. A esta altura, os joelhos estão flexionados.

INFORMAÇÕES

OLHAR: Ponta do nariz.

POSTURAS PREPARATÓRIAS: Postura da Pressão sobre os Braços, Postura da Balança, Postura do Braço sob uma Perna.

POSTURAS COMPENSATÓRIAS: Exercícios para soltar os pulsos, Postura da Montanha, Postura da Extensão das Costas.

ABRANDAMENTOS: a) Não vá até a última etapa. b) Use blocos para apoiar as mãos.

EFEITO: Fortalecimento.

3 Vá aos poucos inclinando o corpo para a frente e transferindo seu peso para as palmas das mãos. Comece a estender as pernas para a esquerda enquanto ergue as nádegas e dobra mais os cotovelos.

5 Para sair desta postura, inspire, estenda os braços, flexione os joelhos para dentro e volte a sentar-se. Solte as pernas e, em seguida, repita todas as etapas do outro lado.

4 O queixo deve se aproximar do chão e o tronco e a parte superior dos braços devem ficar paralelos ao chão. Mantenha as pernas rijas como se quisesse estirá-las. Fique nesta postura de cinco a dez respirações.

Posturas de Equilíbrio sobre os Braços

225

Postura do Vaga-lume

Tittibhasana. Como todas as posturas equilibradas sobre os braços, a Postura do Vaga-lume fortalece os pulsos, braços e ombros. Também trabalha os quadris e alonga intensamente os tendões das pernas. Esta postura pode ser feita como continuação da Postura da Pressão sobre os Braços (p. 214).

1. Fique em pé com os pés paralelos a uma distância de mais ou menos 30 centímetros. Flexione-se para a frente e leve os braços, um de cada vez, por entre as pernas para prender os ombros atrás dos joelhos. Coloque as mãos espalmadas no chão atrás e ao lado dos calcanhares com os dedos apontados para a frente. Para fazer corretamente esta postura, as pernas devem estar o mais altas possível que os braços.

2. Incline-se lentamente para trás e transfira o peso do corpo dos pés para as mãos. Descanse a parte de trás das coxas sobre a parte superior dos braços, como se fosse sentar-se sobre os cotovelos. Estenda os braços e equilibre-se sobre as mãos.

3 Erga os pés do chão e estenda as pernas. No início, é difícil estender as pernas nesta posição; para facilitar, faça flexões para a frente para soltar os tendões das pernas. Force as pernas contra os braços. Aponte os dedos dos pés e olhe diretamente para a frente. Fique nesta postura de cinco a dez respirações. Os praticantes avançados podem treinar para descer os quadris e erguer os pés para que as pernas fiquem em posição mais vertical.

4 Expirando, dobre os cotovelos, sente-se no chão e relaxe. Da Postura do Vaga-lume, os praticantes avançados podem dobrar os joelhos, erguer os quadris e girar as pernas para a Postura da Cegonha (p. 216).

INFORMAÇÕES

OLHAR: Ponta do nariz.

POSTURAS PREPARATÓRIAS: Postura do Ângulo Preenchido, Postura da Tartaruga, Postura da Cegonha.

POSTURAS COMPENSATÓRIAS: Exercícios para soltar os pulsos, Postura do Alongamento Frontal, Postura das Mãos sobre os Pés.

ABRANDAMENTOS: a) Use blocos para apoiar as mãos.

EFEITO: Fortalecimento.

Postura do Sábio Galava com uma Perna Erguida

Eka Pada Galavasana. Esta difícil postura de equilíbrio sobre as mãos fortalece os pulsos e os ombros, exercita os músculos abdominais e aumenta a capacidade de concentração da mente.

1 Da postura em pé, erga o tornozelo esquerdo o mais alto possível da coxa direita. Agache-se um pouco e flexione-se para a frente, ativando os músculos da nádega direita.

2 Flexione a perna de apoio, incline-se para a frente e coloque as palmas das mãos no chão, na distância dos ombros. Erga o calcanhar direito, flexione-se mais para a frente e passe o pé esquerdo por cima da parte superior do braço direito, acima do cotovelo. Flexione o tornozelo para passar o pé em volta do braço. Coloque a canela esquerda sobre a parte superior do braço esquerdo que lhe serve de apoio.

3 Para quem está aprendendo esta postura, apoiar a cabeça no chão pode ajudar. Coloque mais peso sobre as palmas das mãos e erga o pé direito do chão, de modo que o joelho

fique no espaço livre entre os cotovelos. Ⓐ Estenda a perna direita para o alto e erga a cabeça do chão. Erga a perna de trás e a cabeça o mais alto possível. Ⓑ Use os músculos das costas para alongar toda a extensão da coluna. Esta é a postura final. Fique nela de cinco a dez respirações. Em seguida, repita-a do outro lado.

4 Os praticantes avançados podem começar na Postura da Cabeça com Apoio (p. 302). Dobre o joelho direito e leve o pé direito até a raiz da coxa esquerda para entrar na Postura do Meio Lótus (p. 152). Flexione o joelho esquerdo para baixo.

5 Abaixe as pernas e descanse a canela direita no dorso da parte superior do braço direito e o pé direito no dorso superior do braço esquerdo. Erga lentamente a cabeça e estenda a perna esquerda para trás. Expirando, dobre a perna esquerda para dentro, coloque a cabeça no chão e erga-se para trás na Postura da Cabeça com Apoio. Em seguida, repita o processo do outro lado.

INFORMAÇÕES

OLHAR: Ponta do nariz.

POSTURAS PREPARATÓRIAS:
Preparações para a Postura do Meio Lótus, Postura da Cabeça com Apoio, Postura da Cegonha.

POSTURAS COMPENSATÓRIAS:
Postura da Criança, Exercícios para soltar os pulsos, Postura das Mãos sobre os Pés, Postura da Extensão das Costas.

ABRANDAMENTOS: a) Não erga a cabeça do chão.

EFEITO: Fortalecimento.

Posturas de Equilíbrio sobre os Braços

Postura da Cegonha Voltada para o Lado

Parshva Bakasana. Esta postura de equilíbrio requer força nos pulsos, braços, ombros e músculos abdominais. Como os músculos abdominais trabalham intensamente para manter a torção ativa, eles exercem um poderoso efeito sobre os órgãos abdominais.

1 Fique em pé com os pés unidos. Flexione os joelhos, erga os calcanhares e agache-se. Gire para a direita e coloque as mãos no chão voltadas para o lado do pé direito e alinhadas com os ombros. Mantenha as mãos espalmadas no chão a uma distância de pelo menos 30 centímetros à frente da lateral do pé direito e um pouco para fora da linha dos ombros. O torso deve ficar na posição mais perpendicular possível em relação às coxas.

2 Dobre o cotovelo esquerdo para formar uma pequena concha para os joelhos. Empurre os joelhos o mais alto possível contra a parte superior do braço esquerdo e intensifique a torção o máximo que puder. Transfira o peso dos pés para as mãos. Se as mãos estiverem suficientemente afastadas à frente, você conseguirá erguer os pés quando o corpo se mover para a frente.

3\. Puxe os calcanhares em direção às nádegas. Pressione mais as pernas contra a parte superior do braço. Faça resistência com a parte superior do braço para equilibrar-se. Trabalhe os pulsos, apertando o chão com os dedos até suas pontas ficarem esbranquiçadas.

4\. Pode-se entrar nesta postura também a partir da Postura da Cabeça com Apoio (p. 302). Estando sobre seu tripé e mantendo os joelhos e tornozelos unidos, flexione os joelhos e leve as pernas para o lado de fora do cotovelo esquerdo. Gire as pernas acima o máximo que puder, de maneira que a lateral da coxa esquerda descanse contra o dorso e não a frente do braço esquerdo. Erga lentamente a cabeça do chão, ao mesmo tempo em que leva os pés para cima. Estenda os braços. Mantenha o peso distribuído igualmente entre as duas mãos.

5\. Depois de cinco a dez respirações nesta postura, volte a colocar a cabeça no chão e retorne para a Postura da Cabeça com Apoio. Em seguida, repita todo o processo do outro lado.

INFORMAÇÕES

OLHAR: Ponta do nariz.

POSTURAS PREPARATÓRIAS: Postura da Cegonha, Postura do Sábio Ashtavakra, Postura Grandiosa com Rotação, Postura da Cabeça com Apoio.

POSTURAS COMPENSATÓRIAS: Exercícios para soltar os pulsos, Postura das Mãos sobre os Pés, Postura da Extensão das Costas, Postura do Alongamento Frontal.

ABRANDAMENTOS: a) Pratique transferir o peso dos pés para as palmas das mãos. b) Ao girar para a direita, aproxime a palma da mão direita para que, em vez de manter o braço estendido, você possa descansar o quadril direito sobre o cotovelo direito dobrado, criando com os cotovelos um apoio mais confortável. c) Se entrar nesta postura a partir da Postura da Cabeça com Apoio, não erga a cabeça do chão.

EFEITO: Fortalecimento.

Postura do Sábio Kundina

Eka Pada Kaundinyasana. Esta postura avançada de equilíbrio envolve uma combinação de equilíbrio sobre os braços com torção. Ela fortalece os pulsos e os braços, exercita os músculos e massageia as vísceras abdominais.

1 Da Postura do Cachorro Olhando para Baixo (p. 162), avance a perna direita atravessada à frente para que o pé direito fique do lado de fora da mão esquerda.

2 Dobre levemente o cotovelo esquerdo e coloque-o o mais alto possível contra o dorso da parte superior do braço esquerdo. A posição em que você fica é mais ou menos como a do giro de uma postura de largada.

3 Vá inclinando-se aos poucos para a frente, dobrando os cotovelos e levando o peso para as mãos. A coxa direita estará agora pressionando a parte superior do braço esquerdo. Equilibre-se sobre as mãos. No começo, pode ser mais fácil se você descansar a cabeça no chão.

4. Estenda a perna direita para a esquerda e a esquerda para trás. Erga a cabeça e olhe para a frente. Distribua o peso igualmente entre as mãos. Pressione as pontas dos dedos no chão para proteger os pulsos. Esta é a postura final. Fique de cinco a dez respirações.

5. A maneira tradicional de entrar nesta postura é começando na Postura da Cabeça com Apoio (p. 302). Nela, você dobra os joelhos e abaixa a perna direita do lado de fora do cotovelo esquerdo. Mova a perna o máximo possível para que o lado da coxa direita fique apoiada sobre o lado de trás e não da frente da parte superior do braço esquerdo. Estenda a perna direita para fora à esquerda e a esquerda para trás.

6. Erga lentamente a cabeça do chão e olhe para a frente. Mantenha as pernas retas. Fique na postura final de cinco a dez respirações. Em seguida, expirando, flexione os braços e os joelhos, volte a cabeça para o chão e volte para a Postura da Cabeça com Apoio antes de repetir todas as etapas.

INFORMAÇÕES

OLHAR: Ponta do nariz.

POSTURAS PREPARATÓRIAS: Postura da Cabeça com Apoio, Postura da Cegonha, Postura da Cegonha voltada para o Lado.

POSTURAS COMPENSATÓRIAS: Postura do Cachorro Olhando para Baixo, Postura do Cachorro Olhando para Cima, Postura da Extensão das Costas, Exercícios para soltar os pulsos.

ABRANDAMENTOS: a) Dobre também o cotovelo direito bem como o esquerdo e use-o para apoiar o quadril direito.
b) Mantenha a perna de baixo flexionada.
c) Se entrar nesta postura a partir da Postura da Cabeça, não erga a cabeça do chão.

EFEITO: Fortalecimento.

Postura do Pavão

Mayurasana. A esta clássica postura de equilíbrio, os textos clássicos de yoga atribuem muitos benefícios. Os órgãos digestivos e abdominais recebem um maior suprimento de sangue devido à pressão exercida pelos cotovelos. Ela também fortalece os músculos abdominais e os pulsos.

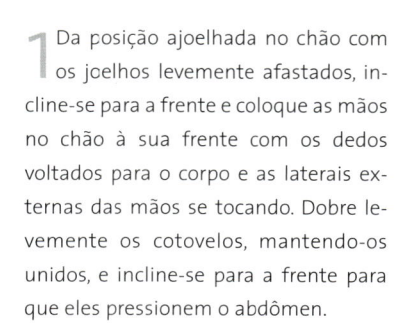

1 Da posição ajoelhada no chão com os joelhos levemente afastados, incline-se para a frente e coloque as mãos no chão à sua frente com os dedos voltados para o corpo e as laterais externas das mãos se tocando. Dobre levemente os cotovelos, mantendo-os unidos, e incline-se para a frente para que eles pressionem o abdômen.

2 Estenda as pernas diretamente para trás, fazendo o peso do corpo recair sobre os pulsos e os dorsos dos pés. Mova-se lentamente para a frente, transferindo o peso do corpo para as mãos e erga os pés do chão. Erga a cabeça e as pernas para estendê-las. Fique nesta postura de cinco a dez respirações. As pernas podem ser erguidas mais para o

INFORMAÇÕES

OLHAR: Ponta do nariz.

POSTURAS PREPARATÓRIAS: Postura do Bastão Apoiada sobre os Quatro Membros, Postura do Gafanhoto.

POSTURAS COMPENSATÓRIAS: Exercícios para soltar os pulsos, Postura da Montanha, Postura das Mãos sobre os Pés, Postura do Cachorro Olhando para Baixo.

ABRANDAMENTOS: a) Afaste um pouco as mãos. b) Não erga os pés do chão.

EFEITO: Fortalecimento.

---

alto, mas a versão mais difícil desta postura consiste em manter o tronco e as pernas em linha paralela ao chão.

3 Expirando, abaixe os pés e volte para a posição ajoelhada.

4 Uma variação desta postura é feita com as pernas cruzadas na Postura do Lótus (p. 152). É preciso ter perfeito domínio da Postura do Lótus para fazê-la. Com o corpo elevado do chão e equilibrado sobre as mãos, você dobra uma perna para dentro e coloca o tornozelo sobre a parte superior da coxa. Em seguida, dobra a outra perna e, com um movimento rápido, coloca o tornozelo sobre a coxa para completar a forma do lótus. Esta é chamada de Postura do Pavão em Lótus. Mude a posição das pernas a cada vez que praticá-la.

FLEXÕES PARA TRÁS

As flexões para trás aquecem o corpo, aumentam o nível de energia e nos revigoram. Elas dão flexibilidade ao eixo central que suporta e fortalece os músculos debilitados das costas. As flexões para trás contrabalançam as flexões para a frente que predominam em nossas atividades cotidianas – sentar, dirigir, realizar tarefas domésticas e trabalhar no computador. As flexões para trás aumentam a determinação e a força de vontade. Ao nos estendermos para o desconhecido às nossas costas nos dispomos a confrontar os medos quando a vida nos apresenta desafios desconhecidos. Como as flexões para trás abrem o peito, elas elevam o ânimo. O peito aberto melhora a qualidade da respiração e o coração se expande para trazer alegria e vitalidade à nossa vida.

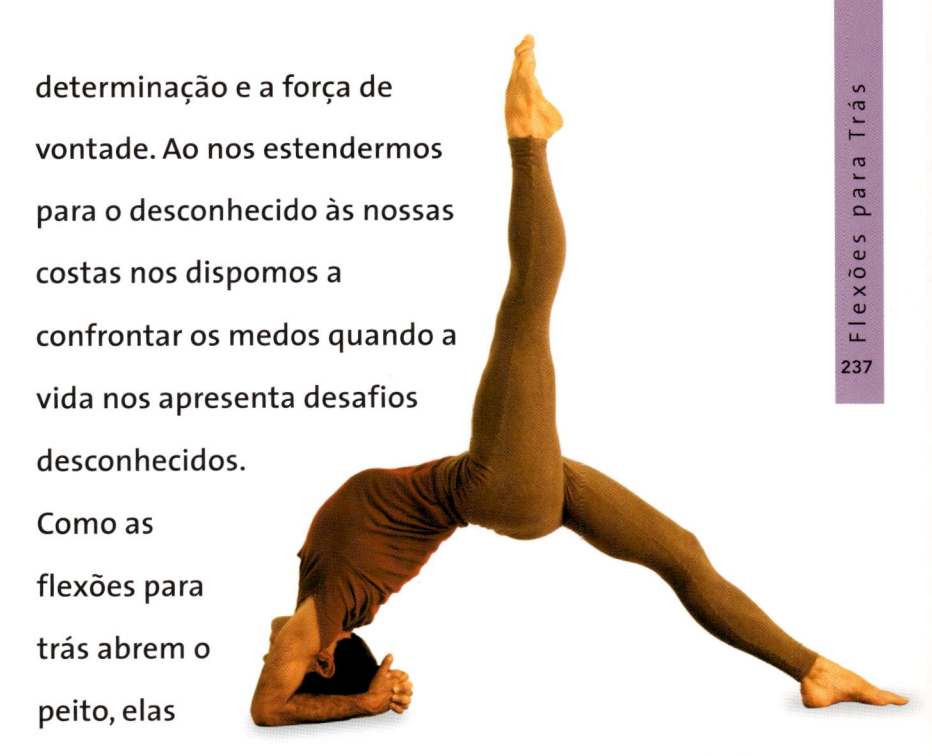

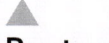

Postura do Gafanhoto

Shalabhasana. Esta postura fortalece especialmente os músculos da coluna lombar. Ela também abre o peito, melhora a qualidade da respiração e dissipa o cansaço mental.

1 Deite-se de bruços no chão, com as pernas estendidas e os tornozelos internos se tocando. Deixe a testa descansar no chão para alongar a nuca. Deixe os braços estendidos ao longo do corpo, com as mãos ao lado dos quadris e com as palmas voltadas para cima.

2 Relaxe toda a parte frontal do corpo, deixando-a se afundar no chão. Aperte suavemente as nádegas, rolando as coxas para dentro ao pressionar o osso púbico contra o chão.

INFORMAÇÕES

OLHAR: Ponto da terceira visão ou para o infinito acima.

POSTURAS PREPARATÓRIAS: Postura da Serpente I, Postura da Serpente II, Postura do Crocodilo.

POSTURAS COMPENSATÓRIAS: Postura da Extensão das Costas. Deite-se de costas e abrace os joelhos no peito.

ABRANDAMENTOS: a) Pratique erguer as pernas e a parte superior do corpo separadamente antes de erguê-las ao mesmo tempo b) Mantenha as mãos com as palmas voltadas para o chão ao lado das coxas. Firme-se sobre as palmas das mãos ao erguer o peito.

EFEITO: Fortalecimento, revigorante.

3 Estenda os braços, estirando as pontas dos dedos das mãos em direção aos pés, empurrando os ombros para baixo das costas e abrindo o peito.

4 Inspirando, erga o peito e as pernas do chão, mantendo os ombros retos e a nuca bem estirada.

5 Erga as mãos e os pulsos ao estender as pontas dos dedos para trás em direção aos pés. Faça algumas respiração nesta posição. Mesmo ao olhar para cima, mantenha o queixo um pouco contraído em direção ao peito para manter os ombros e o pescoço soltos e relaxados.

Postura da Serpente II

Bhujangasana II. Esta flexão para trás ergue a curva da coluna desde a região lombar até a torácica. A parte superior do corpo é mais difícil de ser flexionada para trás do que a parte inferior. Esta postura solta os ombros e abre o centro do coração. É um excelente alongamento da parte frontal do corpo.

1 Deite-se com o rosto voltado para o chão. Estenda os braços para a frente do corpo, com as palmas voltadas para baixo e os dedos bem abertos. Mantenha as pernas bem retas, com as coxas, os joelhos e os tornozelos se tocando. Deixe a parte frontal do corpo relaxar até se afundar no chão. Alongue a extensão que vai dos ombros até os cotovelos e continue alongando até os pulsos e a ponta de cada dedo.

2 Inspirando, erga a cabeça e o peito e deslize os braços para trás em direção ao corpo até os cotovelos ficarem diretamente abaixo dos ombros. Gire os ombros para trás e empurre-os para baixo, afastando-os dos lóbulos das orelhas. Ao estender a coluna para cima, pressione as escápulas em direção aos pulmões. Alongue a parte inferior da coluna, empurrando o cóccix em direção ao chão.

3. Use a mesma pressão para firmar os antebraços e as palmas das mãos no chão. Alongue a extensão que vai dos cotovelos até as axilas ao "empurrar" o peito para a frente em direção às pontas dos dedos, de maneira que as costelas laterais subam até a parte superior dos braços. Estenda a flexão igualmente pelas costas, de maneira que o meio e a parte superior das costas se curvem mais.

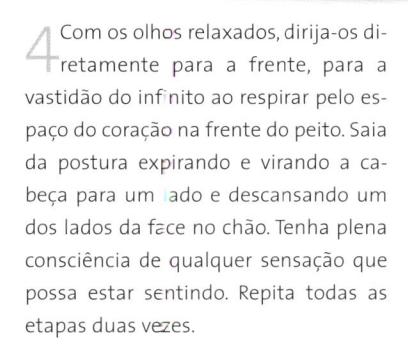

4. Com os olhos relaxados, dirija-os diretamente para a frente, para a vastidão do infinito ao respirar pelo espaço do coração na frente do peito. Saia da postura expirando e virando a cabeça para um lado e descansando um dos lados da face no chão. Tenha plena consciência de qualquer sensação que possa estar sentindo. Repita todas as etapas duas vezes.

INFORMAÇÕES

OLHAR: Diretamente à frente.

POSTURAS PREPARATÓRIAS: Postura do Crocodilo, Postura do Gafanhoto.

POSTURAS COMPENSATÓRIAS: Postura do Embrião, Postura da Criança.

ABRANDAMENTOS: a) Coloque o queixo sobre as mãos em concha, com os cotovelos no chão. b) Mantenha uma maior parte do abdômen em contato com o chão. c) Coloque os cotovelos à frente dos ombros.

EFEITO: Energização.

Postura da Serpente I

Bhujangasana I. Esta flexão para trás requer mais força nos braços do que a Postura da Serpente II. Ela abre o peito, estimula os órgãos da digestão e aumenta a mobilidade da coluna vertebral.

1 Deite-se com o rosto no chão, as palmas das mãos no chão embaixo dos ombros e os dedos voltados para a frente. Depois de várias expirações para soltar as tensões, estenda e anime o máximo possível o corpo, da parte de trás da cintura para a região lombar, os quadris, as nádegas, as panturrilhas e as plantas dos pés.

2 Contraia o cóccix de maneira que o osso público pressione o chão. Erga os joelhos retos do chão, mantendo os dorsos dos pés pressionando o chão. Inspirando, erga o peito para cima sem

fazer absolutamente nenhuma pressão sobre as palmas das mãos. Mantenha-se aí fazendo algumas respirações. Esta posição fortalece as costas. Ela mostra quais músculos precisam ser trabalhados e qual a medida de sua força sem nenhuma ajuda dos braços.

3 Trabalhe agora para mobilizar as costas. Pressione as palmas das mãos contra o chão e continue a erguer a coluna do chão. Mantenha as pernas e os pés unidos ao pressionar o osso púbico contra o chão e elevar um pouco mais a curvatura para o meio das costas. Faça resistência com as mãos de maneira a sentir que o peito está sendo puxado pelos braços para a frente.

4 Mantenha os ombros relaxados e desça as costas ao estirar os braços. Contraia o queixo na direção da garganta para que a nuca continue estirada. Fique nesta postura respirando mais algumas vezes, expandindo o peito ao inspirar e estendendo a coluna ao expirar.

5 Quando se acrescenta a esta postura um som sibilante a cada inspiração e a percepção da corrente energética que vai do períneo ao sacro, ela se torna uma mudra, o Selo da Serpente.

INFORMAÇÕES

OLHAR: Ponto da terceira visão ou para o infinito ao alto.

POSTURAS PREPARATÓRIAS: Postura da Guirlanda, Postura do Guerreiro Virabhadra 1.

POSTURAS COMPENSATÓRIAS: Postura da Extensão, versão relaxante da Postura da Extensão.

ABRANDAMENTOS: a) Pratique entrar e sair suavemente desta postura antes de permanecer nela por períodos mais longos de tempo.

EFEITO: Energização, fortalecimento.

Postura do Cachorro Olhando para Cima

Urdhva Mukha Shvanasana. Esta postura fortalece os pulsos e os ombros, abre o peito e trabalha toda a coluna. É uma das posturas da sequência de Saudação ao Sol (p. 42).

1 Deite-se de bruços no chão e coloque as palmas das mãos voltadas para baixo ao lado do corpo de maneira que os dedos fiquem apontados para a frente e alinhados com os ombros. Mantenha os cotovelos próximos do corpo. Os pés devem ficar afastados na linha dos quadris, firmados sobre os dedos.

2 Inspirando, pressione as palmas das mãos contra o chão e erga um pouco o corpo do chão. Com a ajuda das mãos e dos pés, empurre os quadris para a frente, descendo os dedos para que os pés fiquem com os dorsos contra o chão. Estenda os braços e erga o peito para a frente. Mantenha as pernas retas e ativas. Ative os músculos frontais das

INFORMAÇÕES

OLHAR: Ponto da terceira visão ou ponta do nariz.

POSTURAS PREPARATÓRIAS: Postura do Gafanhoto, Postura da Serpente I.

POSTURAS COMPENSATÓRIAS: Postura do Cachorro Olhando para Baixo, Postura da Extensão das Costas.

ABRANDAMENTOS: a) Flexione levemente os joelhos e descanse-os no chão. b) Erga os quadris mais para o alto se sofrer de dores lombares.

EFEITO: Abertura, rejuvenescimento.

coxas para erguer os joelhos do chão, mas mantenha as nádegas bem relaxadas. O peso do corpo deve recair apenas sobre os dorsos dos pés e as palmas das mãos.

3 Gire os ombros para baixo e para trás, mantendo o peito erguido para a frente e para cima. A ação muscular dos braços empurra as mãos para trás na direção dos quadris (mas sem mover as palmas). Isso faz com que as costelas laterais se movam para a frente dos braços e o peito se abra ainda mais. Vire a cabeça levemente para trás e olhe para cima.

4 Expirando, flexione os joelhos e saia da postura.

5 Outra maneira de sair desta postura é voltar a firmar-se sobre os dedos dos pés expirando e erguendo os quadris para trás na Postura do Cachorro Olhando para Baixo (p. 152), como na sequência B da Saudação ao Sol (p. 42).

Postura do Crocodilo

Nakrasana. Enquanto na maioria das flexões para trás, o olhar é dirigido para fora, esta permite que os pensamentos se voltem para dentro enquanto você descansa. Em seu esforço para fazer flexões para trás cada vez mais difíceis, a Postura do Crocodilo é uma boa maneira de descansar sem que a curvatura das costas contrarie a sua sequência.

1 Deite-se de bruços com o rosto no chão. Inspirando, erga a cabeça e o peito e deixe os braços descerem em direção ao corpo para colocar os cotovelos na frente dos ombros.

2 Abra bem as pernas e gire os calcanhares para dentro, de maneira que a parte interna das coxas, dos joelhos e dos tornozelos fique em contato com o chão. Alongue o cóccix em direção aos calcanhares, aperte suavemente as nádegas e empurre o osso púbico contra o chão.

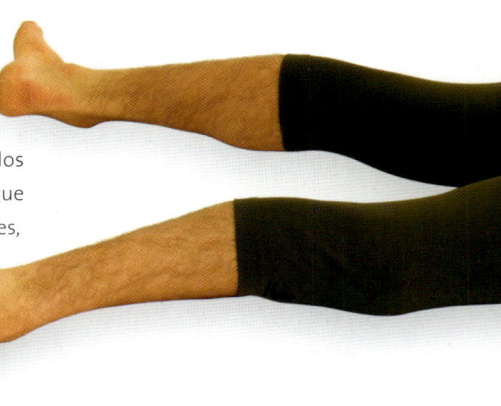

3 Deixe o abdômen relaxar enquanto alonga a extensão frontal do corpo que vai do umbigo até a garganta. Abra espaço na coluna lombar.

4 Erga um pouco mais o peito ao mover os antebraços um em direção ao outro para aninhar os cotovelos nas palmas das mãos.

5 Empurre o queixo em direção à garganta para estirar a nuca. Descanse a testa sobre os antebraços. Talvez você tenha que reacomodar os cotovelos um pouco para a frente ou para trás para que a testa possa descansar confortavelmente. Alongue toda a frente do corpo, desde a lateral interna dos pés, passando pela parte interna das coxas, pela pélvis e barriga até o peito. Fique nesta postura respirando tranquilamente. Saia dela expirando e virando a cabeça para descansar um dos lados da face no chão.

INFORMAÇÕES

OLHAR: Olhos fechados.

POSTURAS PREPARATÓRIAS: Postura da Serpente I e Postura do Gafanhoto.

POSTURAS COMPENSATÓRIAS: Postura do Embrião, Postura da Criança.

ABRANDAMENTOS: a) Aproxime mais as pernas. b) Leve os cotovelos mais para a frente. c) Faça menos pressão com os cotovelos.

EFEITO: Repousante, percepção aguçada.

Flexões para Trás

Postura de Anjaneya

Anjaneyasana. Esta postura alonga os músculos frontais das coxas e também os músculos iliopsoas que são rijos em muitas pessoas. Essa intensa flexão para trás também tonifica os rins e o fígado.

1 Da posição ajoelhada, passe o pé direito para a frente com o joelho flexionado para que a coxa direita fique paralela ao chão.

2 Alongue toda a extensão frontal da perna esquerda, dos quadris aos joelhos, dos joelhos aos tornozelos e, passando por todo o dorso do pé, até as pontas dos dedos. Com as mãos sobre o joelho da perna à frente, intensifique o esforço, firmando-se mais sobre o joelho direito para sentir alongar-se toda a frente da coxa esquerda.

3 Erga os braços para cima da cabeça, estirando-os pelos dedos ao erguer o peito. A intensidade da flexão para trás deve ser suficientemente confortável para permitir que você em-

purre o cóccix em direção ao chão para intensificar o alongamento da frente da coxa esquerda. Abaixe os quadris um pouco mais e leve a flexão para trás ao nível máximo de sua capacidade pessoal.

4 A parte inferior da coluna é a que naturalmente se curva mais intensamente. Conscientemente, leve a curvatura da coluna mais para cima, até o meio das costas, estendendo bem os braços elevados para trás e forçando o peito para a frente e para cima. Mantenha as palmas das mãos voltadas uma para a outra e, se não causar tensão no pescoço ou nos ombros, pressionadas uma contra a outra.

5 Vire o rosto para cima e olhe diretamente para o alto. Fique nesta postura, fazendo algumas respirações e desfrutando a sua forma crescente. Expirando, coloque as mãos de volta no chão para ficar de quatro. Repita a postura do outro lado.

INFORMAÇÕES

OLHAR: Mãos.

POSTURAS PREPARATÓRIAS: Postura do Gato, Postura do Gafanhoto, Postura da Serpente I, Postura do Arco, Meia Postura do Sapo, Postura Reclinada do Herói.

POSTURAS COMPENSATÓRIAS: Postura da Criança, Postura do Gato, Postura da Cabeça Além do Joelho.

ABRANDAMENTOS: a) Mantenha a ponta dos dedos das mãos ao lado do pé da frente ou sobre o joelho da frente e siga as mesmas instruções para a flexão para trás. b) Ponha menos pressão sobre o joelho da frente. c) Mantenha o joelho da frente diretamente acima do tornozelo. d) Use uma almofada sob o joelho de trás se necessário.

EFEITO: Envolvente.

Postura do Sapo

Bhekasana. Esta postura ajuda a tornar as pernas, e particularmente os joelhos, mais flexíveis. Ela alonga os músculos quadríceps, como também os músculos iliopsoas, além de fortalecer os braços.

1. Deite-se de bruços no chão. Erga os ombros e passe o braço esquerdo pela frente de maneira que o cotovelo fique abaixo e na mesma linha do ombro esquerdo e a mão na linha do cotovelo direito. Flexione o joelho direito e segure com a mão direita a ponta do pé direito. Os dedos dos pés devem ficar apontados diretamente para a frente e não para os lados.

2. Expirando, empurre o pé para a frente e para baixo e, em seguida, gire os dedos da mão direita para fora enquanto leva o cotovelo para cima e para fora até os dedos apontarem para a frente. Com o cotovelo apontado para o alto, empurre o pé para baixo com a palma da mão, de maneira que o calcanhar interno toque o lado da nádega e

INFORMAÇÕES

OLHAR: Ponta do nariz.

POSTURAS PREPARATÓRIAS: do Herói.

POSTURAS COMPENSATÓRIAS:
Flexões para a frente.

ABRANDAMENTOS: Um lado por vez.

EFEITO: Energização.

4 Passe agora para a postura completa. Flexione os joelhos e aproxime os calcanhares dos quadris. Segure os pés com as mãos. Gire as mãos como anteriormente e pressione os pés para baixo, enquanto ergue o peito do chão e gira os ombros para trás. Reduza ao máximo a distância entre os joelhos. Mantenha os cotovelos pressionados para dentro. Erga-se a partir da cintura para intensificar a flexão para trás e abrir espaço no abdômen e no peito. Aumente a flexão para trás para incluir as partes mais rijas da coluna. Relaxe os ombros e o pescoço. Fique nesta postura de cinco a dez respirações lentas.

do quadril e não o meio da nádega. Se possível, encoste o calcanhar no chão. Esta é a Meia Postura do Sapo. Faça de cinco a dez respirações nela.

3 Para intensificar o alongamento da parte frontal da coxa, pressione a virilha direita contra o chão e, se possível, erga o joelho flexionado. Firme-se sobre o cotovelo esquerdo para acentuar a curvatura na parte superior das costas. Expirando, solte o pé direito e estenda a perna direita. Em seguida, repita a postura do outro lado.

Postura do Arco

Dhanurasana. Nesta postura, os braços são como a corda de um arco, estirada pela força do corpo e das pernas. A Postura do Arco flexibiliza a coluna e tonifica os órgãos abdominais. Também ajuda a aliviar as dores nas costas.

1 Deite-se de bruços no chão. Flexione os joelhos para aproximar os calcanhares das nádegas. Estenda as mãos para colocá-las nos calcanhares externos atrás. Não afaste os joelhos e mantenha-os no máximo na linha dos quadris. Comece com a testa no chão. Inspirando, force os pés para trás e para cima, afastando-os das nádegas. Erga as coxas o máximo possível do chão.

2 Erga agora a cabeça e o peito até onde conseguir. Mantenha os braços estirados e puxe os ombros para trás com a força das pernas. Para acentuar a curva do arco, empurre ao mesmo tempo os pés para trás com as mãos. É como se você estivesse tentando dobrar os cotovelos e não conseguindo devido à resistência dos braços. Vire a cabeça para trás e olhe para o alto. O peso do corpo deve firmar-se apenas sobre o abdômen. Fique nesta postura de cinco a dez respirações lentas. Talvez você note a

INFORMAÇÕES

OLHAR: Ponta do nariz.

POSTURAS PREPARATÓRIAS: Postura do Gafanhoto, Postura Reclinada do Herói, Postura de Anjaneya.

POSTURAS COMPENSATÓRIAS: Postura da Criança, Postura do Embrião.

ABRANDAMENTOS: a) Afaste mais os joelhos. b) Não faça a Postura do Arco Voltada para o Lado. c) Se for difícil alcançar os pés com as mãos, use um cinto em volta dos pés. d) Faça apenas um lado de cada vez (esta é chamada de Postura do Meio Arco).

EFEITO: Energização

ocorrência de um suave balanço do corpo em compasso com a respiração

3 Para passar para a Postura do Arco voltada para o Lado, expire e role o corpo para a direita até o ombro e o pé direito tocarem o chão e você descansar sobre o lado direito do corpo. Estenda o abdômen e o quadril esquerdo para a frente, enquanto os pés pressionam para trás. Vire a cabeça para o lado esquerdo e olhe para o alto. Mantenha a orelha direita afastada do chão. Fique nesta postura durante cinco respirações. Então, com uma inspiração profunda, volte para a Postura do Arco e repita-a do outro lado.

4 Expirando, abaixe as pernas e o peito e solte os pés.

Postura Fácil do Yogue Gheranda

Sukha Gherandasana. Esta postura é uma combinação da Postura do Arco (p. 252) de um lado e da Postura do Sapo (p. 250) de outro. Ela dá flexibilidade à coluna e alonga os músculos das coxas. A pressão exercida pela respiração sobre o abdômen contra o chão proporciona uma ótima massagem aos órgãos abdominais.

1 Deite-se de bruços no chão. Flexione o joelho direito e coloque o pé ao lado do quadril direito alinhado com a canela e os dedos apontados diretamente para a frente. Segure o pé com a mão direita e, expirando, empurre-o para a frente e para baixo, ao mesmo tempo em que gira a mão para fora, levando o cotovelo para fora e para cima até os dedos apontarem para a frente. Deslize o pé pelo lado quadril para fazê-lo descer.

2 Flexione o joelho esquerdo e estenda a mão esquerda para segurar o tornozelo esquerdo atrás. Inspirando, erga o máximo possível o pé esquerdo e o peito, pressionando ao mesmo tempo o pé direito em direção ao chão com a palma da mão direita. Não se deixe pender para a direita, mas man-

tenha os quadris nivelados. Mantendo o braço esquerdo estendido, empurre os ombros para trás com a força da perna esquerda. Vire a cabeça para trás e olhe para o alto. O peso do corpo deve descansar apenas sobre o abdômen. Erga o esterno mais para cima para erguer mais uma costela do chão. Faça dez respirações lentas e profundas nesta postura.

3 Expirando, solte as pernas e repita a postura do outro lado.

INFORMAÇÕES

OLHAR: Ponta do nariz.

POSTURAS PREPARATÓRIAS: Postura do Arco, Postura do Sapo, Postura Reclinada do Herói, Postura da Serpente I.

POSTURAS COMPENSATÓRIAS: Postura da Criança, Postura do Embrião, Postura da Criança (estendida).

ABRANDAMENTOS: a) Pratique apenas do lado esquerdo ou do direito de cada vez. b) Com um lado na Postura do Arco ou na Postura do Sapo, estenda a mão do lado oposto para a frente enquanto estende a perna para trás e, se possível, erga ambos do chão. c) Pratique a Postura do Arco e a Postura do Sapo.

EFEITO: Energização.

Postura do Camelo

Ushtrasana. Por preparar o corpo e a mente para fazer flexões para trás mais difíceis, esta postura é muito importante. Ela cria flexibilidade nos ombros e na coluna lombar, além de abrir o peito.

1 Fique de joelhos com os pés e os joelhos unidos. As coxas e o tronco devem estar em linha vertical. Os pés devem ficar com os dorsos contra o chão e os dedos apontados para trás. Coloque as mãos nos quadris, com os polegares voltados para a coluna e erga o torso desde a base da coluna e da pélvis, abrindo o peito. Não deixe o torso despencar sobre a coluna lombar, mas firme o cóccix, para alongar a parte frontal das coxas. Erga a clavícula mais para o alto. Aperte as escápulas ao girar os ombros para trás. Arqueie as costas.

2 Contraia os músculos abdominais em direção à coluna vertebral para proteger a parte inferior da coluna enquanto a parte superior se abre mais intensamente. Mantendo essa tensão muscular, tire as mãos dos quadris e estenda-as para trás com os braços. Lentamente, flexione o corpo para trás, estendendo as mãos para tocar os calcanhares e, por fim,

coloque as palmas sobre as solas dos pés, com os dedos apontados para trás. Gire os ombros para trás e erga as costelas inferiores, curvando as costas o máximo possível para trás. Pressione os quadris para a frente para que as coxas fiquem em linha vertical. Relaxe as nádegas. Vire a cabeça para trás sem tensionar o pescoço. Estenda o queixo para fora. Fique nesta postura de cinco a dez respirações lentas.

3 Firme-se sobre os joelhos e inspire profundamente para voltar a erguer-se, fazendo subir a pélvis com a força dos músculos das nádegas. Para terminar, sente-se sobre os pés.

INFORMAÇÕES

OLHAR: Ponta do nariz.

POSTURAS PREPARATÓRIAS: Postura do Arco, Postura da Serpente I, Postura de Anjaneya.

POSTURAS COMPENSATÓRIAS: Postura da Criança, Postura da Cabeça Além do Joelho.

ABRANDAMENTOS: a) Firme-se sobre os dedos dos pés. b) Separe os joelhos e os pés na linha dos quadris. c) Para flexionar-se para trás, peça a alguém que se coloque entre as escápulas como apoio. d) Leve uma mão de cada vez para trás. e) Mantenha a cabeça erguida, olhando para a frente.

EFEITO: Energização.

Flexões para Trás

257

Postura do Alongamento Frontal

Purvottanasana. Esta postura alonga intensamente toda a parte frontal do corpo. Na Índia, ela é chamada de Intenso Alongamento Oriental, pelo fato de a prática de yoga ser tradicionalmente feita de frente para o Leste. Por isso, a parte frontal do corpo é chamada de Oriente ou Leste. Ela fortalece os pulsos e os braços e dá flexibilidade aos ombros. Ela é evidentemente uma postura compensatória após as práticas de flexão para a frente em posição sentada.

INFORMAÇÕES

OLHAR: Ponta do nariz.

POSTURAS PREPARATÓRIAS: Postura do Cachorro Olhando para Cima.

POSTURAS COMPENSATÓRIAS: Postura do Cachorro Olhando para Baixo, Postura da Extensão das Costas.

ABRANDAMENTOS: a) Mantenha os joelhos flexionados. b) Aproxime os pés e mantenha os joelhos em ângulo reto para formar uma espécie de mesa.

EFEITO: Energização.

1 Sente-se na Postura do Bastão (p. 104). Coloque as mãos atrás das costas, separadas por uns 15 centímetros, na linha dos ombros, com os dedos apontados para os pés. Inspirando, pressione as mãos contra o chão e erga as nádegas, deixando o peso do corpo recair sobre as mãos e os pés. Estenda os braços e erga os quadris o mais alto possível. Estenda as pernas e empurre o chão com os dedos dos pés. Mantenha os calcanhares e os dedos unidos e as coxas giradas para dentro.

2 Os braços devem ficar perpendiculares ao chão enquanto arqueia o torso para cima. (Não deixe os quadris penderem para baixo.) Ainda olhando para o corpo abaixo, erga os quadris até não conseguir enxergar mais os dedos dos pés. Em seguida, erga o peito até não conseguir enxergar mais os quadris. Gire suavemente a cabeça para trás, olhe atrás de você e estenda o queixo para cima. Abra o peito. Empurre o chão com as palmas das mãos.

3 Fique nesta postura de cinco a dez respirações lentas. Expirando, volte a sentar-se na Postura do Bastão.

Postura da Ponte com Apoio

Salamba Setu Bandhasana. Esta flexão para trás abre e fortalece o peito, os quadris, a coluna lombar e a parte frontal das coxas. Ela estimula o sistema nervoso a revigorar o corpo todo.

1 Deite-se de costas no chão, com os braços dos lados do corpo e os joelhos flexionados. Os pés devem ficar separados na linha dos quadris, os calcanhares alinhados aos ísquios e os dedos dos pés apontados diretamente para a frente em vez de para os lados. Firme com força ambos os pés no chão e inspirando, erga os quadris, elevando as nádegas do chão.

2 Com os braços estendidos em direção aos pés, junte as palmas das mãos embaixo das costas, entrelaçando os dedos. Pressione os lados externos das mãos contra o chão ao estender os nós dos dedos em direção aos calcanhares e erga mais os quadris, passando a apoiar-se sobre os ombros. Empurre o queixo em direção ao peito, alongando a nuca. Empurre o corpo para cima pela frente das coxas. Empurre o cóccix em direção aos joelhos. Aproxime mais os joelhos para avançá-los e colocá-los acima dos dedos dos pés. Esta é a Postura da Ponte com Apoio.

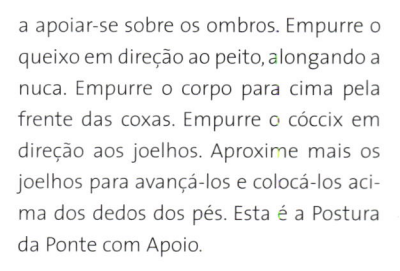

3 Se tiver altura suficiente, você conseguirá fazer a seguinte variação. Mantendo os quadris elevados, solte as mãos. Incline-se para a direita, Fique sobre os dedos do pé direito e dobre o an-

tebraço direito para cima para colocar a palma da mão direita no sacro. Em seguida, faça o mesmo com o lado esquerdo.

4 Leve os calcanhares ao chão e reacomode a altura do esterno e do osso púbico. Leve os cotovelos um em direção ao outro, pressionando a parte superior dos braços contra o chão. Enquanto pressiona a coluna com os polegares, mantenha os outros dedos das mãos bem espalhados sobre os quadris. Você está na Postura da Ponte com Apoio.

5 Para levá-la ainda mais adiante, tente fazer a Postura da Ponte apoiada sobre apenas uma perna. Junte os pés, incline-se um pouco para a esquerda, firme bem a planta do pé esquerdo no chão e, inspirando, erga a perna direita flexionada do chão. Estenda o pé direito para o alto em linha vertical. Fique nesta postura de quatro a oito respirações, erguendo os quadris para o alto e estendendo o pé direito. Expirando, volte o pé direito para o chão. Repita a mesma sequência com a outra perna.

INFORMAÇÕES

OLHAR: Umbigo.

POSTURAS PREPARATÓRIAS: Postura do Gafanhoto, Postura da Serpente I, Postura do Camelo, Postura do Arco, Postura do Sapo.

POSTURAS COMPENSATÓRIAS: Balançar-se de um lado para outro com os joelhos abraçados no peito, Postura do Peixe, Postura da Rotação do Abdômen, Postura da Lua, Postura da Cabeça Além do Joelho, Exercícios para soltar o pescoço.

ABRANDAMENTOS: a) Faça apenas a primeira etapa. b) Em vez de manter a postura por muito tempo, entre nela inspirando e saia expirando, várias vezes. c) Para apoiar-se na segunda etapa, use um bloco sob o sacro.

EFEITO: Abertura, fortalecimento.

Postura do Peixe

Matsyasana. Esta postura reverencia Matsya, a encarnação na forma de peixe do deus hindu Vishnu. É uma flexão para trás que abre intensamente o peito e a garganta. Para fazê-la, é preciso ter alguma flexibilidade na coluna torácica. As pessoas com problemas no pescoço precisam tomar cuidado, uma vez que o pescoço fica completamente arqueado quando o topo da cabeça está no chão.

1 Deite-se de costas com as pernas estendidas. Passe os braços para trás das costas, com as palmas das mãos no chão atrás das nádegas.

2 Pressione os antebraços contra o chão e mantenha os cotovelos próximos um do outro ao erguer a parte superior dos braços e os ombros e arquear o peito para cima. Olhe para a frente e erga a cabeça, seguindo o arco ascendente do peito para a garganta. Afaste o

INFORMAÇÕES

OLHAR: Ponto da terceira visão.

POSTURAS PREPARATÓRIAS: Postura do Camelo, Postura da Serpente I, Postura da Ponte com Apoio.

POSTURAS COMPENSATÓRIAS: Balançar-se de um lado para outro com os joelhos no peito, Exercícios para soltar o pescoço, Postura da Retenção, Postura da Guirlanda.

ABRANDAMENTOS a) Não deixe a cabeça pender para trás. b) Comece na postura sentada: na Postura do Bastão, incline-se para trás apoiando-se sobre as mãos ou cotovelos para erguer o peito e refazer o arco da Postura do Feixe.

EFEITO: Elevação do ânimo.

queixo para alongar a garganta. Leve a cabeça para trás e, abrindo os cotovelos, descanse levemente seu dorso no chão. O que conta aqui é erguer-se a partir da coluna lombar e pressionar o esterno para o alto. Quando o peito estiver suficientemente erguido, você poderá escolher o quanto de pressão colocar sobre o topo da cabeça contra o chão.

3 Force o esterno para cima para aumentar o arco que vai do osso púbico até a garganta. Aperte as escápulas para descer os ombros ao erguer de novo o peito. Pressione as pernas uma contra a outra. Respire profundamente, fazendo o ar circular por toda a frente do corpo e desfrutando a sensação de abertura proporcionada por esta postura.

Postura da Ponte

Setu Bandhasana. Nesta versão da Postura da Ponte, o peso do corpo recai totalmente sobre o topo da cabeça e os pés, enquanto as pernas e o corpo formam a ponte. Entretanto, como ela coloca uma pressão extrema sobre a coluna cervical, não deve ser feita por pessoas com problemas ou dificuldades nessa região.

1 Deite-se de costas. Flexione os joelhos para fora e posicione os calcanhares a mais ou menos 60 centímetros de distância das nádegas. Os calcanhares devem se tocar e os dedos dos pés devem apontar para fora num ângulo de 45°. Erga o peito e arqueie as costas o máximo que puder, para levar o topo da cabeça até o chão, como na Postura do Peixe (p. 262).

2 Coloque as palmas no chão ao lado das orelhas, para aliviar um pouco o peso sobre a cabeça ao entrar na postura. Expire e erga os quadris o mais alto que puder, equilibrando-se sobre os pés e o topo da cabeça. Estenda lentamente as pernas e role a cabeça para trás, tentando levar a testa, ou até mesmo o nariz, ao chão. Esta postura coloca uma pressão considerável sobre a coluna cervical e pode ser muito difícil no começo.

Ⓐ Cruze os braços e coloque as mãos espalmadas sobre os ombros. Ⓑ

3\. Leve as mãos de volta para o chão. Expirando, role lentamente a cabeça de volta e abaixe os quadris. Estenda as pernas e deite-se de costas.

Flexões para Trás

INFORMAÇÕES

OLHAR: Ponta do nariz.

POSTURAS PREPARATÓRIAS: Postura do Peixe, Postura do Camelo.

POSTURAS COMPENSATÓRIAS: Exercícios para soltar o pescoço, Postura da Ponte com Apoio, Postura da Extensão das Costas.

ABRANDAMENTOS: a) Segure o lado da esteira com os braços estendidos.
b) Aumente a distância entre os pés voltados para fora e as nádegas.
c) Não estenda totalmente as pernas.

EFEITO: Energização.

Postura do Arco virado para Cima

Urdhva Dhanurasana. Esta extraordinária flexão para trás envolve todos os músculos do corpo. Ela abre intensamente a parte frontal do corpo, ao mesmo tempo em que alonga ao máximo a coluna. Para entrar nela é preciso que se tenha muita flexibilidade nos ombros e, uma vez nela, muita força nos braços para sustentá-la.

1 Deite-se de costas no chão. Flexione os joelhos e leve os calcanhares até junto das nádegas. Firme bem as plantas dos pés no chão. Os pés, e particularmente os calcanhares são as bases de sustentação desta postura. Coloque as mãos espalmadas no chão ao lado dos ombros, com os cotovelos apontados para cima e os dedos estendidos em direção aos pés.

2 Erga os quadris do chão. Fique aí se firmando por um momento. Espere receber a mensagem interna avisando o momento de erguer-se. Então, inspirando, firme-se bem sobre as palmas das mãos e erga a cabeça para o alto, vire-a para trás para levar o topo da cabeça a tocar levemente o chão. Faça algumas respirações aí, familiarizando-se com a sensação de estar de ponta-cabeça e juntando forças para elevar o corpo todo do chão.

3 Inspirando de novo, empurre o chão com as palmas das mãos e as plantas dos pés e erga-se formando um arco. Estenda os braços para que fiquem na posição mais reta possível. Deixe a cabeça pender, olhando para as mãos abaixo.

4 Mantenha-se nesta postura de cinco a dez respirações. Com os cotovelos estirados, estenda mais os joelhos ao forçar a abertura da frente do corpo. Forme um arco para cima com a frente do corpo, sentindo o alongamento de toda a extensão que vai da parte interna dos pulsos, passando pelos antebraços, o esterno, o abdômen e, descendo pela frente das coxas e indo até os pés. Sinta a parte dorsal do corpo alongar-se também.

5 Para sair da postura, expire, flexione os braços e abaixe o topo da cabeça até o chão. Ao voltar a expirar, contraia o queixo para dentro, flexione os braços e os joelhos e abaixe as costas até o chão. Descanse fazendo algumas respirações antes de repetir a postura mais duas vezes. Termine fazendo uma postura compensatória.

INFORMAÇÕES

OLHAR: Ponta do nariz.

POSTURAS PREPARATÓRIAS: Postura da Ponte com Apoio, Postura do Arco, Postura de Anjaneya, Postura Reclinada do Herói, Postura do Cachorro Olhando para Baixo.

POSTURAS COMPENSATÓRIAS: Postura da Criança, Postura da Cabeça Além do Joelho, Postura da Extensão das Costas.

ABRANDAMENTOS: Não faça a última etapa.

EFEITO: Energização.

Postura Invertida do Bastão com Dois Apoios

Dvi Pada Viparita Dandasana. Nesta postura, o peso do corpo recai sobre a cabeça, os antebraços e os pés. Ela aumenta a flexibilidade de toda a coluna e, particularmente, da região lombar, além de proporcionar a sensação de ânimo elevado.

1. Deite-se de costas. Flexione os joelhos e leve os pés para perto das nádegas, separados na linha dos quadris. Coloque as mãos ao lado da cabeça com os dedos apontados para os pés. Faça algumas respirações preparatórias. Eleve os quadris e, quando se sentir em condições, entre inspirando na Postura do Arco Olhando para Cima (p. 266).

2. Fique nela fazendo várias respirações, espalhando a flexão para trás igualmente por toda a coluna. Se achar que precisa se aquecer mais, volte a deitar-se no chão e repita mais duas vezes a Postura do Arco Virado para Cima.

3. Leve agora o topo da cabeça para o chão. Uma de cada vez, leve as mãos para trás da cabeça, colocando os cotovelos no chão. Entrelace os dedos para aninhar com as mãos o dorso da cabeça, como na Postura da Cabeça (p. 296). Empurre

o peito para a frente. Arraste os pés até juntá-los e, em seguida, afaste-os para estender as pernas. Erga o peito e gire as coxas para dentro, pressionando uma contra a outra.

4. Se quiser, flexione um joelho para cima em direção ao peito e estenda a perna verticalmente para o alto. Esta é a Postura Invertida do Bastão com Dois Apoios.

5. Expirando, coloque as mãos uma em cada lado da cabeça. Firmando-se sobre as palmas das mãos, estire os braços para voltar para a Postura do Arco Virado para Cima. Em seguida, contraia o queixo e leve a cabeça e as nádegas para o chão.

6. Uma vez que você tenha o domínio desta postura, também é possível entrar nela a partir da Postura da Cabeça.

INFORMAÇÕES

OLHAR: Ponta do nariz.

POSTURAS PREPARATÓRIAS: Postura da Ponte com Apoio, Postura do Arco Virado para Cima, Postura da Cabeça.

POSTURAS COMPENSATÓRIAS: Postura da Extensão das Costas.

ABRANDAMENTOS: a) Não estenda totalmente as pernas. b) Com os joelhos flexionados, erga os calcanhares.

EFEITO: Energização.

Flexões para Trás

Postura do Arco com Toque no Dedão do Pé

Padangustha Dhanurasana. Nesta avançada flexão para trás, os braços funcionam com a corda do arco. Esta intensa flexão para trás tonifica toda a coluna vertebral e a região abdominal, além de atuar profundamente sobre os ombros.

1. Deite-se de bruços e erga-se como se fosse fazer a flexão para trás da Postura da Serpente II. Flexione o joelho direito para erguer o pé para o alto.

2. Apoiando-se sobre o antebraço esquerdo, erga a mão direita do chão e leve-a para trás até o pé direito. Gire o pé direito para fora e segure-o pelos dedos.

3. Com os dedos das mãos segurando os dedos dos pés, gire o braço para fora e para cima até o cotovelo ficar apontado para cima. Ao mesmo tempo, puxe a perna direita para cima.

4 Repita agora todo o processo do outro lado. Flexione o joelho esquerdo e estenda a mão esquerda até o pé esquerdo. Você vai perceber que está rolando para a frente sobre o estômago. Segurando firmemente o pé esquerdo, gire o cotovelo esquerdo para fora.

5 Com o peso do corpo caindo sobre o abdômen, estenda as mãos e os pés para cima. Tente estender os braços de maneira a acentuar a curvatura da parte inferior da coluna. Fique nesta postura de cinco a dez respirações, antes de soltar os pés, um de cada vez, e entrar na Postura da Serpente I (p. 242).

INFORMAÇÕES

OLHAR: Ponto da terceira visão.

POSTURAS PREPARATÓRIAS: Postura do Arco, Postura de Anjaneya, Postura da Plumagem do Pavão, Postura do Pombo Real sobre um Pé.

POSTURAS COMPENSATÓRIAS: Postura do Cachorro Olhando para Baixo, Postura da Extensão das Costas, Postura do Sono dos Yogues.

ABRANDAMENTOS: a) Segure apenas um pé de cada vez. b) Use um cinto em volta dos pés.

EFEITO: Energização.

Postura Reclinada do Herói

Supta Virasana. Esta postura alonga intensamente a parte frontal das coxas. Abre a pélvis e faz aumentar a circulação de sangue nos órgãos abdominais.

1 Comece fazendo o aquecimento com a Meia Postura do Herói. Ajoelhe-se entre os calcanhares para sentar-se na Postura do Herói (p. 120). Estenda uma perna no chão à sua frente. Coloque as mãos espalmadas no chão atrás de você e recline a parte superior do corpo para trás. Eleve um pouco o assento e estenda o cóccix na direção dos joelhos para alongar a coluna lombar. Se possível, coloque os cotovelos no chão para que as palmas repousem perto das nádegas. Eleve outra vez o assento e reacomode a inclinação posterior da pélvis, para que o osso púbico se aproxime das costelas. Nesta posição, mantendo a coluna lombar alongada, deite-se de costas. Estenda os braços retos ao longo do chão acima da cabeça ou flexione os cotovelos acima da cabeça. Fique um tempo aí antes de repetir todo o procedimento do outro lado.

2 Para completar a Postura Reclinada do Herói, comece na Postura do Herói com os fêmures paralelos. Aperte as partes internas dos joelhos, enquan-

to contrai levemente as nádegas e empurra o cóccix em direção ao chão. Acomode a pélvis como na posição preparatória. Erga as nádegas e alongue a parte inferior da coluna para achatar o sacro no chão enquanto acomoda a parte superior do corpo no chão. Com isso, a parte frontal dos quadris e as coxas se abrirão intensamente. Mantenha os braços descansando ao lado das pernas ou estendidos acima da cabeça, ou ainda mantenha os antebraços dobrados para fechar os cotovelos e intensificar a abertura do peito.

3 Empurre as costelas flutuantes para baixo ao deslizar o cóccix em direção aos joelhos. Mantenha o máximo possível da coluna em contato com o chão ao deixar que a frente do corpo relaxe e se abra com a respiração. Mantenha o queixo contraído na direção do peito e a nuca alongada. Para erguer-se, coloque as mãos espalmadas sobre ou perto das plantas dos pés, pressione os antebraços contra o chão, inspire e erga o peito.

4 Para uma versão mais repousante desta postura, deite-se sobre uma almofada ou cobertores dobrados. Para descansar na Postura Reclinada do Herói, coloque uma pilha de cobertores dobrados ou uma almofada contra o sacro enquanto ainda estiver na posição sentada e acomode a coluna. Alinhe a nuca com a coluna. Se o queixo inclinar-se para o alto, coloque mais um cobertor sob a cabeça. Palmas voltadas para cima. Feche os olhos e, se quiser, cubra-se. Descanse nesta postura por até dez minutos.

INFORMAÇÕES

OLHAR: Para o infinito ou com os olhos fechados.

POSTURAS PREPARATÓRIAS: Postura do Herói, Postura da Ponte com Apoio, Postura do Camelo, Postura do Sapo.

POSTURAS COMPENSATÓRIAS: Postura da Criança e Postura da Criança (estendida), Postura da Extensão das Costas, Postura da Cabeça Além do Joelho.

ABRANDAMENTOS: a) Mantenha os joelhos bem afastados. b) Deite apenas parte das costas. c) Pratique a versão restauradora desta postura.

EFEITO: Abertura.

Postura do Pombo

Kapotasana. Esta desafiadora e elegante flexão para trás tonifica toda a coluna vertebral e expande o peito. Além de alongar os músculos quadríceps, ela atinge os músculos iliopsoas da frente das coxas que, em muitas pessoas, são rijos.

1 Deite-se na Postura Reclinada do Herói (p. 272) com os joelhos unidos. Empurre o cóccix para baixo e alongue a frente das pernas. Essa ação alonga também a coluna lombar e permite que você contraia as costelas flutuantes para o centro do corpo. Dobre os cotovelos e coloque uma mão de cada lado da cabeça com os dedos apontados para os pés e os cotovelos diretamente para cima. Faça algumas respirações enquanto se acomoda nesta posição.

2 Espere até sua intuição avisar que é hora de erguer-se. Quando isso ocorrer, inspire, erga os quadris para o alto e estenda os braços para erguer a cabeça do chão. Mova os quadris para a frente e arqueie a coluna para trás.

3 Flexione um pouco os cotovelos para arrastar as mãos até os pés. Descanse os cotovelos no chão, aproximando-

INFORMAÇÕES

OLHAR: Ponta do nariz.

POSTURAS PREPARATÓRIAS: Postura de Anjaneya, Postura do Camelo, Postura do Arco virado para Cima, Postura do Sapo.

POSTURAS COMPENSATÓRIAS:
Postura da Extensão das Costas.

ABRANDAMENTOS: a) Sente-se na Postura do Herói com as nádegas apoiadas sobre alguns blocos e, então, passe lentamente a flexionar-se para trás apoiando-se sobre os braços. Estenda então as mãos para segurar os pés. Aprenda pouco a pouco a arrastar as mãos para dentro e erguer-se na postura completa.

EFEITO: Energização

Flexões para Trás

275

4 Expirando, abaixe as pernas e os quadris e deite-se de costas na Postura Reclinada do Herói.

5 Uma vez que você tenha alcançado o domínio desta postura, é possível entrar nela da posição ajoelhada e então erguer-se da mesma maneira que desceu.

os um do outro. Mantenha os joelhos próximos um do outro. Incline a cabeça para trás e descanse-a no chão entre os pés ou o mais próximo possível deles. Você executou a postura completa ao conseguir segurar os calcanhares ou os tornozelos com as mãos. Fique nela pelo tempo que conseguir, mantendo a respiração regular e profunda.

Postura do Pombo Real sobre um Pé

Eka Pada Rajakapotasana. Esta majestosa postura alonga intensamente os ombros e a coluna vertebral. Também ajuda a regular as secreções hormonais, particularmente as da glândula tireoide.

1 Fique na Postura do Cachorro Olhando para Baixo (p. 162). Leve a perna esquerda à frente para colocar o pé atrás da mão direita, de maneira que o joelho esquerdo fique atrás da mão esquerda. Arraste a perna direita diretamente para trás do corpo ao abaixar os quadris em direção ao chão. Estenda os dedos do pé direito para trás. A nádega e a parte externa da coxa do lado esquerdo devem ficar descansando no chão. Alivie a pressão sobre a parte inferior das costas, erguendo o peito. Deixe a parte frontal da coxa esquerda se alongar enquanto os quadris descem mais. Fique respirando nesta postura até acomodar-se nela.

2 Flexione a perna direita e leve o pé direito o mais próximo possível da cabeça. Gire o pé de maneira que os dedos fiquem apontados para a direita. Usando a mão esquerda para se equilibrar, estenda a

mão direita para trás e segure o pé pelos dedos. Puxe a perna direita em direção ao corpo ao girar o braço para cima e para fora. Faça algumas respirações nesta postura.

3 Levante a mão esquerda do chão e coloque-a atrás da cabeça. Segurando o pé erguido atrás da cabeça com as mãos, deixe a cabeça inclinar-se para trás, enquanto o pé vai para a frente até que o topo da cabeça ou a testa repouse sobre o arco do pé. Mantenha-se nesta postura de cinco a dez respirações.

4 Expirando, solte as mãos, uma de cada vez, no chão. Volte com cuidado para a Postura do Cachorro Olhando para Baixo e, em seguida, repita todo o procedimento pelo outro lado.

INFORMAÇÕES

OLHAR: Ponto da terceira visão.

POSTURAS PREPARATÓRIAS: Postura de Anjaneya, Postura do Sapo, Postura de Hanumat, Postura do Pombo.

POSTURAS COMPENSATÓRIAS: Postura do Cachorro Olhando para Baixo, Postura da Cabeça Além do Joelho, Postura da Extensão das Costas.

ABRANDAMENTOS: a) Eleve o assento com um cobertor dobrado sob o períneo. b) Use um cinto para segurar o pé erguido.

EFEITO: Energização.

POSTURAS INVERTIDAS

As posturas invertidas melhoram a circulação linfática e venosa. Elas atuam sobre o coração e fortalecem o sistema imunológico. O aumento do suprimento de sangue para as glândulas endócrinas da garganta é a razão que justifica o fato de as inversões serem consideradas eficientes para equilibrar os hormônios.

Como para manter uma relação totalmente nova com a gravidade requer certo equilíbrio físico e mental, as inversões são posturas que acalmam. Elas nos possibilitam ver as coisas de outro ângulo. Aliviam o cansaço e aumentam a capacidade de concentração. Como as inversões aquietam a mente e acalmam todo o corpo, elas costumam ser praticadas no final de uma sessão de asanas, quando o corpo já está bem aquecido.

Ação Invertida

Viparita Karani. Esta postura passiva alivia a congestão nas pernas e revigora todo o sistema nervoso. Muitas das inversões são posturas para serem feitas por praticantes experientes, mas esta pode ser praticada com segurança por qualquer iniciante em yoga.

1 Sente-se no chão com o quadril e o ombro do lado direito contra uma parede. Flexione os joelhos e aproxime os calcanhares das nádegas.

2 Mantenha o quadril próximo da parede ao reclinar-se para trás, usando as mãos como apoio. Erga as pernas contra a parede, apoiando-se sobre os cotovelos. Então, deite as costas no chão e verifique se o corpo está em posição simétrica.

3 Com as nádegas próximas da parede e as pernas em posição vertical, escolha a posição dos braços. Você pode colocar as palmas das mãos sobre o abdômen ou estender os braços para os lados. Outra alternativa é estender os braços para cima da cabeça, com os cotovelos levemente dobrados. Se quiser, prenda um cinto macio em volta da metade das coxas, para que as pernas sejam mantidas próximas sem esforço. Deixe os

INFORMAÇÕES

OLHAR: De olhos fechados e com o foco no relaxamento por meio da respiração.

POSTURAS COMPENSATÓRIAS: Qualquer postura em pé.

ABRANDAMENTOS: a) Flexione um pouco os joelhos se tiver dificuldade para colocar as nádegas contra a parede. b) Coloque os joelhos flexionados contra o peito se sentir dormência nos pés.

EFEITO: Restaurador, calmante.

ADVERTÊNCIA

Quem sofre de pressão alta ou que tem problemas de visão, como retina descolada ou glaucoma, não deve praticar as posturas invertidas. Devem também ser evitadas pelas mulheres durante o período menstrual. Quem já teve lesão no pescoço, sofre de problemas cardíacos ou está grávida deve consultar um professor experiente. A maioria das inversões não deve ser praticada por iniciantes e recomenda-se que sejam praticadas sob a orientação de um professor experiente.

ombros se soltarem e se afundarem no chão. Mantenha a nuca alongada. Sintonize-se com o ritmo da respiração.

4 Deixe a língua descansar na base da boca e os globos oculares descerem para o fundo da base do crânio. Fique nesta postura no máximo dez minutos, respirando profundamente e deixando o ar circular por todo o corpo.

5 Uma variante desta postura é juntar as plantas dos pés e deslizar os calcanhares parede abaixo, de maneira que as laterais externas dos pés fiquem contra a parede e os joelhos bem afastados.
Ⓐ Uma alternativa é deixar as pernas se abrirem num grande "V" para alongar as partes internas das coxas. Ⓑ

Postura do Cachorro Olhando para Baixo com uma Perna Elevada

Eka Pada Adho Mukha Svanasana. Esta postura requer elasticidade nos ombros e pulsos e aumenta a flexibilidade dos tendões das pernas. Ela está mais para uma inversão do que para a clássica Postura do Cachorro Olhando para Baixo e, por isso, aumenta a resposta cardíaca.

1. Na Postura do Cachorro Olhando para Baixo (p. 162), aproxime bem os pés. Erga a perna esquerda para o alto em linha paralela ao chão. Estenda o calcanhar direito contra o chão enquanto empurra o esquerdo mais para fora. Gire a coxa esquerda para dentro para que os dedos do pé fiquem apontados diretamente para a frente. Firmando-se sobre as palmas das mãos pressionadas contra o chão, leve o peito em direção às coxas. Mantenha os ombros na mesma distância do chão. Fique nesta postura durante cinco respirações e, em seguida, abaixe a perna. Descanse, se sentir necessidade, antes de repetir a postura com a outra perna elevada.

2. Se você conseguir elevar a perna para o alto, a seguinte variação intensifica ainda mais o alongamento. Na Postura do Cachorro Olhando para Baixo,

INFORMAÇÕES

OLHAR: Umbigo.

POSTURAS PREPARATÓRIAS: Postura do Cachorro Olhando para Baixo, Postura da Extensão Lateral.

POSTURAS COMPENSATÓRIAS: Postura da Montanha.

ABRANDAMENTOS: a) Erga menos a perna. b) Mantenha o joelho da perna erguida flexionado. c) Da posição de quatro, erga uma perna para trás.

EFEITO: Restaurador, calmante.

---

vire os dedos do pé esquerdo para fora e erga a perna em direção ao teto, como da primeira vez, mas sem manter os ombros nivelados. Deixe o ombro esquerdo ir para a frente e o direito um pouco para trás, enquanto gira o peito para a esquerda e olha para cima por baixo da parte superior do braço esquerdo.

3 Flexione o joelho esquerdo e deixe o calcanhar pender perto das nádegas. Estenda o joelho flexionado mais para o alto e para trás. Esta ação intensifica o esforço do abdômen e ajuda a tonificar seus órgãos. Sinta toda a extensão do lado esquerdo do corpo se alongar para cima, desde o pulso da mão esquerda, passando pela axila esquerda e descendo pelo lado esquerdo do peito até o quadril esquerdo. Abaixe a perna esquerda expirando e repita a postura pelo outro lado.

Postura da Lua

Shashankasana. Esta postura alonga intensamente o pescoço e os ombros. Como a intensidade da postura pode ser controlada, ela é uma boa alternativa para quem ainda não está preparado para fazer a Postura da Cabeça (p. 296). Os efeitos são calmantes e restauradores do equilíbrio.

1 Comece na Postura da Criança (p. 100). Segurando os calcanhares com as mãos, contraia a cabeça para levar a testa o mais perto possível dos joelhos.

2 Inspirando, role para a frente até apoiar o topo da cabeça, de maneira que o peito se afaste das coxas e as nádegas se ergam para o alto. Ao expirar, abaixe as nádegas e o peito e volte para a posição inicial. Seguindo os movimentos da respiração, suba e desça as nádegas algumas vezes.

3 Na última repetição, mantenha os quadris elevados durante algumas respirações. Com as mãos segurando firmemente os calcanhares, pressione as partes do meio e superior das costas para aumentar o espaço entre as escápulas. Sinta a pele se esticar no meio das costas quando os músculos dessa região se soltam. Empurre as vértebras do pescoço diretamente para o topo da cabeça. Feche os olhos e sinta o alongamento na base do pescoço e em cima dos ombros.

INFORMAÇÕES

OLHAR: Com os olhos fechados, voltados para dentro, ou para o umbigo.

POSTURAS PREPARATÓRIAS: Postura da Criança.

POSTURAS COMPENSATÓRIAS: Postura do Peixe, Postura do Cadáver, Exercícios para soltar o pescoço.

ABRANDAMENTOS: a) Não role para a frente até apoiar o topo da cabeça. b) Pratique com um cobertor atrás dos joelhos ou sob os tornozelos se tiver rigidez nas articulações. c) Descanse a testa sobre uma almofada ou cobertor dobrado se tiver o pescoço rijo. d) Coloque as mãos mais perto dos ombros.

EFEITO: Equilíbrio.

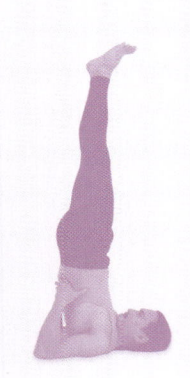

Postura de Todos os Membros

Sarvangasana. Esta postura invertida, devido à pressão exercida pelo queixo contra o peito, faz aumentar o suprimento de sangue para as glândulas tireoide e paratireoide. As glândulas endócrinas situadas no cérebro também recebem sangue novo. É recomendável que você faça esta postura mais para o final de sua prática de asanas, para poder apreciar realmente seus profundos efeitos calmantes.

1 Enquanto para os praticantes experientes pode ser confortável fazer esta postura sobre uma superfície forrada, como um tapete macio ou uma esteira própria para a prática de yoga, o uso de cobertores é apropriado para desfazer as tensões do pescoço dos iniciantes. Dobre dois ou três cobertores em forma retangular. Deite-se de costas sobre os contornos bem delineados da pilha de cobertores. O dorso da cabeça deve ficar no chão e a parte de cima dos ombros a uma distância de aproximadamente seis centímetros da margem dos cobertores dobrados. Flexione os joelhos para cima.

2 Contraia os músculos abdominais para levar as pernas acima da cabeça, com os joelhos flexionados. Apoie as costas com as mãos. Em seguida, firme-se sobre os ombros e aproxime os cotovelos um do outro. Com os braços estendidos, crie uma boa base para manter o corpo erguido nesta postura.

3. Estenda as pernas retas para o alto, estirando-as por trás. Estire todos os dedos dos pés para fora. Aproxime os cotovelos. Relaxe a pele do rosto. Sinta o prazer proporcionado pela Respiração Triunfante (p. 322) com o queixo pressionado contra a garganta. Fique nesta postura durante vinte respirações ou pelo tempo em que se sentir confortável nela. Com o passar dos meses, aumente gradualmente o tempo de permanência nesta postura para até cinco ou dez minutos.

INFORMAÇÕES

OLHAR: Dedos dos pés.

POSTURAS PREPARATÓRIAS: Ação Invertida, Postura da Ponte com Apoio.

POSTURAS COMPENSATÓRIAS: Postura do Peixe, Exercícios para soltar o pescoço, Postura da Cabeça Além do Joelho.

ABRANDAMENTOS: a) Na Ação Invertida, dobre os joelhos e empurre os pés contra a parede para erguer os quadris. Apoie com as mãos a coluna lombar. Se possível, erga uma ou ambas as pernas para o alto.

EFEITO: Equilíbrio.

4. Lembre-se que você está praticando a Postura de Todos os Membros e não "do Pescoço". Os músculos do pescoço devem permanecer relativamente relaxados. Se estiverem rijos, firme mais os quadris para dobrar as pernas sobre o rosto e aliviar a pressão. Esta é a postura chamada de Meia Postura de Todos os Membros e é a melhor opção para muitos iniciantes.

Quando você combina esta prática com a atenção voltada para os chakras da linha que vai do plexo solar até a garganta, ela se torna uma mudra, o Selo do Efeito Invertido.

5. Para sair desta postura, leve as pernas para cima da cabeça. Pressione as mãos contra o chão e abaixe-se com cuidado.

Sequência da Postura de Todos os Membros

A prática combinada das seguintes variações da Postura de Todos os Membros (p. 286) constitui uma ótima sequência. Se quiser, inclua nela também a Postura do Arado (p. 292) e a Postura da Pressão nas Orelhas (p. 294). Mantenha-se em cada uma delas de cinco a quinze respirações.

Postura de Todos os Membros com uma Perna Estendida
Eka Pada Sarvangasana

Da Postura de Todos os Membros, com as as pernas estendidas, abaixe a esquerda por cima da cabeça, se possível, até colocar os dedos do pé no chão. Estenda a perna direita para o alto em linha vertical, visualizando uma corrente de energia percorrendo a parte interna da perna. Empurre a ponta do pé direito para fora e estenda os dedos dos pés. Para estender mais as costas, contraia a coluna lombar e, em seguida, as vértebras do meio das costas. Mantenha as pernas retas. Depois de cinco a quinze respirações, erga a perna esquerda e repita a postura com a outra.

Postura de Todos os Membros Lateral
Parshva Sarvangasana

Abaixe as pernas para a esquerda por cima da cabeça. Gire o torso para a esquerda e leve a mão direita para o centro do sacro, de maneira que o dedo médio fique na fenda entre as nádegas. Coloque a mão esquerda no chão. Gire mais o torso e, em seguida, abaixe a perna esquerda para trás pela direita enquanto estende a direita diagonalmente para a frente e para a esquerda de maneira a cruzá-las no ar. Pressione os cotovelos e os ombros contra o chão. Firme as nádegas e estire bem as pernas até as pontas dos pés. Repita do outro lado.

Postura de Todos os Membros com Ângulo Reclinado
Supta Kona Sarvangasana

Da Postura do Arado (p. 292), afaste os pés para formar um grande "V". Se os pés tocarem o chão, tire as mãos da coluna lombar e leve-as para trás da cabeça para segurar os dedos dos pés. Abra os ombros e distribua o peso do corpo igualmente sobre eles. Para voltar para a Postura de Todos os Membros, apoie primeiro as costas com as mãos.

Postura de Todos os Membros com o Lótus Elevado
Urdhva Padma Sarvangasana

Nesta variação, as pernas são cruzadas em forma de lótus. Para fazê-la, você terá de dominar a Postura do Lótus (p. 152). Da Postura de Todos os Membros (p. 286), flexione o joelho direito e coloque o pé direito na virilha esquerda. Use a mão esquerda se necessário para ajustar o ângulo. Acomode os quadris para que as pernas se aproximem do rosto, flexione o joelho esquerdo para o lado de fora e coloque-o sobre o joelho direito. Apoiando-se sobre a mão esquerda, use a mão direita para ajudar o pé a escorregar para baixo até a virilha direita. Depois de dez a quinze respirações, solte as pernas, estenda-as para o alto e repita, cruzando antes a perna esquerda.

Postura do Lótus Elevado
Urdhva Padmasana

A partir da Postura de Todos os Membros com o Lótus Elevado, posicione os quadris de modo a dobrar o lótus para a frente. Tire as mãos da coluna lombar e coloque-as nos joelhos. Estenda os braços e, para ajudar a se equilibrar, firme-se sobre os joelhos enquanto as pernas fazem pressão para baixo. Abra toda a extensão dos ombros. Faça dez respirações. A cada vez que praticar esta postura, alterne a posição das pernas cruzadas. Para levar esta postura adiante, abaixe as pernas até o peito. Passe os braços em volta de toda a forma do lótus para aproximar mais as pernas do peito. Segure um pulso com a outra mão. Esta é a Postura do Embrião 1.

Postura de Todos os Membros sem Apoio
Niralamba Sarvangasana

Por não contar com o apoio dos braços para estabilizar-se nesta postura, pratique-a com cautela caso seu pescoço precise de cuidados especiais. Para aquecer o corpo e preparar-se, pratique a Postura de Todos os Membros. Então, dobre um pouco os quadris para abaixar levemente as pernas acima da cabeça. Retire as mãos das costas e estenda os braços diretamente para cima. Usando os músculos das costas e do abdômen, mova as pernas para o alto e para trás em linha vertical. Alongue toda a extensão dos ombros até as pontas dos dedos das mãos ao estendê-los para o alto. Estire os dedos dos pés para fora. Continue usando os músculos das costas. Mantenha-se nesta postura durante dez respirações estáveis e volte para a Postura de Todos os Membros.

Postura do Arado

Halasana. Esta inversão com as pernas estendidas para a frente por cima da cabeça é extremamente rejuvenescedora para todo o sistema nervoso. Os órgãos abdominais são contraídos e tonificados. O pescoço e os ombros são aliviados de toda tensão habitual e a coluna é alongada ao máximo. É a postura natural para sair da Postura de Todos os Membros (p. 286).

1 Deite-se de costas sobre uma superfície estofada, como um tapete macio ou um cobertor dobrado. Os iniciantes podem preferir usar dois ou três cobertores dobrados. Com os cobertores dobrados sob as costas, os ombros e os cotovelos num plano mais elevado, acomode a cabeça num plano mais baixo. Com o corpo estirado no chão, relaxe os ombros, afastando-os das orelhas. Empurre o queixo em direção ao peito, alongando a nuca.

2 Flexione os joelhos em direção ao peito. Pressione firmemente as palmas das mãos no chão ao estender os pés por cima da cabeça, alongando as pernas. Se os dedos dos pés não tocarem o chão, mantenha as palmas das mãos na coluna lombar. Tome cuidado para não exagerar nesta posição, pois esta é uma flexão para a frente muito intensa que faz recair muito peso sobre os ombros e o pescoço. Mantenha a cabeça alinhada com o resto da coluna vertebral.

3 Firme os dedos dos pés no chão atrás da cabeça. Para intensificar a postura, erga os ísquios para o alto ao estirar as pernas por trás, alongando os tendões. Erga a parte superior do peito em direção ao queixo, colocando a colu-

na em posição mais vertical. Junte as palmas das mãos e entrelace os dedos, rolando mais para cima dos ombros. Pressione as laterais externas das mãos contra o chão. Se possível, vire os pés para que seus dorsos fiquem voltados para o chão.

4 Para sair da postura, abaixe as nádegas até o chão e use os músculos abdominais para ajudar a descer lentamente as pernas mantendo o dorso da cabeça no chão. A seguir, pratique algumas posturas compensatórias para soltar o pescoço.

INFORMAÇÕES

OLHAR: Ponta do nariz.

POSTURAS PREPARATÓRIAS: Postura da Extensão das Costas, Postura da Lua, Meia Postura de Todos os Membros, Ação Invertida.

POSTURAS COMPENSATÓRIAS: Postura da Rotação do Abdômen, Postura da Cabeça Além do Joelho, Postura do Peixe, Exercícios para soltar o pescoço.

ABRANDAMENTOS: a) Descanse as pernas (desde a base das coxas) sobre o assento de uma cadeira. b) Flexione os joelhos. c) Coloque os braços dobrados no chão acima da cabeça.

EFEITO: Calmante, restaurador.

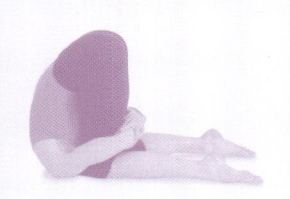

Postura da Pressão nas Orelhas

Karnapidasana. Esta é uma flexão intensa para a frente que requer muita flexibilidade na coluna e coloca muita pressão sobre o pescoço. Uma vez que você se sinta à vontade nela, esta postura se torna extremamente aconchegante, pois proporciona a sensação reconfortante de estar protegido.

1 Da Postura do Arado (p. 292), coloque os joelhos dobrados ao lado das orelhas. Se entrar nesta postura a partir da Postura de Todos os Membros (p. 286) sobre cobertores dobrados, é muito mais difícil conseguir levar as canelas até o chão e, por isso, talvez você precise firmar-se sobre as pontas dos pés. Para ajudar a erguer o tronco, estenda os braços no chão atrás do corpo e entrelace os dedos das mãos.

2 Estenda as canelas e os dorsos dos pés no chão de maneira que os dedos dos pés fiquem apontados para fora. Passe os braços por trás dos joelhos e junte as mãos. Mantenha-se nesta postura de cinco a dez respirações antes de apoiar as costas e voltar para a Postura do Arado.

INFORMAÇÕES

OLHAR: Ponta do nariz.

POSTURAS PREPARATÓRIAS: Postura de Todos os Membros, Postura do Arado, Postura da Extensão das Costas.

POSTURAS COMPENSATÓRIAS: Exercícios para soltar o pescoço, Postura do Peixe, Postura da Cabeça Além Joelho.

ABRANDAMENTOS: a) Descanse os joelhos sobre a testa ou perto das órbitas dos olhos. b) Firme-se sobre as pontas dos pés. c) Não leve os joelhos até o chão. d) Use as mãos para apoiar as costas em vez de prendê-las uma a outra.

EFEITO: Calmante.

3 Uma versão mais intensa desta postura é passar os braços por cima das pernas e colocar as mãos embaixo da cabeça. Quando esta postura é combinada com a atenção voltada para o centro do plexo solar, ela se torna uma mudra, o Selo do Laço.

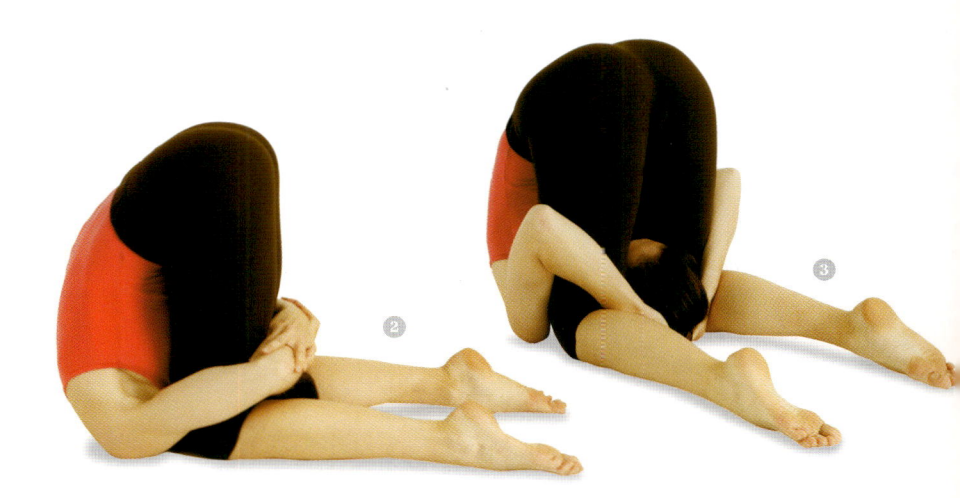

Posturas Invertidas

Postura da Cabeça

Shirshasana. Também conhecida como o "Rei dos Asanas", a Postura da Cabeça traz inúmeros benefícios: acalma o sistema nervoso, nutre as células do cérebro, estimula o funcionamento cardíaco e a circulação, equilibra os sistemas hormonal e digestivo e fortalece o espírito.

1 Nesta clássica postura de yoga, o peso do corpo repousa sobre a cabeça e os braços. Como o corpo pesa consideravelmente mais que a cabeça, a devida preparação, acompanhada do alinhamento correto, é essencial. Coloque um cobertor dobrado ou uma esteira própria para a prática de yoga à sua frente. Ajoelhe-se à frente desse cobertor. Coloque os antebraços sobre o cobertor, com os cotovelos na linha dos ombros e os dedos das mãos entrelaçados de modo que formem um triângulo. Se usar uma parede para, no começo, evitar cair, mantenha os nós dos dedos afastados a uma distância de seis a oito centímetros dela.

2 Durante a execução da Postura da Cabeça, é importante manter a extensão que vai dos cotovelos aos ombros bem erguida. Pratique elevar-se por meio da pressão dos cotovelos e do movimento dos ombros em direção aos quadris. Feche o espaço vazio entre o chão e a extremidade dos

pulsos. Esses movimentos devem aumentar a distância entre os ombros e as orelhas e elevar a cabeça do chão. Se não conseguir erguer a cabeça, você não está em condições de fazer a Postura da Cabeça e precisa antes trabalhar para aumentar sua força e flexibilidade.

3 Coloque o topo da cabeça entre os pulsos, com o dorso descansando contra as mãos. Para que o pescoço fique corretamente alinhado, a ponta exata da cabeça (nem mais para a frente nem mais para trás) tem que estar em contato com o chão.

4 Firme-se sobre os dedos dos pés e estenda os joelhos, de modo a formar um "V" invertido. Arraste os pés em direção à cabeça, transferindo aos poucos o peso do corpo sobre a cabeça.

> ### INFORMAÇÕES
>
> **OLHAR:** Ponta do nariz.
>
> **POSTURAS PREPARATÓRIAS:** Postura da Lua, Postura do Cachorro Olhando para Baixo, Postura da Plumagem do Pavão.
>
> **POSTURAS COMPENSATÓRIAS:** Fique na Postura da Criança por algum tempo depois de ter saído da Postura da Cabeça; Postura de Todos os Membros e Exercícios para soltar o pescoço.
>
> **ABRANDAMENTOS:** Peça a ajuda de um professor experiente.
>
> **EFEITO:** Equilíbrio.

5 Quando os pés chegarem o mais próximo possível da cabeça, erga-os do chão (um de cada vez ou, se de uma só vez, com muito cuidado) e leve lenta-

Postura da Cabeça (continuação)

mente os calcanhares até as nádegas. Firme-se bem no chão apoiando-se sobre os cotovelos e lados dos pulsos. A partir dessa base firme, continue erguendo-se para aliviar o peso sobre a cabeça e o pescoço.

6 Com os pés já no alto, estenda as pernas, puxando-as para cima pelos calcanhares. Pressione novamente os cotovelos contra o chão e erga os ombros. Se estiver perto de uma parede, ela só deverá ser usada como medida de proteção e não para manter o corpo erguido. As costelas flutuantes não devem se projetar para fora. Se isso acontecer, alongue a parte de trás da cintura e contraia o abdômen para puxá-las para dentro. Mais adiante, você poderá aprender a se erguer com as pernas estiradas. Em todos os casos, os pés devem ser mantidos juntos. E, mais importante, o movimento de elevação não deve ser brusco, mas executado lentamente e de maneira controlada.

7 No começo, fique nesta postura até completar cinco respirações. Aos poucos, e com o passar dos meses, vá aumentando a permanência nela para dez minutos ou mais. Saia dela, seguindo os mesmos passos, porém na ordem inversa, que deu para subir, e descanse na Postura da Criança (p. 100), enquanto faz algumas respirações.

Postura da Cabeça para o Lado

Parshva Shirshasana. Nesta variação da Postura da Cabeça (p. 296), o corpo é torcido de maneira que as pernas e os pés se voltam para um lado. São muitas as variações da Postura da Cabeça. Quando você tiver o domínio desta postura, forme com ela uma sequência fluida, ou um Ciclo de Postura da Cabeça.

Pratique a Postura da Cabeça. Pressione com força os cotovelos para erguer os ombros do chão. Expirando, gire o corpo totalmente para a direita, levando o quadril direito para trás e o esquerdo para a frente. Continue estirando os calcanhares para o alto. Contraia o umbigo e as costelas flutuantes em direção à coluna para evitar o arqueamento das costas. Tendo a coluna como eixo central, gire o corpo o máximo que puder para a direita. Mantenha os cotovelos e a cabeça estáveis. Expirando, volte o corpo para o centro e fique respirando antes de repetir a torção para o outro lado. Outra variação envolve flexionar os joelhos para aproximar os calcanhares das nádegas e, então, girar o corpo, firmando-se sobre a pressão de ambos os cotovelos.

INFORMAÇÕES

OLHAR: Ponta do nariz.

POSTURAS PREPARATÓRIAS: da Cabeça.

POSTURAS COMPENSATÓRIAS: Postura de Todos os Membros, da Criança, do Embrião.

ABRANDAMENTOS: Apoie-se na parede.

EFEITO: Equilíbrio.

Postura do Lótus Elevado

Urdhva Padmasana. Nesta variação da Postura da Cabeça (p. 296), as pernas são cruzadas em Lótus. Por isso, antes de tentar fazer esta postura, você precisa ter o domínio perfeito da Postura do Lótus (p. 152).

Pratique a Postura da Cabeça até conseguir manter-se nela em equilíbrio estável. Flexione o joelho direito e coloque o pé direito sobre a virilha esquerda. Flexione o joelho esquerdo e leve o pé esquerdo por cima do joelho direito. Deixe-o então escorregar pela coxa direita para levá-lo até a virilha direita. O uso de uma malha lisa ajuda o pé a deslizar pela coxa. Talvez você tenha que virar um pouco o pé esquerdo para acomodá-lo na posição de lótus. Depois de fazer entre dez e quinze respirações, expire e estenda as pernas. Repita a postura começando o cruzamento pela perna esquerda.

INFORMAÇÕES

OLHAR: Ponta do nariz.

POSTURAS PREPARATÓRIAS: Postura da Cabeça, Postura do Lótus.

POSTURAS COMPENSATÓRIAS: Postura da Criança, Postura de Todos os Membros.

ABRANDAMENTOS: a) Pratique diante de uma parede. b) Peça a ajuda de alguém para cruzar as pernas.

EFEITO: Equilíbrio.

Postura do Bastão Voltado para Cima

Urdhva Dandasana. Nesta variação da Postura da Cabeça, as pernas formam um ângulo de 90 graus com o tronco. Para executá-la é preciso ter muita força nos músculos abdominais.

Posturas Invertidas

301

Faça a Postura da Cabeça e equilibre-se bem nela. Firme sua base sobre a pressão dos cotovelos para erguer os ombros. Abaixe lentamente as pernas até colocá-las em posição horizontal, mantendo-as retas.

Crie uma corrente energética para alongar toda a extensão que vai das coxas até os dedos dos pés. Ao abaixá-las, leve simultaneamente os quadris para trás de maneira a manter o equilíbrio. Mantenha os joelhos estirados. Fique nesta postura de cinco a dez respirações. Retorne para a Postura da Cabeça com as pernas retas.

INFORMAÇÕES

OLHAR: Ponta do nariz.

POSTURAS PREPARATÓRIAS: Postura da Cabeça, Postura do Barco.

POSTURAS COMPENSATÓRIAS: Postura da Criança, Postura do Arado.

ABRANDAMENTOS: a) Abaixe um pouco as pernas. b) Descanse os pés numa cadeira.

EFEITO: Fortalecimento.

Postura da Cabeça com Apoio

Salamba Shirshasana. Nesta variação da Postura da Cabeça (p. 296), o peso do corpo recai mais sobre a cabeça, enquanto as mãos são usadas para manter o equilíbrio. Para mantê-la, o alinhamento da cabeça com a coluna é de máxima importância. Ela é muitas vezes usada como preparação para algumas posturas de equilíbrio sobre os braços, como a Postura do Sábio Galava com uma Perna Erguida e a Postura do Sábio Kundina (pp. 228 e 232).

1 Para fazer a Postura da Cabeça com Apoio, use um cobertor dobrado para proteger a cabeça, mas que não seja excessivo, uma vez que é preciso ter alguma firmeza para que a cabeça não oscile. Ajoelhe-se diante do cobertor dobrado. Coloque o topo da cabeça sobre o cobertor e as mãos espalmadas no chão, na linha dos ombros. Os dedos das mãos devem ficar apontados para a frente. Mantenha os cotovelos acima das mãos, sem deixar que se desloquem.

Posturas Invertidas

303

2 Firmando-se sobre as pontas dos pés, estenda os joelhos e arraste os pés em direção à cabeça, transferindo aos poucos o peso do corpo por sobre a cabeça. Inspirando, exerça a mesma pressão com as palmas das mãos contra o chão. Flexione os joelhos e erga os pés do chão.

3 Erga o corpo até colocar-se totalmente na Postura da Cabeça com os pés unidos. Ao adquirir mais experiência, você poderá erguer-se com as pernas retas. Mantenha os cotovelos voltados para dentro e pressionando firmemente para baixo pelas polpas dos polegares. Erga as escápulas e os ombros para afastá-los do chão. Estenda os pés para o alto e contraia as costelas flutuantes para dentro, mantendo o corpo totalmente reto, como na Postura da Montanha (p. 46). Ajuste o equilíbrio com as mãos, se necessário.

4 Fique nesta postura durante cinco respirações. Depois de meses de prática regular, você poderá chegar a permanecer nela por cinco a dez minutos. Saia da postura como entrou e descanse na Postura da Criança (p. 100).

INFORMAÇÕES

OLHAR: Ponta do nariz.

POSTURAS PREPARATÓRIAS: Postura da Cabeça, Postura da Cegonha.

POSTURAS COMPENSATÓRIAS: Postura de Todos os Membros, Exercícios para soltar o pescoço, Postura da Criança, Postura do Cadáver.

ABRANDAMENTOS: a) Pratique perto de uma parede. b) Peça a ajuda de um professor experiente.

EFEITO: Calmante.

Postura da Árvore de Cabeça para Baixo

Adho Mukha Vrkshasana. Esta postura lembra aquela parada de mãos dos ginastas que para os adultos em geral constitui um desafio mental. Ela exige que superemos o medo do desconhecido para conseguirmos arremeter o corpo para o alto. Por exigir total concentração mental para manter o equilíbrio, ela aumenta a força dos ombros, braços e pulsos.

1 Entre na Postura do Cachorro Olhando para Baixo (p. 162) com as mãos afastadas a uma distância de aproximadamente quinze centímetros de uma parede. Se os dedos das mãos estiverem a uma distância menor que essa, fica mais difícil elevar as pernas em posição vertical. Coloque as palmas das mãos na largura dos ombros, com os dedos médios apontados para a parede. As mãos devem ficar em posição simétrica. Impulsione-se para a frente até os ombros ficarem exatamente acima das pontas dos dedos. Você estará sobre as pontas dos pés e sentirá que o passo natural a ser dado a partir dessa posição é arremeter-se para o alto.

2 Decida qual será a perna dominante a ser arremetida. Flexione a outra perna para cima, aproximando o calcanhar da nádega.

3 Flexione a perna de apoio e, inspirando, impulsione-a para o alto, deixando a outra perna suspensa, com o calcanhar procurando tocar a parede. Não esqueça de erguer também os quadris. Visualize as pernas flutuando, como as de um bailarino

INFORMAÇÕES

OLHAR: Ponta do nariz.

POSTURAS PREPARATÓRIAS: Postura do Cachorro Olhando para Baixo, Postura do Cachorro Olhando para Baixo com uma Perna Elevada, Postura da Cabeça.

POSTURAS COMPENSATÓRIAS: Postura da Criança, Postura do Embrião, Exercícios para soltar os pulsos.

ABRANDAMENTOS: Coloque uma pilha de blocos entre as mãos e descanse a cabeça sobre ela.

EFEITO: Equilíbrio.

5 Quando sentir firmeza na prática de erguer uma perna de cada vez, erga ambas simultaneamente. Para arremetê-las juntas, é preciso ter confiança, bem como uma considerável força dos músculos abdominais. A sequência de movimentos começa por colocar os ombros por sobre as pontas dos dedos das mãos. Ao arremeter as pernas para o alto, flexione os joelhos para dentro, aproximando as coxas do torso. Os quadris devem ficar alinhados acima dos ombros. Estenda as pernas para o alto.

pairando no ar. Junte os pés e estenda-os pelos calcanhares para o alto.

4 Quando o corpo já estiver erguido, lembre-se de respirar. Pressione o chão com os dedos das mãos até suas pontas ficarem embranquecidas. Estire bem os braços e fixe o olhar num ponto entre as mãos ou um pouco à frente delas. Ao afastar cuidadosamente os calcanhares da parede, alongue as costas para contrair as costelas flutuantes e manter o equilíbrio. Fique nesta postura de cinco a dez respirações.

6 Aos poucos, aprenda a se equilibrar sem se apoiar na parede, até por fim tentar fazer a postura longe dela.

Postura do Pavão com a Plumagem Exposta e Postura do Escorpião (Vrshikasana)

Pincha Mayurasana. Esta postura, que requer muita flexibilidade, trabalha intensamente os ombros. Nela, o peso do corpo recai totalmente sobre os cotovelos e antebraços. Por isso, ela fortalece os ombros e os braços, além de alongar o abdômen.

1. Coloque um cobertor dobrado ou uma esteira própria para a prática de yoga à sua frente. No começo, apoie-se numa parede. Ajoelhe-se diante do cobertor dobrado e coloque os antebraços sobre ele em linha paralela, com os cotovelos separados na linha dos ombros e as mãos espalmadas no chão.

2. Firme-se sobre os dedos dos pés e estenda os joelhos, de modo que a posição do corpo adote a forma de um "V" invertido. Se os polegares ficaram perto um do outro, reajuste a sua posição para os antebraços voltarem a ficar em linha paralela.

3. Arraste os pés em direção aos braços, transferindo aos poucos o peso do corpo por sobre os cotovelos, e erga as pernas para o alto, uma de cada vez, mantendo-as retas. Junte os pés, estenda as pernas e alongue os calcanhares para cima. Se estiver prati-

INFORMAÇÕES

OLHAR: Ponta do nariz.

POSTURAS PREPARATÓRIAS: Postura da Cabeça (a Postura do Pombo para fazer a Postura do Escorpião).

POSTURAS COMPENSATÓRIAS: Postura da Criança, Postura de Todos os Membros, versão relaxante da Postura da Extensão.

ABRANDAMENTOS: a) Coloque um bloco de madeira entre os pulsos para mantê-los separados. b) Apoie-se numa parede. Para entrar na Postura do Escorpião, desça os pés pela parede em direção à cabeça.

EFEITO: Equilíbrio.

4 Quando já tiver conseguido equilibrar-se na Postura da Plumagem do Pavão, você poderá passar para a Postura do Escorpião, que tem a forma de um escorpião pronto para atacar. Por ser uma postura invertida avançada que envolve intensa flexão para trás, ela energiza e fortalece.

5 Na Postura da Plumagem do Pavão, pressione os pulsos contra o chão. Estenda o corpo para cima e faça algumas respirações. Expirando, flexione os joelhos, erga a cabeça e incline-a para trás. Curve a coluna e abaixe lentamente os pés até colocar as solas sobre ou perto do topo da cabeça. Mantenha os joelhos o mais próximo possível um do outro. Erga o peito, afastando-o dos ombros. Esta é a Postura do Escorpião.

6 Fique nesta postura de cinco a dez respirações e, em seguida, ou volte para a postura inicial ou estenda um pouco as pernas para entrar na Postura do Arco Virado para Cima (p. 26€). Desta postura, você pode ou descer para deitar-se no chão, ou, se for um praticante avançado, erguer-se para a Postura da Montanha (p. 46).

cando diante de uma parede, afaste os pés dela. Com o rosto voltado para o chão, pressione os cotovelos e erga-se pelos ombros. Mantenha a parte superior dos braços perpendicular ao chão. Estenda a coluna mais para a posição vertical. Para impedir que as costelas flutuantes se projetem excessivamente para fora, alongue a parte de trás da cintura e comprima o abdômen. Fique nesta postura de cinco a dez respirações antes de descer da mesma maneira que subiu.

RELAXAMENTO

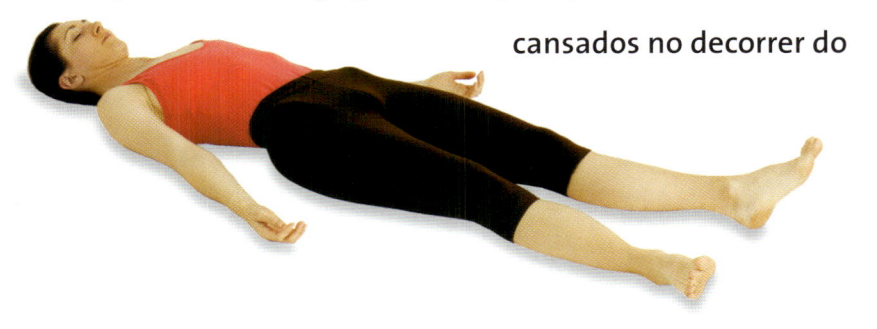

No contexto da prática de yoga, a hora de relaxar é a oportunidade de deixar o corpo integrar os efeitos da prática. Durante esse período de repouso, o prana ativado pelas posturas praticadas pode ser usado para curar e energizar todo o organismo. É por isso que os praticantes de yoga sabem que, quando se sentem cansados no decorrer do dia, um período de relaxamento é mais eficiente do que tirar uma soneca. Você sai de um período de relaxamento com as energias renovadas. E quanto mais você pratica, melhor você se sente!

De acordo com o ritmo normal de pulsação da vida, é natural repousar após ter realizado um grande esforço. Enquanto vai soltando aos poucos as tensões do corpo, da mente e das emoções, você aprende a acessar um estado de profunda paz interior. Nele, não há pressões nem anseios. Não há nada a que se prender. Apenas reaprender a relaxar.

Postura do Cadáver

Shavasana. A postura reclinada no chão com os olhos fechados proporciona ao corpo a possibilidade de relaxar profundamente. No início, esta postura pode ser surpreendentemente difícil, porque a mente inquieta nos distrai e afasta da paz que temos à nossa disposição nas profundezas do corpo em repouso e ficamos nos revirando de um lado para outro. Com a prática, a mente e o corpo aprendem a entrar mais facilmente em estado de relaxamento.

1 Deite-se de costas no chão com as pernas estendidas para fora, os braços e as mãos com as palmas viradas para cima ao lado do corpo e os olhos fechados. Erga um pouco as nádegas do chão, alongando a coluna lombar para que o sacro se achate no chão e deixe a coluna se alongar em direção ao topo da cabeça.

2 Estenda as pernas, puxando-as pelos calcanhares e, em seguida, deixe-as relaxar completamente, com os pés pendendo para os lados.

3 Deixe os ombros se soltarem e se afundarem no chão. Empurre o queixo em direção à garganta para alongar a nuca.

4 Deixe os dentes molares se soltarem e os lábios levemente abertos. Desprenda a língua do palato e deixe-a solta no meio da boca, atrás da arcada inferior dos dentes.

5 Visualize os globos oculares se afundando em direção à base do crânio e a pele da testa se esticando. Solte as tensões ao redor dos olhos e sinta como as pequenas linhas que os contornam se suavizam.

6 Leve a atenção para a respiração e deixe o ar entrar e sair livremente do corpo pelas narinas. Visualize o corpo todo respirando, do topo da cabeça até as pontas dos dedos dos pés.

7 Respirando mais profundamente, deixe o corpo se soltar e afundar-se no chão. É como se ele se desprendesse de tudo ao redor. Sinta-se fundir com as camadas mais profundas do corpo, onde tudo é fluido. Na Postura do Cadáver, não existe nada que não seja a entrega acompanhada de uma profunda experiência de expansão.

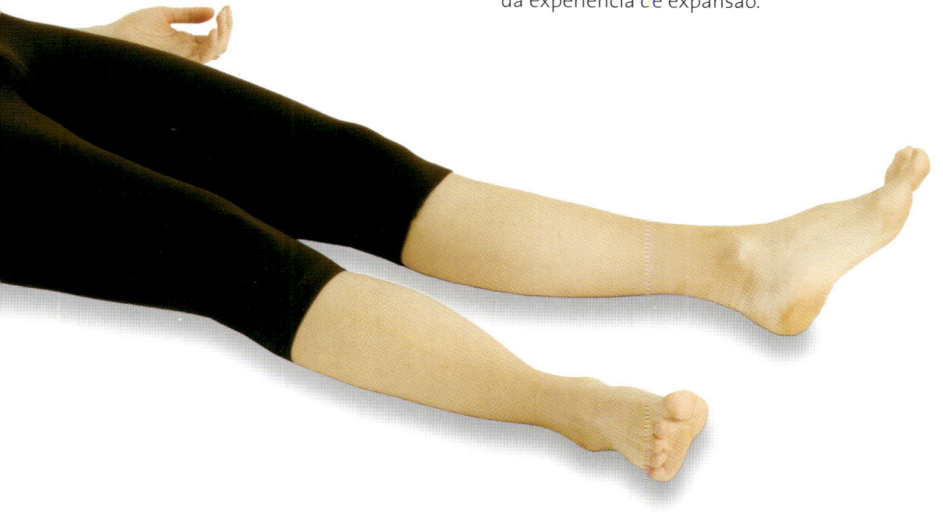

Posturas de Relaxamento a Serem Incorporadas à Prática de Yoga

As seguintes posturas são muito eficientes sempre que você sentir necessidade de relaxar durante a prática de yoga. As posturas restauradoras apresentadas a partir da p. 350 requerem um pouco mais em termos de prática, mas são excelentes formas de começar e terminar uma prática.

Uma postura nova pode ser um grande desafio. É como se ela exigisse tudo que você é capaz de dar e não sobrasse muito espaço para qualquer tipo de relaxamento. Se uma determinada postura implica 95% de esforço e apenas 5% de relaxamento, você pode achar sua prática muito exigente e estrita. Entretanto, à medida que vai ficando mais à vontade na postura, você começa a perceber que ela exige menos esforço. Você será capaz de manter-se numa postura fisicamente intensa, mas mesmo assim sobrar espaço para introduzir nela um elemento de conforto. A relação entre esforço e relaxamento baixará primeiro para 80:20%, em seguida para 70:30% e assim por diante. Enquanto isso ocorre, a postura vai ganhando estabilidade (stira) e comodidade (sukha). Como a estabilidade e a comodidade aumentam com a prática regular, seu esforço se torna mais gratificante à medida que você sente mais liberdade e prazer.

Postura da Criança, p. 100, e suas variações.
Postura da Criança (estendida), p. 102.

Versão Relaxante da Postura da Extensão

Uttanasana. Esta postura representa uma pausa na prática de uma sequência de posturas em pé. Modifique a Postura da Extensão (p. 68), afastando os pés na largura dos quadris e flexionando os joelhos para descansar o peito contra as coxas. Deixe os braços penderem ou dobre-os. Deixe a cabeça pender solta. Sinta o rosto se soltar.

Versão relaxante da Postura da Extensão das Costas

Em vez de manter as pernas estiradas, flexione-as apenas o necessário para descansar as costelas sobre as coxas. Deixe a cabeça pender, talvez com o rosto apoiado entre os joelhos. Encontre a posição mais confortável para os braços. Crie uma boa base de apoio para relaxar.

Postura do Embrião, p. 103.

Postura do Crocodilo, p. 246.

Postura do Cadáver, p. 310.

Parte Dois

Pranayama

Ar, vida e energia são elementos intrinsecamente ligados e os yogues referem-se aos três com uma mesma palavra: *prana*. O pranayama, que é uma prática de respiração controlada, aumenta a vitalidade e a concentração mental, além de expandir o nível de consciência.

A respiração atua como

uma ponte para o sistema nervoso e por meio das práticas de *pranayama*, é possível observar o nível de profundidade de sua conexão com a mente. Assim como a respiração se altera de acordo com os estados de espírito, também os estados psicológicos podem ser alterados pelo controle da respiração. A respiração consciente leva oxigênio e energia para as células e intensifica todos os processos celulares. É uma fantástica fonte de energia. É muito simples: respirando melhor, nos sentimos melhor.

Respiração Simétrica

Sama Vritti Pranayama. Este exercício ajuda a soltar as tensões e retornar à própria base. Ele exige muita atenção na respiração e, como para isso a mente tem de estar totalmente envolvida, ele se torna um bom exercício de concentração. Equilibra a mente e combate a ansiedade e a dificuldade para dormir. Ela pode ser praticada em muitos lugares diferentes.

1. Deite-se ou sente-se confortavelmente e comece voltando a atenção para o seu modo natural de respirar. Passado um tempo, comece a contar mentalmente o tempo de sua respiração. Inspire e expire contando quatro tempos e continue assim até completar de cinco a oito ciclos respiratórios.

2. Em seguida, prolongue a inspiração e a expiração para cinco tempos. Depois de completar mais ou menos cinco ciclos, passe para seis tempos. Preste atenção em como estão o corpo e a mente. Pode ser que você tenha começado a tensionar certas áreas; procure manter o corpo relaxado.

3. Prolongue a inspiração e a expiração para sete tempos cada uma. Volte a observar o corpo para ver se não há nenhuma tensão acumulada em alguma área. Veja se a pele da testa está lisa e as mandíbulas relaxadas.

4. Depois de completar entre cinco ou dez ciclos, passe a contar oito tempos. Se sentir que esse prolongamento da respiração está causando tensão, volte para uma contagem que, mesmo sendo de uma respiração prolongada, não causa tensão. Forçar a respiração é totalmente contraproducente.

5 Se continuar se sentindo confortável, passe a contar nove tempos. Relaxe a pele do rosto. Solte a língua. Depois de algum tempo, talvez você queira prolongar a respiração para dez tempos. Qualquer que seja a contagem final, continue fazendo vários ciclos de respirações longas e uniformes. Então, abandone a contagem de tempos e respire naturalmente até completar dez ciclos. Observe como é estar em seu corpo neste exato momento. Como está sua mente? Como estão suas emoções? É mais do que provável que você esteja se sentindo mais relaxado do que quando começou a prática. Quando terminar a prática, mantenha a intenção de conectar-se com este estado de relaxamento ao prosseguir com as atividades corriqueiras.

Respiração com Zumbido de Abelha

Bhramari. Voltar-se para o interior de si mesmo e ouvir o som da própria respiração é uma atividade extremamente regeneradora. Esta prática acalma as emoções e, por restabelecer a conexão com o ritmo vital que pulsa no interior de nosso ser, alivia a raiva e a ansiedade. Sua prática regular aumenta instantaneamente a sensação de bem-estar.

1 Sente-se no chão numa postura que seja confortável. Pode ser na Postura Favorável (p. 106), na Postura Perfeita (p. 112), na Postura do Lótus (p. 152) ou ainda numa cadeira. Você pode também sentar-se no chão com os joelhos flexionados à sua frente. Descanse os cotovelos sobre os joelhos à sua frente para cobrir com os polegares as pequenas entradas na frente das orelhas. Com a coluna ereta, mas sem forçá-la, deixe o centro do coração livre, sem projetá-lo para cima nem para fora de maneira artificial. Mantenha os ombros, o pescoço e todo o rosto bem relaxados.

2 Feche os olhos e volte a atenção para o abdômen, o coração, a garganta e, por fim, a cabeça. Inspire lentamente até encher os pulmões com uma quantidade confortável de ar. Ao expirar, faça um zumbido no palato da boca, para completar um ciclo respiratório. Faça dez desses ciclos ou continue respirando dessa maneira por vários minutos.

3 Como a expiração está sendo prolongada de maneira considerável, é importante inspirar sem pressa. Não se precipite para a próxima expiração, mas demore-se enchendo lentamente os pulmões de ar.

4 Concentre sua atenção apenas no zumbido da respiração. Talvez você queira experimentar fazer o som em diferentes alturas, até encontrar a que pareça mais agradável. Sinta o som vibrando através do cérebro. Observe as vibrações no rosto, na garganta, no peito e no resto do corpo.

INFORMAÇÕES

OLHAR: Olhos fechados.

PRÁTICA PREPARATÓRIA: Esta prática respiratória tem excelente efeito após a prática de asanas.

DEPOIS DA PRÁTICA: Termine a sessão de yoga com uma meditação em posição sentada ou na Postura do Cadáver.

ABRANDAMENTOS: a) Procure fazer inspirações prolongadas. b) Faça uma pausa se sentir tontura ou vertigem.

EFEITO: Suavizante.

5 Quando tiver terminado, continue sentado em silêncio, com os olhos fechados. Você pode observar as sensações da vibração sonora pulsando pelo corpo por algum tempo. Não mova nenhum músculo! Quanto mais imóvel você permanecer, mais profunda será sua capacidade de observar.

Purificação dos Canais

Nadi-Shodhana. Esta prática purifica os canais de energia (nadis) e equilibra o fluxo de energia entre o lado esquerdo e o direito do corpo. Ela é especialmente benéfica quando a pessoa está precisando restabelecer seu centro, além de levá-la mais facilmente a entrar em estado de meditação.

1 Sente-se numa posição em que seja fácil manter as costas eretas. Deixe a mão esquerda repousar com o lado dorsal em cima do joelho esquerdo, com o braço estendido. Junte o polegar e o indicador da mão esquerda para fazer a Chin Mudra (p. 334).

2 Dobre o braço direito e, com o cotovelo na altura do ombro, coloque a ponta do polegar da mão direita sobre a ponte do nariz, acima da narina direita.

3 Descanse a ponta do dedo anular da mão direita sobre a ponte do nariz, acima da narina esquerda. O dedo mí-

nimo deve ficar ao lado do anular. Coloque os dedos indicador e médio no centro das sobrancelhas. Esta é a Mudra do Nariz.

4. Pressione levemente a narina direita com o polegar e inspire pela narina esquerda. No final da inspiração, feche a narina esquerda com o dedo anular e retire o polegar, expirando pela narina direita. Este processo completa um ciclo respiratório.

5. Continue até completar de sete a doze ciclos. Se quiser, use o polegar da mão esquerda para marcar os ciclos nas partes dos dedos da mesma mão. Junte a ponta do polegar com a ponta do dedo indicador e, dali, vá descendo até a base do dedo. Em seguida, faça o mesmo com o dedo médio e assim por diante, até que no décimo segundo ciclo, seu polegar esteja na base do dedo mínimo.

6. Quando tiver se acostumado com essa prática, talvez você queira fazer mais duas vezes os doze ciclos, descansando a mão e respirando entre um ciclo e outro.

7. À medida que você vai ficando à vontade com essa técnica, aumente o tempo de duração da respiração. Comece contando em silêncio os tempos de inspiração e expiração, igualando a sua duração. Igualados, aumente um tempo à contagem e continue fazendo mais alguns ciclos. Se continuar relaxado, aumente mais um tempo à contagem. Enquanto a respiração continuar calma e uniforme, vá acrescentando mais um tempo. Se notar alguma alteração ou distúrbio na respiração, volte a uma contagem menor de tempo.

8. Durante a prática, não deixe o cotovelo direito puxar a parte superior do corpo para a frente ou tirar a cabeça do centro. Com os olhos fechados, é mais fácil concentrar-se na respiração. Quando tiver terminado a prática, volte a mão direita para o joelho direito. Permaneça de olhos fechados, respirando normalmente pelo tempo que quiser, desfrutando a sensação de expansão e serenidade que essa prática proporciona.

Respiração Triunfante (Respiração Expansora da Força Vital)

Ujjayi Pranayama. Use esta respiração durante toda a sua prática de asanas. Ujjayi significa "vitorioso" ou "expansor". Neste pranayama, o ar é retido no alto do peito, em vez de descer para o abdômen. Por isso, o peito se expande e daí o nome.

Outra importante característica desta respiração é o som suave que o ar produz na garganta e é possível que a palavra *Ujjayi* tenha sido derivada de *Ujjapi*, que significa "pronunciado em voz alta". Esse som é produzido pelo fechamento parcial da glote, de maneira que um som suavemente sibilante é ouvido durante a inspiração e a expiração. Esse som é sentido como uma leve contração da garganta e ajuda a regular o fluxo de ar. Nesta prática respiratória, como na maioria das outras formas de *pranayama*, a boca é mantida fechada e a respiração é feita unicamente pelo nariz.

Esse *pranayama* é extremamente energizante e, por isso, é recomendável que seja feito juntamente com a Trava Ascendente (p. 338) e a Trava da Raiz (p. 340, *bandhas*). O uso dos bandhas retém a energia produzida pela Respiração Triunfante. A combinação da prática desses bandhas com a Respiração Triunfante acrescenta uma nova dimensão à prática de asanas.

1 Sente-se no chão em qualquer postura confortável para manter as costas eretas. Mantenha o queixo paralelo ao chão para que a cabeça fique bem equilibrada, sem pender nem para

a frente nem para trás. Relaxe os ombros. Feche os olhos. Por todo o tempo da prática, mantenha a atenção na garganta, no peito e no abdômen, sem permitir que os pensamentos a desviem.

2 Faça uma expiração completa. Contraia levemente os músculos do períneo. Esta é a Trava da Raiz (p. 340). Antes de fazer a próxima inspiração, direcione a atenção para a área abdominal e ative os músculos abdominais, contraindo levemente o umbigo em direção à coluna. Esta é a Trava Ascendente (p. 338).

3 Inspire lenta e profundamente por ambas as narinas, sem mover o abdômen. Feche parcialmente a glote (como se fosse engolir) para produzir um som sibilante audível. Entretanto, esse som deve ser suave e a respiração relaxada. A respiração não deve nunca ser forçada, apenas controlada. Como o abdômen está levemente contraído, ele não pode se dilatar e o ar enche o peito, que se expande com a inspiração. Encha lentamente os pulmões, enquanto mantém a área entre o umbigo e a púbis imóvel. Isso pode ajudar a manter uma mão sobre o abdômen para verificar se está se movendo.

Em seguida, expire lentamente, mantendo a garganta contraída da mesma maneira para produzir o som semelhante ao do oceano. Continue mantendo a parte inferior do abdômen imóvel. Com isso, você completou um ciclo.

4 Pode ser difícil no começo conseguir produzir o som típico da Respiração *Ujjayi*. Ele virá com a prática. Lembre-se que a parte mais importante da Respiração *Ujjayi* é o controle do abdômen e a suavidade do fluxo respiratório.

5 Enquanto estiver aprendendo essa técnica, faça apenas alguns ciclos de cada vez e, se necessário, intercale-os com algumas respirações normais. Vá aumentando aos poucos o número de ciclos à medida que se familiariza com a prática, até chegar a quinze.

Respiração Contrária ao Fluxo Natural

Viloma Pranayama. Este exercício promove a respiração consciente e desenvolve a capacidade de usar plenamente os pulmões. Ele é revitalizante. Ao encher os pulmões em três partes, visualize-se enchendo um copo com água. Comece enchendo a parte de baixo, em seguida a do meio e, por fim, até a borda.

Inspiração por Partes

1. Sente-se ou deite-se numa posição confortável. Mentalmente, divida os pulmões em três partes. Inspire mais ou menos um terço de sua capacidade, dirigindo o ar para o terço na base dos pulmões – erga o abdômen a partir das costelas mais baixas até um terço da extensão da caixa torácica. Faça uma pausa de dois a três segundos.

2. Prossiga inspirando para encher o terço intermediário dos pulmões. Ao fazer isso, direcione mentalmente o ar para a parte intermediária do peito, incluindo as costelas laterais e a parte dorsal do torso. O esterno vai começar a subir. Faça uma pausa de alguns segundos – o ar se espalha pelos pulmões a cada pausa.

3. Inspire agora para encher o terço superior dos pulmões. Erga o esterno até o alto ao encher completamente os pulmões. Como as extremidades superiores dos pulmões estão situadas acima da clavícula, encha também abaixo da clavícula. É importante que você sinta os pulmões cheios até a borda, mas sem tensionar o organismo. Desfaça qualquer tensão da área da garganta. Verifique se não há nenhuma tensão na cabeça. Para obter os benefícios dessa prática, fique à vontade e relaxado. Com

os pulmões cheios até a borda, faça uma pausa por alguns segundos.

4 Solte agora o ar numa longa e suave expiração. Faça algumas respirações para se recuperar e repita mais duas vezes o ciclo completo.

Expiração por Partes

1 Volte a respirar normalmente. Observe seu corpo e sua mente e deixe que as tensões se desfaçam.

2 Faça uma inspiração longa e uniforme. Quando os pulmões estiverem totalmente cheios de ar, faça uma pausa por alguns segundos.

3 Comece expirando o ar do terço mais baixo dos pulmões sem tensionar os músculos abdominais. Se o abdômen descer, pressione a caixa torácica para mantê-la erguida. Faça uma pausa de alguns segundos.

4 Com a atenção na parte intermediária dos pulmões, expire o ar dela, mantendo o esterno erguido. Faça uma expiração totalmente tranquila. Faça uma pausa sem inspirar nenhum ar.

5 Expire agora totalmente o ar dos pulmões. Quando eles estiverem quase vazios, solte o esterno. Tenha paciência para esperar que o ar saia totalmente dos pulmões. Quando eles tiverem se esvaziado totalmente, faça uma pausa de dois a três segundos, mantendo-se completamente imóvel.

6 Quando os pulmões voltarem a sentir necessidade de ar, faça uma respiração longa e suave até enchê-los totalmente. Deixe-os descansar com algumas respirações normais antes de repetir mais dois ciclos completos. Descanse na Postura do Cadáver (p. 310).

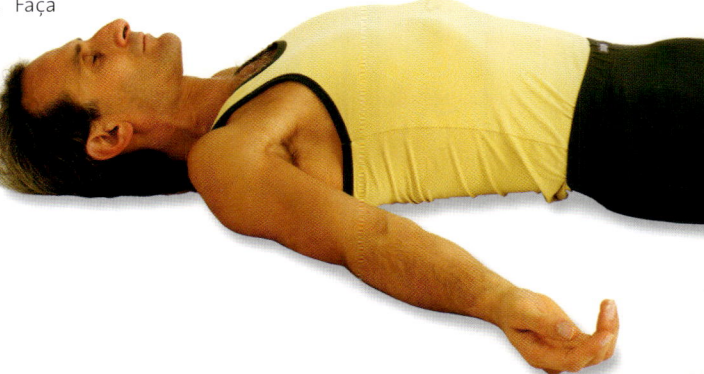

Respiração do Fole (ou do Sopro Rápido)

Bhastrika. Este pranayama força o ar para dentro e para fora dos pulmões, atiçando a chama do fogo gástrico e queimando o apana (toxinas acumuladas) no intestino grosso e no baixo-ventre.

1. Assoe o nariz ou faça a Limpeza Nasal (p. 346) antes de começar esta respiração. Sente-se em qualquer posição confortável para manter as costas eretas. Pressione um pouco os ísquios contra o chão para facilitar a postura ereta da coluna. Deixe a nuca se alongar.

2. Inspire com força um jato rápido de ar pelas narinas e contraia o abdômen para expirar rapidamente. Este é um ciclo completo da Respiração Bhastrika.

3. O som do fluxo respiratório é ouvido ao passar pelas narinas e é semelhante ao som de quando se enche o pneu de uma bicicleta com uma bomba manual. Complete de dez a doze ciclos de inspiração e expiração, dilatando e contraindo os músculos abdominais de maneira rápida e rítmica tanto ao inspirar quanto ao expirar.

4. Quando tiver terminado, faça uma inspiração completa e confortável. Aplique a Trava da Garganta e a Trava da Raiz (p. 340), para conter o prana interiormente e reter a respiração por trinta segundos. Em seguida, solte as travas e expire. Faça várias respirações normais para se recuperar. Repita mais dois ciclos de dez a vinte respirações. Quando tiver terminado, deite-se e descanse na Postura do Cadáver (p. 310).

5. Uma versão mais suave da Respiração do Sopro Rápido é a Respiração Crânio Brilhante (*Kaphabla bhakti*). Ela é considerada um *kriya*, uma das técnicas de purificação do hatha yoga. A expiração é rápida, exatamente como na Respiração do Fole. Uma vez que os pulmões tenham sido esvaziados à força, surge um vácuo, que leva naturalmente à entrada de ar puro nos pulmões. A inspiração nessa variação é lenta e não forçada. Faça de dez a trinta respirações por ciclo e descanse entre um e outro como na Respiração Bhastrika. Com o tempo, vá aumentando até chegar a cinquenta expirações rápidas.

ADVERTÊNCIA

Os iniciantes devem tomar cuidado ao praticar a Respiração do Fole Rápido. Comece fazendo apenas alguns ciclos e vá aumentando com o passar de semanas e meses. Se sentir alguma tontura, volte a respirar regularmente até voltar ao normal. Interrompa a prática se o nariz começar a sangrar. Mulheres grávidas ou menstruadas não devem praticar esse *pranayama*, bem como pessoas com problemas de pressão nos ouvidos ou olhos.

Focos do Olhar

Drishtis. Enquanto o pranayama é em geral praticado com os olhos fechados, a maioria dos asanas do hatha yoga é feita com os olhos abertos. Os olhos exercem um papel importante na execução correta de qualquer asana. O uso correto da visão é alcançado por meio da técnica dos focos do olhar (*drishti*).

Focos do Olhar ou Drishtis

Drishtis são os nove pontos ou direções para onde o praticante direciona o olhar enquanto pratica as diferentes posturas. A cada postura corresponde um *drishti* específico. O uso desses pontos ajuda a manter a atenção num foco. Ao focalizar o olhar, o praticante leva a mente na direção do respectivo asana que está executando. Isso aumenta a concentração e acaba ajudando a controlar a mente.

Grande parte de nossa atenção é desviada para o que vemos. Para entender o quanto de nossa energia é consumido pelos olhos e pelo que vemos, pode ser interessante experimentar fazer alguns asanas extenuantes com os olhos vendados. Sem nenhuma informação visual para processar, os olhos "relaxam", liberando com isso energia para a postura. Por sua vez, com os olhos vendados, pode ser mais fácil sustentar um asana por períodos mais longos (desde que não haja necessidade de contar com alguma informação visual para manter uma postura, como, por exemplo, de equilíbrio). Quando a visão é capturada por algum objeto do mundo exterior, durante a prática de yoga – seja esse objeto a pessoa que está à nossa frente, uma lasca de unha ou o que está ocorrendo lá fora – é um sinal de distração e falta de foco interno ou de concentração.

O simples ato de olhar para uma determinada direção permite que nossa energia se volte para essa mesma direção. O olhar errante desvia a mente da integração mente-corpo-espírito que ocorre durante a prática de yoga. O olhar direcionado para um único objeto, e não vagando ao redor, aumenta a atenção e estimula seu foco interno. Pelo uso de um *drishti* específico, é possível manter calmamente o foco interno, mesmo quando os olhos estiverem abertos. Nesse sentido, o *drishti* de uma postura é essencial para o entendimento do próprio asana, pois sem ele, a postura não pode ser completa.

Os *drishtis* também contêm um aspecto anatômico. Por exemplo, focamos o olhar nos dedos dos pés na maioria das flexões para a frente em posição sentada. Esse foco nos incentiva a alongar mais o corpo do que faríamos se estivéssemos olhando para o umbigo, o que provocaria uma curvatura nas costas. O olhar deve ser mantido calmo e suave, desprendido como se olhasse através do objeto de seu foco. O ato de olhar não deve ser uma imposição da mente aos olhos, pois os drishtis têm o propósito de ajudar a liberar as tensões, não gerá-las. Por essa razão, a prática de focar o olhar deve ser desenvolvida com o tempo.

INFORMAÇÕES

São nove os drishtis:

1. A ponta do nariz

2. Os polegares

3. A terceira visão

4. O umbigo

5. O ponto voltado para o infinito acima

6. As mãos

7. Os dedos dos pés

8 e 9. Toda a distância ao redor para o lado esquerdo e para o lado direito.

Selos-Mudras

Selos, ou *mudras*, são gestos simbólicos ou posturas do corpo que provocam uma alteração em sua força vital. Derivado do termo sânscrito correspondente a "selo", uma *mudra* nos possibilita direcionar a energia prânica vital para diferentes partes do corpo, de maneira que ela possa ser aproveitada interiormente.

Dois dos drishtis são mudras. O olhar focado na ponta do nariz (*Agochari Mudra*) e o ponto entre as sobrancelhas (*Shambhavi Mudra*) são considerados meios de acalmar o sistema nervoso e aumentar a concentração. Quando praticadas de certa maneira, alguns asanas, como a Postura da Serpente I (p. 242), a Postura de Todos os Membros (p. 286) e a Postura do Arado (p. 292), se tornam mudras. Como a prática de hatha yoga aumenta o fluxo de prana, se aprendemos a reter essa energia pelo uso de mudras e bandhas (p. 336), ela pode nos trazer mais benefícios.

Mudras de Meditação

Esses gestos das mãos são facilmente combinados com as posturas de yoga e são muitas vezes feitos durante as práticas respiratórias e meditativas. Alguns *hasta mudras* (mudras das mãos) são símbolos representativos de uma determinada divindade ou qualidade. Muitos deles estão relacionados com sistemas como dos *chakras*, da filosofia ayurvédica da Índia, dos meridianos da acupuntura chinesa e até mesmo da astrologia. Em geral, considera-se que as *mudras* atuem através das zonas reflexas, estabelecendo uma correspondência entre cada parte da mão a uma parte do corpo e do cérebro.

Mãos Unidas em Posição de Prece (Anjali Mudra)

Também conhecido como *Atmanjali Mudra*, esse gesto é muito comum na Índia, onde é usado como cumprimento, agradecimento e manifestação de respeito. Os professores de yoga costumam terminar as aulas com esse gesto, como lembrete para que cada um volte a seu centro. Por esse retorno ao próprio centro, cada um pode atuar a partir de uma base clara e calma. Com isso em mente, a *Anjali Mudra* pode ser feita para começar e terminar cada sessão de meditação. Acredita-se que a suave pressão das palmas das mãos uma contra a outra harmonize os hemisférios esquerdo e direito do cérebro. Ao pressionar os polegares contra o esterno, você está lembrando a si mesmo de cultivar as qualidades do coração durante a prática – experimente fazê-lo entre um e outro ciclo da Saudação ao Sol (pp. 40 e 42).

Dhyani Mudra

Esta *mudra* é usada nas práticas de meditação e contemplação. Coloque a mão esquerda por cima da direita, com os polegares se tocando. Simbolicamente, as mãos formam uma concha vazia, receptiva ao pensamento contemplativo.

Bhairava e Bhairava Mudra

Quando a mão direita está por cima e os polegares abaixados repousam um sobre o outro, esta concha formada pelas duas mãos é chamada de *Bhairava Mudra* (*Bhairava* é um aspecto do deus Shiva). Quando é a mão esquerda que está por cima, e os polegares abaixados, a mudra é chamada de *Bhairavi*, em homenagem a Shakti, a consorte de Shiva.

Sanmukhi Mudra – Fechamento dos Seis Portões

Esta *mudra* permite que os órgãos sensoriais repousem em profundo silêncio quando abandonamos toda e qualquer distração externa e voltamos nosso olhar inteiramente para dentro. Como "selo da fonte interior", ela é também conhecida como *Yoni Mudra*. Sente-se em postura meditativa, pressione com os polegares as pequenas entradas na frente das orelhas para impedir que o som entre em seus ouvidos. Cubra os olhos com o dedo indicador das mãos, toque os lados das narinas com os dedos médios e coloque os dedos anulares e mínimos acima e abaixo dos lábios para simbolicamente cobrir a boca. Com os cotovelos erguidos, mantenha a respiração estável e desfrute o silêncio profundo proporcionado pela prática desta mudra. Quando cansar, abaixe os braços e continue em postura imóvel para iniciar a prática de meditação ou contemplação. Se quiser, faça uma pressão leve, e com a mesma intensidade, sobre as narinas, mas deixando espaço para o ar entrar e sair naturalmente.

Mudras de Pranayama – Selos das Mãos para Práticas Respiratórias

Chin Mudra

Dobre as pontas do polegar e do indicador e coloque-as em contato uma com a outra, ou alternativamente, com a ponta do indicador toque a articulação no meio do polegar. Mantenha os outros três dedos estirados.

Dependendo da posição exata do indicador e de a mão estar com a palma virada para cima ou para baixo, ela pode ser chamada de *Asaka Mudra*, *Jñana Mudra* ou *Gyana Mudra*, Gesto de Sabedoria. Aqui, o polegar simboliza a força divina e o indicador a consciência humana. Quem está fazendo esta *mudra* demonstra sua intenção de unir sua singularidade individual com a consciência cósmica. Esta *mudra*, por estimular a respiração abdominal, altera a respiração. Enquanto na *Chin Mudra* a palma da mão é voltada para cima, quando ela se volta para baixo, ela é chamado de *Jñana Mudra*. No budismo, esta *mudra* é chamada de Selo da Consideração (*Vitarka Mudra*).

Chinmaya Mudra

Com os dedos polegar e indicador se tocando, dobre os outros três dedos de maneira que suas pontas toquem a palma da mão. Esta *mudra*, traduzida como o Selo da Consciência Manifesta, estimula a respiração intercostal por expandir os lados da caixa torácica e o meio do torso.

Adhi Mudra

Empunhe a mão, dobrando primeiro o polegar e cobrindo-o com os outros dedos. Esta *mudra* estimula a respiração clavicular por expandir a parte mais alta dos pulmões. Muitas pessoas acham que a diferença entre não fazer nenhuma *mudra* e fazer essas "*mudras* respiratórias" (*Chin Mudra*, *Chinmaya Mudra* e *Adhi Mudra*) é facilmente notada quando estão sentadas imóveis observando a própria respiração.

Brahma Mudra

Empunhe as mãos, começando por dobrar os polegares, e junte os nós dos dedos. Descanse as mãos, com as palmas voltadas para cima, logo abaixo do esterno e, portanto, alinhadas com o diafragma. Os dedos mínimos devem tocar o abdômen. Com os nós dos dedos se tocando, todos os meridianos de energia das mãos são ativados.

Esta *mudra* estimula a respiração profunda e completa. Ao fazê-lo, observe cada inspiração completa, que começa no abdômen, sobe preenchendo as costelas intermediárias e laterais e, finalmente, enchendo completamente os pulmões até suas bordas bem abaixo da clavícula. Ao expirar, observe a força suave de contração do ar deixando os pulmões através das narinas.

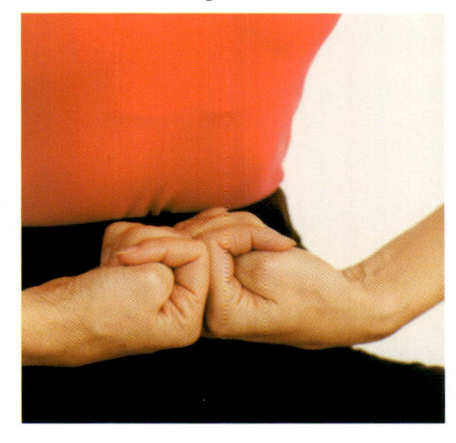

Travas para Reter a Energia Dentro do Corpo – Bandhas

As diversas técnicas do hatha yoga têm intensos efeitos sobre a produção e circulação da energia prânica pelo corpo. Os *bandhas* são meios de controlar e direcionar essa energia. A palavra *bandha* significa "trava" ou "constrição", que corresponde bem à ação dos *bandhas*; eles travam ou refreiam o prana.

São essenciais na prática avançada do hatha yoga. Sem eles, a energia produzida pela prática não pode ser devidamente aproveitada.

Todos os *bandhas* envolvem contrações musculares, mas esse é apenas um de seus aspectos. Os antigos textos de yoga relacionam os *bandhas* entre as técnicas mais importantes do hatha yoga. Praticados em combinação com o pranayama ou separadamente, os *bandhas* trabalham com os órgãos e os sistemas nervoso e endócrino. Eles podem ajudar a aliviar distúrbios dos sistemas reprodutivo e urinário, disfunções sexuais, problemas nas costas e ajudar na recuperação pós-parto.

Trava Ascendente

Uddyana Bandha. Uddyana quer dizer "voar para cima" e, de acordo com o Hatha Yoga Pradipika, a prática desse bandha faz o grande pássaro Prana voar para cima. Diferentemente da Trava da Raiz, a energia sobe pelo canal central (a Shushumna Nadi).

A Trava Ascendente consiste basicamente em contrair os músculos abdominais acima e abaixo do umbigo. Quando praticada separadamente, esta trava é feita após uma expiração completa, com os pulmões totalmente vazios, por meio da contração do abdômen para dentro e para cima.

Uma versão mais branda da Trava Ascendente pode ser feita no início de uma expiração na prática do *pranayama*. Na prática de *asanas*, a contração dos músculos abdominais estabiliza o centro do corpo e protege a coluna. Durante a prática de *asanas*, você pode começar a praticar a Trava Ascendente pelo controle da área do baixo-ventre. Em vez de deixar que a região do baixo-ventre se projete para fora com a inspiração, concentre-se em manter a área entre o osso púbico e o umbigo contraída na direção da coluna.

Se praticada isoladamente, a Trava Ascendente completa tonifica os órgãos abdominais e aumenta a capacidade digestiva. Ela é o primeiro passo no processo de aprendizagem da Rotação dos Músculos Abdominais (*Nauli*, p. 348).

1 Para fazer a Trava Ascendente completa, Fique em pé com os pés separados na largura dos quadris. Flexione levemente os joelhos e incline-se para a

frente. Firme bem as mãos sobre as coxas e curve a coluna a partir do cóccix.

2 Faça uma expiração completa. E prenda a respiração. Abaixe o queixo em direção ao peito para fazer a Trava da Garganta (p. 340). Ela protege a cabeça de um excesso de pressão.

3 Pressione as mãos contra as coxas. Leve o músculo do diafragma para cima até a cavidade torácica, como se a região abdominal estivesse sendo sugada para dentro e para cima. No começo, é difícil ativar separadamente apenas o músculo do diafragma, mas com a prática, você conseguirá separá-lo e manter a parede abdominal relativamente relaxada ao ser sugada para cima e para dentro da caixa torácica. (O modelo na foto ao lado está ativando também a Trava da Raiz, p. 340, que ativa os músculos oblíquos externos e produz duas linhas visíveis se projetando para fora do abdômen.) Mesmo com a respiração presa, deixe que a caixa torácica se expanda para fora como se estivesse inspirando. Continue fazendo isso por alguns segundos.

4 Antes de começar a sentir falta de ar, solte a contração do abdômen e comece a inspirar lentamente. Erga-se e faça algumas respirações para se recuperar antes de repetir o processo todo mais três vezes.

ADVERTÊNCIA

A Trava Ascendente só deve ser praticada com o estômago totalmente vazio. Faça-a imediatamente após levantar-se pela manhã. Evite prender a respiração por muito tempo, o que resultaria em tensão e falta de ar. A Trava Ascendente completa não deve ser praticada por mulheres grávidas ou menstruadas.

1. Trava da Raiz
Mula Bandha

A Trava da Raiz é uma contração dos músculos do períneo, situados na região entre o ânus e os órgãos genitais. O *Hatha Yoga Pradipika* o descreve da seguinte maneira: "Pressione o escroto contra o calcanhar, contraia o ânus". A Trava da Raiz controla o *apana*, a energia em movimento descendente que reside na parte inferior do abdômen e, por isso, impede que o *prana* saia por baixo. Ela é usada na prática de *asanas* do Ashtanga Vinyasa Yoga (p. 385), para estimular o fogo interior. A prática da Trava da Raiz equilibra o sistema nervoso simpático e parassimpático, melhora a saúde do sistema reprodutivo e aumenta a potência sexual masculina. Ela é também considerada como capaz de exercer um efeito intenso sobre o corpo psíquico por causar o despertar da energia *kundalini*.

Técnica

Para fazer a Trava da Raiz, o chão pélvico entre o ânus e os genitais deve ser contraído para dentro e para cima. No começo, é difícil separar o esfíncter anal dos músculos do períneo e dos músculos internos da cavidade pélvica. Em geral, as pessoas sentem que estão contraindo todos, mas com a prática, elas aprendem a separar e contrair apenas os músculos do períneo. É mais fácil fazer isso expirando. Comece praticando numa postura sentada para depois começar a incorporá-la às flexões para a frente e às posturas em pé. Com o tempo, você poderá fazer esta trava em todas as posturas de yoga.

2. Trava da Garganta
Jalandhara Bandha

A Trava da Garganta (foto na p. seguinte) é o terceiro dos principais *bandhas*. Ela regula o fluxo de *prana* na região da garganta. De acordo com o *Hatha Yoga Pradipika*, "a Trava da Garganta acaba com a velhice e a morte e interrompe o fluxo descendente do néctar para dentro do fogo da vida". O texto também diz que ela deve ser feita ao final de uma inspiração (*rechaka*). De fato, a Trava da Garganta é essencial para a prática de qualquer modalidade de *pranayama* em que a respiração é retida (*kumbaka*). Portanto, pela regulação do fluxo de *prana* para a cabeça, é possível prevenir dores de cabeça, tonturas e uma série de problemas de olhos, garganta e ouvidos que poderiam surgir.

Técnica

A Trava da Garganta consiste em levar o queixo até a reentrância entre os lados da clavícula e, com isso, alongar a nuca. Assim travada, a garganta muda de forma e torna mais lenta a descida do ar. Observe que o pescoço deve curvar-se naturalmente, sem forçá-lo nem tensioná-lo.

3. A Grande Trava
Maha Bandha

A Grande Trava (foto à esquerda) é uma combinação dos três principais *bandhas*. Ela pode ser feita durante a prática de *pranayama* e também como preparação para a meditação.

Técnica

Pratique vários ciclos de respiração profunda como, por exemplo, a Respiração Triunfante (p. 322). Em seguida, faça uma expiração completa. Ative a Trava da Raiz (p. 340), a Trava Ascendente (p. 338) e a Trava da Garganta (p. 340). Depois de alguns segundos, solte as travas, erga o queixo e inspire profundamente. Repita mais alguns ciclos.

Práticas de Purificação do Yoga–Kriyas

No hatha yoga, existe uma série de práticas chamadas *kriyas*, cuja finalidade é ajudar a purificar o corpo e equilibrar os três humores corporais (*doshas*), garantindo com isso a boa saúde. Dois livros clássicos sobre hatha yoga, o *Hatha Yoga Pradipika* e o *Gheranda Samhita*, descrevem seis *kriyas*. Quatro deles – a Respiração Crânio Brilhante (p. 327), o Olhar Fixo numa

Vela (p. 344), a Limpeza Nasal (p. 346) e a Rotação dos Músculos Abdominais (p. 348) – são descritos neste livro e podem ser usados com segurança sem necessidade de professor. As duas outras práticas requerem treinamento pessoal. São elas o *dhauti*, a prática de limpeza do estômago com uma tira de tecido fino, e o vasti (*ou basti*), a limpeza do intestino grosso com água ou com ar.

Olhar Fixo numa Vela

Trataka. De acordo com Hatha Yoga Pradipika, o Olhar Fixo numa Vela "cura todas as doenças dos olhos e elimina o cansaço". Além disso, a prática focaliza a mente, melhora a concentração e é muito calmante. Nesse sentido, ela é uma ótima maneira de preparar-se para a meditação. Se possível, pratique-a num quarto escurecido.

1. Acenda uma vela ou uma lamparina a óleo e coloque-a sobre uma mesa baixa, para ficar exatamente na altura dos olhos. Sente-se no chão, numa postura que seja confortável para meditar, a uma distância de aproximadamente um metro entre o rosto e a chama. Mantenha as costas eretas e os ombros relaxados.

INFORMAÇÕES

Na Índia, no lugar da vela, costuma-se usar uma pequena chama de lamparina a óleo por ser mais estável do que a chama da vela. Evite praticar onde há corrente de ar. Esta prática também pode ser feita usando outros objetos como foco, como um símbolo espiritual, um desenho ou qualquer objeto que seja significativo para você (só evite usar espelho). Tendo escolhido o objeto que lhe agrada, não o troque por outro, mas atenha-se a ele para desenvolver sua prática.

EFEITO: Limpeza dos olhos.

2 Decida antecipadamente por quanto tempo você gostaria de manter o olhar fixo na vela. No começo, 30, 45 ou 60 segundos é uma opção realista. Apesar de não poder olhar para o relógio, faça o possível para cumprir o tempo que determinou. Nesse caso, o exercício torna-se um meio de fortalecer seu poder de resolução interior e de persistência. Embora no início seja difícil ficar olhando para a vela sem piscar por mais de alguns instantes, com o tempo a prática vai se tornando notavelmente cada vez mais fácil. Depois de semanas, vá aumentando gradualmente o tempo de prática de um para três minutos.

3 Mantenha o olhar fixo na chama, sem piscar nem mover os olhos. Mantenha a atenção totalmente voltada para a chama. Os olhos podem começar a lacrimejar ou surgir alguma distorção em sua visão. Isso é normal. Mantenha a mente centrada e resista ao impulso de piscar. Quando tiver passado o tempo que você determinou, feche suavemente os olhos

4 Com os olhos fechados, talvez você veja surgir uma pós-imagem da chama. Observe-a com o olho da mente, usando-a como ponto focal de sua meditação. Quando ela desaparecer, recomece outro ciclo da prática.

5 No final do terceiro ciclo, esfregue vigorosamente as mãos até aquecê-las bem e coloque suas palmas em forma de concha sobre os olhos e deixe-os relaxar na suave obscuridade. Essa prática é chamada de *sobre-posição das mãos*.

Limpeza Nasal

Jala Neti. De acordo com o Hatha Yoga Pradipika, esta prática "limpa o crânio, aguça a visão e remove todas as doenças que existem acima dos ombros". Ela também remove a congestão de muco e poeira acumulada nas vias nasais. Vale a pena praticá-la diariamente se você mora num ambiente com muita fuligem ou poluição.

Faz-se a Limpeza Nasal introduzindo água numa narina e deixando-a sair pela outra. Tudo o que é necessário é um pequeno jarro para o *neti* específico para essa finalidade e que pode ser encontrado na maioria das lojas especializadas em acessórios para yoga e em algumas lojas de produtos naturais. Esse tipo de jarro tem um bico criado especialmente para ser introduzido nas narinas e fazer a água escorrer por elas sem esparrinhar. Se não conseguir encontrar esse tipo de jarro, procure usar um recipiente de plástico que tenha um bico, como aqueles usados para colocar mostarda ou molho.

1. Encha o jarro com água morna com sal. Incline-se sobre a pia e gire a cabeça totalmente para um lado. Relaxe e, respirando pela boca, introduza o bico na narina do lado erguido da cabeça e faça a água escorrer por ela. É mais fácil do que, no início, você pode imaginar. É um processo totalmente passivo, em que a lei da gravidade se ocupa em realizar a tarefa. A água dá a volta em torno do septo e sai pela outra narina. Não inspire pelo nariz, mas apenas pela boca. Quando tiver esvaziado o jarro, assopre o nariz. Reencha o jarro com água morna com sal, incline a cabeça para o outro lado e repita o processo pela outra narina.

2. É importante secar bem as vias nasais depois que tiver terminado a limpeza das narinas. Incline-se para a frente, tampe a narina esquerda com os dedos da mão direita e assopre o nariz com algumas expirações vigorosas como na Respiração Crânio Brilhante (p. 327). Faça o mesmo com a outra narina, obstruindo-a com o polegar e, por fim, soprando-as simultaneamente.

INFORMAÇÕES

É importante que a quantidade de sal colocada na água seja adequada, para que a pressão osmótica da água seja a mesma dos fluidos do corpo. Uma boa medida é entre uma e duas colheres de chá de sal para um litro de água. Sal demais ou de menos é extremamente desagradável e pode provocar lacrimejamento nos olhos ou sangramento no nariz. A água deve ter a temperatura do corpo ou um pouco mais fria.

EFEITO: Limpeza.

Rotação dos Músculos Abdominais

Nauli. Segundo o Hatha Yoga Pradipika, a Rotação dos Músculos Abdominais "atiça o fogo gástrico, melhora a digestão e elimina todas as doenças". Faça esta prática para iniciar sua sessão matinal de yoga. Este *kriya* fortalece os músculos abdominais e massageia os órgãos abdominais. Seus benefícios não devem ser subestimados.

Este *kriya* fortalece e massageia os músculos abdominais. O benefício da Rotação dos Músculos Abdominais para a saúde abdominal não deve ser subestimado. Pratique até ter o domínio perfeito da Trava Ascendente (p. 338) antes de tentar fazer a Rotação dos Músculos Abdominais.

1 Com a Trava Ascendente ativada, continue com o abdômen contraído e o queixo pressionado para baixo. Com as mãos pressionando as coxas, empurre para fora os músculos retos (os dois principais músculos abdominais que ligam o osso púbico ao esterno). Relaxe esses músculos e, em seguida, o abdômen. Inspire suavemente e erga-se para descansar.

Essa é a primeira etapa, que deve ser dominada antes de passar para a próxima. Em geral, são necessárias muitas práticas para se conseguir separar os músculos apropriados, mas vale a pena perseverar.

2. Para fazer a segunda etapa, pressione apenas a mão direita e empurre apenas o músculo reto direito para fora. Gire um pouco os quadris para a esquerda. Em seguida, pressione a mão esquerda, empurrando apenas o músculo reto esquerdo para fora. Com o tempo, você vai aprendendo aos poucos a empurrar o

> ### ADVERTÊNCIA
>
> A Rotação dos Músculos Abdominais deve ser praticada com o estômago completamente vazio. A melhor hora é pela manhã antes do desjejum. Evite prender a respiração por muito tempo, o que resultaria em tensão e falta de ar. A inspiração deve ser lenta, suave e natural. Assim como a Trava Ascendente completa, a Rotação dos Músculos Abdominais jamais deve ser feita por mulheres grávidas ou menstruadas. As pessoas que sofrem de doenças inflamatórias ou outros problemas abdominais devem antes se consultar com um professor experiente.
>
> **EFEITO:** Limpeza.

esquerdo, ambos, o direito, ambos, o esquerdo, ambos e assim por diante.

Essa sucessão cria movimentos em forma de ondas na parede abdominal que massageiam os órgãos internos. (Este exercício é às vezes chamado de "máquina de lavar do yoga".) Faça de três a cinco repetições, parando para descansar e respirar entre uma e outra. Por fim, relaxe.

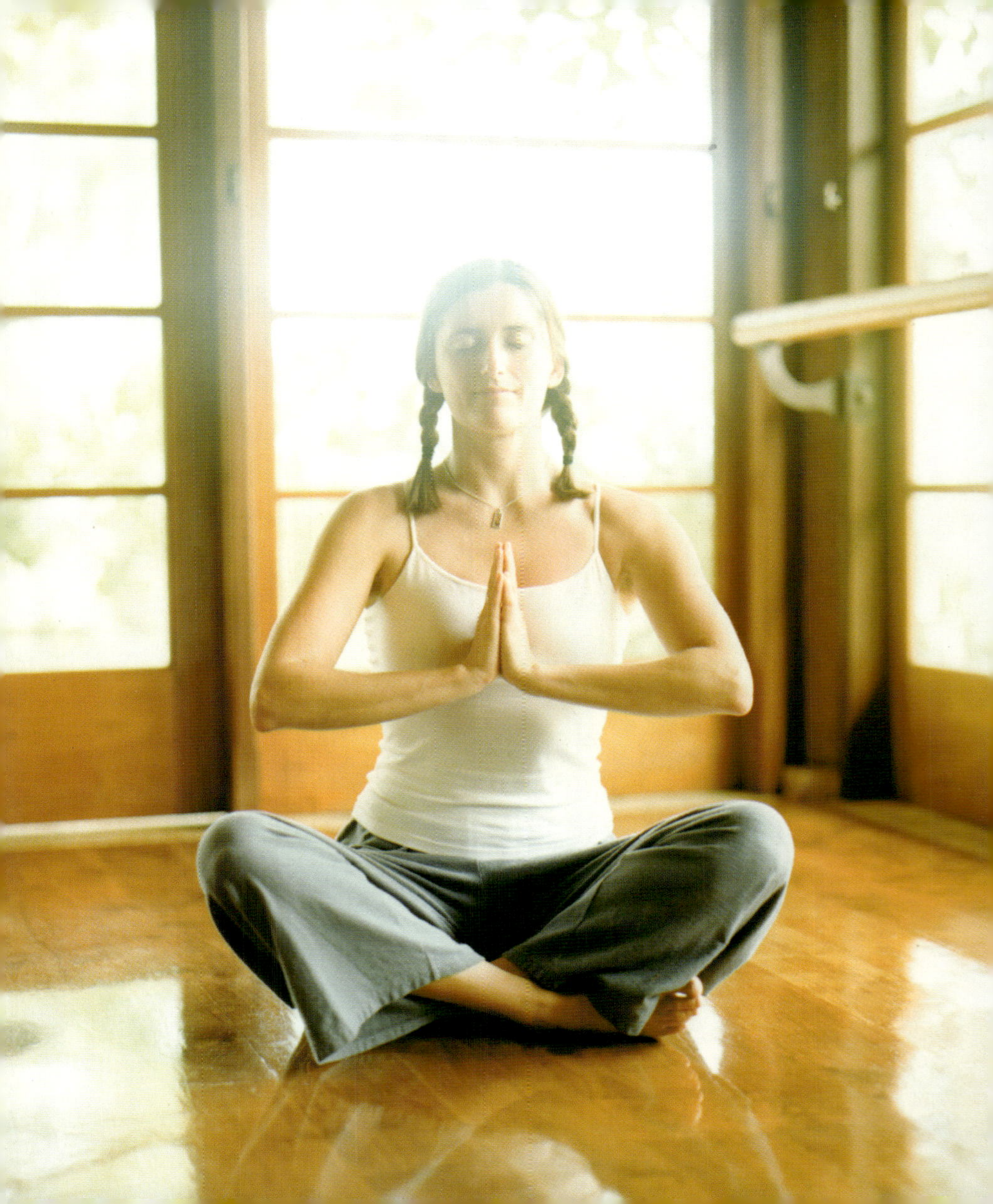

Parte Três

A Prática de Yoga Voltada para Finalidades Específicas

Introdução

A prática de yoga não é uma receita igual para todos. O professor tradicional de yoga indiano dava instruções individuais a cada um de seus alunos. O indivíduo como um todo era levado em consideração, como também sua necessidade de atenção especial, fosse seu problema relacionado com agitação mental, uma doença persistente ou, simplesmente, para manter a saúde em bom estado.

Com a prática, nós desenvolvemos uma percepção intuitiva de cada postura. Experimentamos a sensação proporcionada por cada exercício e, com isso, podemos mudar a combinação de ingredientes do yoga para adequá-lo aos objetivos de cada aula.

O yoga, inserido na filosofia oriental, considera cada indivíduo como sendo mais do que uma mente habitando um corpo. São reconhecidas cinco dimensões ou invólucros, chamadas *koshas*. Essas dimensões, da mais grosseira à mais sutil, são: primeiro, o corpo físico, seguido do corpo prânico, do corpo mental e emocional e da dimensão da sabedoria. A quinta dimensão é da bem-aventurança espiritual, na qual temos acesso à experiência de unidade ou transcendência. De acordo com o pensamento oriental, nenhuma dimensão é independente da outra. Um desequilíbrio em qualquer uma delas pode se manifestar tanto em seu plano como em qualquer outro. Essa visão de que somos seres multidimensionais está conquistando uma maior aceitação no Ocidente.

O yoga é uma magnífica terapia holística e um excelente meio de restaurar o equilíbrio. Procurando harmonizar as partes que formam a nossa totalidade, o yoga cobre efetivamente todas as bases sob o paradigma corpo-mente-espírito.

Para cada uma das dimensões, há uma combinação de práticas específicas de yoga. No plano físico, as práticas são de *asanas* e de *kriyas*, acompanhadas de uma alimentação saudável. As práticas de *pranayama* e de *kriyas* atuam sobre o plano da força vital. As dimensões do corpo mental e emocional, como também a dimensão da sabedoria, são beneficiadas pelas práticas de discernimento, análise, aprendizagem, experiência, meditação e os aspectos religiosos do yoga, como a recitação de mantras e o direcionamento dos próprios pensamentos para Deus. A dimensão da bem-aventurança é nutrida pelas práticas de relaxamento e meditação.

A prática de yoga é feita de uma combinação de ingredientes que pode ser alterada de acordo com a finalidade de cada sessão. Existem às vezes problemas que precisam ser levados em conta.

Yoga para Eliminar o Stress

Quando foi a última vez que você reclamou de estar se sentindo estressado? A maioria de nós responderia que apenas algumas horas, dias ou semanas atrás. Na vida que levamos atualmente, sofremos uma avalanche de possíveis fatores de stress. Presenciar uma menina atravessando uma via de tráfego intenso ou simplesmente assistir à tragédia mais recente no noticiário faz com que nossas glândulas suprarrenais entrem em hiperatividade. Viver sob o domínio da adrenalina constitui um peso para o corpo físico, é desagradável para a psique e maltrata o eu emocional. Não tem nenhuma graça e precisamos, portanto, encontrar meios de nos livrar dele. A prática de yoga nos ajuda a soltar e nos livrar das tensões de maneira positiva.

Os *asanas* constituem uma ótima maneira de trabalhar fisicamente o stress mental. Concentrar a atenção no corpo durante a prática de qualquer *asana* constitui uma pausa bem-vinda das preocupações habituais com outros problemas e explica, em parte, por que as pessoas se sentem tão renovadas depois de uma sessão de yoga. Para o cansaço físico e mental, a seguinte sequência de *asanas*, praticada lenta e tranquilamente, é uma ótima maneira de descansar. Estas posturas abrem o corpo, dando ao sistema nervoso uma oportunidade de relaxar. Elas ajudam a recarregar as baterias sem consumir energia. Além de combater o stress, elas ajudam a criar reservas de energia para enfrentar situações como de doenças crônicas, períodos menstruais ou outras em que haja necessidade de revitalizar-se. Além das posturas novas apresentadas nesta parte (p. 356), existem outros *asanas* revigorantes já demonstrados que podem fazer parte da prática rotineira.

Respiração Simétrica, p. 316.

Postura Reclinada do Ângulo Fechado, p. 136.

Uma rotina de exercícios pode incluir, por exemplo, os seguintes ingredientes: Centramento com a Respiração Simétrica (p. 316), seguida da Postura Reclinada do Ângulo Fechado (p. 136), da Postura Reclinada do Herói (p. 272), da Postura da Criança (p. 100) ou da Postura do Embrião (p. 103) ou da versão relaxante da Postura da Extensão (p. 313), da Postura do Crocodilo (p. 246), da Flexão para Trás sobre Almofadas Cruzadas (p. 356), da Postura do Arado com apoio (p. 292) ou da Ação Invertida (p. 280), da Postura da Rotação do Abdômen (p. 190), das versões Relaxantes da Postura da Extensão das Costas (ver p. 357) e outras variações de flexão para a frente com apoio (também relacionadas na p. 357). Finalize a sessão com uma prolongada Postura do Cadáver (p. 310) para acalmar as tensões física e mental, a Purificação dos Canais (p. 320) ou a Respiração com Zumbido de Abelha (p. 318) para acalmar o sistema nervoso. Faça uma meditação para integrar toda a prática.

Postura do Arado, p. 292.

Postura da Criança sobre uma Almofada
Salamba Balasana

Sente-se sobre os calcanhares com os dedões e os joelhos bem afastados. Coloque uma almofada ou uma pilha de cobertores dobrados sob as virilhas. Deite o torso sobre o apoio, que deve ter altura suficiente para que ele fique em posição paralela ao chão e comprimento suficiente para poder também descansar a cabeça sobre ele. Leve os braços para os lados, alinhando os cotovelos com os ombros. Vire a cabeça para descansar sobre um dos lados da face. Sinta a pressão da barriga contra a almofada como uma massagem suave a cada inspiração. Fique nesta postura de um a cinco minutos, soltando todas as tensões.

Flexão para trás sobre Almofadas Cruzadas
Salamba Urdhva Mukha Salabhasana.

Sente-se sobre duas almofadas cruzadas ou o equivalente em cobertores dobrados. Com os joelhos flexionados e os pés no chão, deite-se com as costas sobre as almofadas, mas os ombros e a cabeça no chão. Estenda as pernas até onde for confortável. Se quiser, use um cinto macio em torno das coxas para mantê-las no lugar. Posicione o osso do quadril como o ponto mais alto da curvatura. Descanse nesta posição de dois a oito minutos. Para sair, role para um lado das almofadas.

Torção do Torso sobre uma Almofada

Salamba Jathara Parivartanasana Ajoelhe-se com o quadril direito ao lado de uma almofada e os pés voltados para o lado esquerdo. Coloque uma mão de cada lado da almofada e gire o torso de maneira que o esterno fique em posição paralela à almofada. Deite o torso sobre ela e coloque os antebraços no chão. Gire a cabeça para o lado contrário ao das pernas. Para intensificar a torção, deslize a perna de cima pelo chão, afastando-a dos quadris. Fique nesta postura de um a seis minutos e, em seguida, repita-a do outro lado.

Versões Relaxantes da Postura da Extensão das Costas

Você pode usar apoio da mesma maneira para fazer muitas outras flexões para a frente, como a Postura da Extensão das Costas com Três Membros (p. 122), a Postura da Cabeça Além do Joelho (p. 114), a Postura do Ângulo Fechado (p. 134) e a Postura do Ângulo Preenchido (p. 130), além da Postura Lateral do Ângulo Preenchido (p. 132). Para fazer a flexão para a frente demonstrada abaixo (*Salamba Paschimottanasana*), sente-se com as pernas unidas. Coloque uma almofada ou cobertor dobrado sobre as pernas e posicione-se de maneira que ao flexionar-se para a frente, o peito e a face se apoiem totalmente sobre ela. Encontre uma posição confortável para os braços. Se sentir que a extensão é excessiva, use almofadas para elevar o nível da testa. Depois de algum tempo nesta postura, o corpo relaxa e você sente que pode levar o apoio em direção aos pés para intensificar a extensão. Fique nela de um a dois minutos.

Yoga para Tratar de Problemas Específicos

O nosso mundo interior vive em constante interação com o mundo exterior; vivemos em estado de mudança contínua. Como somos seres em constante evolução, o que melhor se ajusta a cada indivíduo muda de um dia para outro. Considere cada prática sugerida como um possível ingrediente do processo de cura, mas não uma fórmula acabada. A conveniência de uma determinada postura depende de vários fatores e, por isso, é recomendável consultar um terapeuta de yoga ou um professor experiente.

Yoga para tratamentos específicos	Outras posturas recomendadas
Ansiedade Respirar conscientemente faz a mente abandonar as preocupações para colocar-se no momento presente. Volte a prestar atenção na respiração muitas vezes no decorrer do dia. A prática de *asanas* é uma ótima maneira de eliminar o stress do corpo e clarear a mente. Não pratique com os olhos fechados, mas com atenção total ao corpo e faça a Respiração Triunfante (p. 322). Depois da sessão de *asanas*, relaxe por longo tempo na Postura do Cadáver (p. 310). Pratique *pranayama* e meditação todos os dias.	Postura de Todos os Membros (p. 286), Postura do Arado (p. 292), Respiração Simétrica, contando de 4 a 10 tempos (p. 316), Respiração com Zumbido de Abelha (p. 318), Purificação dos Canais (p. 320).
Artrite A curto prazo, a prática de yoga pode provocar dores súbitas, uma vez que mais mobilidade está sendo exigida das articulações. Um pouco de desconforto é aceitável a curto prazo, porque indica que as articulações estão se soltando a longo prazo. O importante é não deixar que as dores ultrapassem o nível suportável e lembrar que seu limite varia de um dia para o outro. Antes de tudo, pratique exercícios para soltar as articulações. Se for difícil manter uma postura, não fique nela por muito tempo. Em seu lugar, desenvolva a mobilidade das articulações, entrando e saindo da postura com movimentos fáceis de serem executados. Use apoios quando achar necessário.	Exercícios de flexibilização.
Asma Muitas pessoas praticam yoga para curar-se da asma. As flexões para trás são ótimas, porque erguem e abrem o peito, estimulando uma respiração mais completa. Procure não deixar o peito cair enquanto faz as flexões para a frente. Faça a Respiração Triunfante (p. 322) durante a prática de *asanas*. As práticas de *pranayama* ajudam a estabilizar a respiração e a fazer expirações mais prolongadas.	Postura do Gato (p. 32), Postura da Serpente I (p. 242), Respiração Simétrica (com a expiração mais prolongada do que a inspiração, p. 316), Respiração com Zumbido de Abelha (p. 318), meditação.

Yoga para tratamentos específicos

Câncer Ajude o corpo a se autorregular, adotando um estilo de vida com baixo nível de stress e de substâncias químicas e escolha uma prática de yoga que ajude a manter esse estilo de vida mais saudável para a integração *corpo-mente*. Escolha uma sequência balanceada de *asanas*, incluindo bastante tempo para relaxar, além das práticas de *pranayama* e meditação para ajudar a lidar com as dificuldades físicas e mentais que a vida apresenta.

Cansaço (Fadiga) Físico e Mental – Para isso, recomenda-se uma prática geral que trabalhe cada parte do corpo – começando pelos exercícios de flexibilização. Para revigorar uma mente cansada, a sequência de Saudação ao Sol (p. 40) põe o corpo em movimento e estimula a respiração num ritmo regular para aumentar a oxigenação de todo o organismo. As flexões para trás e inversões clareiam a mente. Quanto mais você conseguir se envolver mentalmente com o que está fazendo, melhor. Ficar na Postura do Cadáver (p. 310) por vinte minutos é mais restaurador do que tirar uma soneca durante o dia. Cubra-se com um xale e deite-se no chão em vez de na cama, para evitar cair no sono. Livre-se do cansaço físico com flexões para a frente em posição sentada (tente colocar o peito sobre uma almofada) e na Postura do Cadáver. Revigore-se com a prática de *pranayama*. Se o cansaço surgir subitamente, sem nenhuma causa evidente, procure um médico.

Cólicas menstruais, Yoga durante a Menstruação – Em geral, a prática de torções e flexões para trás intensas não é recomendada durante o período menstrual. As posturas invertidas podem dificultar o fluxo menstrual e, por isso, devem também ser evitadas. Recomenda-se a prática de flexões para a frente nesse período. Em geral, como as mulheres preferem uma prática mais branda durante a menstruação, elas podem desfrutar algumas das posturas restauradoras. (Ver Yoga para Eliminar o Stress, página 354.)

Congestão nas pernas (causada pelo excesso de tempo em posição sentada ou em pé) O corpo foi feito para se movimentar e a ação peristáltica dos músculos ao redor dos vasos linfáticos estimula o sistema linfático, cuja função é remover o excesso de fluidos dos tecidos. A sequência B da Saudação ao Sol (p. 42) coloca o corpo em movimento. As inversões ajudam a reduzir a congestão nas pernas causada pelo excesso de horas em posição sentada. (Ver também o verbete Varizes, p. 365.)

Outras posturas recomendadas

Postura de Todos os Membros (p. 286), Postura do Arado (p. 292), práticas restauradoras de yoga. (ver Yoga para Eliminar o Stress, p. 354.)

Posturas invertidas, como a Postura de Todos os Membros (p. 286) e a Ação Invertida (p. 280).

Yoga para tratamentos específicos

Depressão Para facilitar a permanência no momento presente, mantenha os olhos abertos durante a prática de *asanas*. Envolva todas as partes do corpo em cada uma das posturas e sinta a totalidade corpo-mente se revitalizar. Evite fazer flexões para a frente prolongadas, pois elas tendem a levar à introspecção. Pratique flexões para trás à vontade, e todos os dias, mesmo que apenas um pouco de cada vez. Como existem muitas maneiras de meditar, procure a sua própria e que seja uma que não piore as coisas.

Diabetes A prática de torções e flexões para trás tonifica o pâncreas. Em geral, os *asanas* acalmam o sistema nervoso, aumentam a circulação e melhora a vitalidade como um todo.

Dilatação da próstata Aumente a vitalidade na região pélvica com a Postura Reclinada do Ângulo Fechado (p. 136) e flexões para a frente. A Ação Invertida (p. 280) pode também ajudar a aliviar pequenos bloqueios.

Distúrbios Menstruais (Desequilíbrios Hormonais) As flexões para trás e para a frente, as torções e a sequência de Saudação ao Sol (p. 40) aumentam a vitalidade na região pélvica. A Postura Reclinada do Ângulo Fechado (p. 136) e a Postura do Arado (p. 292) são as mais importantes. Por inundarem o cérebro (e, portanto, suas glândulas endócrinas) de sangue, as posturas invertidas ajudam a equilibrar os hormônios.

Dores de cabeça – Tensão – Ver em Yoga para Eliminar o Stress e no verbete Dor no Pescoço.

Dores nas costas São tantas as suas causas que a recomendação é procurar um médico para fazer o diagnóstico e aconselhar-se com um professor experiente para saber qual a melhor abordagem a ser tomada. Depois de familiarizar-se com ela, introduza flexões lentas para trás, torções suaves e flexões para a frente na posição sentada. Pratique exercícios para fortalecer os músculos abdominais, pois eles ajudam a proteger as costas. Na Postura do Cadáver (p. 310), flexione os joelhos ou coloque uma almofada por baixo deles. (Ver também Hérnia de Disco, p. 361).

Outras posturas recomendadas

Postura do Sábio Bharadvaja (p. 184), versões C e D da Postura do Sábio (pp. 198 e 200), Postura da Rotação do Abdômen (p. 190), Postura do Arco (p. 252), Postura da Ponte com Apoio (p. 260).

Postura do Arco (p. 252) e outras flexões para trás.

Postura do Sábio Bharadvaja (p. 184), versões C e D da Postura do Sábio Marichi (pp. 198 e 200), Postura da Ponte com Apoio (p. 260), Postura do Gafanhoto (p. 238), Postura do Arco (p. 252), Postura da Rotação do Abdômen (p. 190), Postura de Todos os Membros (p. 286), Postura da Cabeça (p. 296), Postura do Cadáver (p. 310).
Evite: As posturas invertidas, apesar de ajudarem a equilibrar os hormônios, devem ser evitadas durante o período menstrual.

Postura da Extensão sobre os Pés Afastados (p. 66), Postura Favorável com Rotação (p. 180), versão fácil da Postura do Barco (p. 178) e Postura da Rotação do Abdômen (p. 190) com os joelhos flexionados; Postura do Gafanhoto (p. 238), versão relaxante da Postura da Extensão das Costas (p. 313), Trava Ascendente (p. 338) e Trava da Raiz (p. 340).

Yoga para tratamentos específicos

Dor no pescoço Antes de tudo, procure obter o diagnóstico médico de sua causa. Se a causa for muscular, faça os exercícios para soltar o pescoço. Nas torções, volte primeiro o olhar para trás, por cima do ombro de trás e, em seguida, gire a cabeça para olhar por cima do ombro da frente. Em ambas as posições, erga o lado de uma orelha para alongar seu respectivo lado do pescoço e encontre a melhor posição para soltar o pescoço. Ao fazer flexões para trás, mantenha a nuca alongada e o queixo um pouco contraído – como uma Trava da Garganta suave (p. 340). Quando não houver risco de queda, pratique as posturas com os olhos fechados e concentre toda a atenção no pescoço – tomando cuidado para sem querer não estirá-lo demais. Não curve os ombros nas posturas em pé, nem tampouco nas flexões para a frente. Entre na Postura de Todos os Membros (p. 286), na Postura do Arado (p. 292) e na Postura da Cabeça (p. 296) com cuidado. Use uma almofada na Postura do Cadáver (p. 310) se o queixo se projetar para o alto. Durante toda a prática, visualize mentalmente os músculos do pescoço, lembrando-se de endireitar os ombros e ver se o pescoço e os ombros estão confortáveis.

Febre A prática de *asanas* deve ser evitada quando a pessoa está com febre. Os exercícios de *pranayama* apresentados neste livro podem aumentar a temperatura do corpo e, portanto, também devem ser evitados. Faça relaxamento e meditação até sanar o problema e retomar a prática com os *asanas* restauradores (apresentadas na parte Yoga para Eliminar o Stress, p. 354).

Fortalecimento da Autoconfiança As flexões para trás erguem o centro do coração e reduzem a introversão. As posturas em pé e de equilíbrio aumentam a confiança. A meditação permite que você conheça a si mesmo. Adotar a disciplina de uma prática regular é em si mesma uma maneira de fortalecer a autoconfiança.

Fortalecimento Imunológico A prática regular de uma sequência bem equilibrada de posturas ajuda todas as funções do corpo. Depois da prática de *asanas*, fique um bom tempo na Postura do Cadáver (p. 310) e demore-se na prática de *pranayama*. Enquanto a prática de *asanas* promove a saúde no nível celular, a Postura do Cadáver promove a cura no nível mais profundo. O *pranayama* acalma a mente e alivia o stress relacionado com a presença de alguma doença crônica. A meditação abre a mente para a ideia de algo maior do que nós mesmos, o que, para muitas pessoas, traz conforto e cura.

Outras posturas recomendadas

Postura do Guerreiro Virabhadra 1 (p. 60).

Postura de Todos os Membros (p. 286). Jamais subestime o poder de cura da meditação.

Yoga para tratamentos específicos

Gravidez As mulheres grávidas parecem ter um entendimento intuitivo da essência do yoga e, para muitas delas, esse entendimento as ajuda durante a gestação e o parto. Como o primeiro trimestre não é um período seguro para começar a praticar yoga, espere um pouco mais. São muitas as modificações das posturas e, para desfrutar os benefícios do yoga durante esse período especial, procure um curso dedicado a mulheres grávidas. Algumas recomendações são: Encare a prática com leveza nesta fase. Não fique nas posturas por tempo demais, mas entre e saia das posturas algumas vezes. Em regra, inspire para entrar e expire para sair, de maneira que se sintonizar os movimentos com a respiração, estará se preparando para a hora do parto. Em qualquer postura, crie espaço para a barriga. Abra as pernas em posturas que normalmente são feitas com os pés unidos ou afastados na largura dos quadris, como a Postura da Extensão (p. 68), a Postura do Cachorro Olhando para Baixo (p. 162) e as flexões para a frente em posição sentada. Desfrute todas as modalidades de flexão para a frente, mas como os ligamentos amolecem durante a gravidez, tome cuidado para não estirá-los demais. Com respeito às torções, em vez de girar o torso em direção a um espaço fechado (como a coxa de uma perna flexionada), gire-o no sentido contrário para um espaço aberto. A certa altura do processo de gestação, em vez de deitar-se sobre o abdômen para fazer flexões para trás, pratique uma versão suavizada e com apoio da Postura da Ponte (p. 260). Para relaxar, deite-se de lado, usando uma almofada entre as pernas.

Hérnia de Disco A prática de yoga pode ajudar efetivamente a lidar com esse problema, bem como com os de disco lesado, chegando com tempo e dedicação a curá-los. Inicialmente, deve-se evitar fazer flexões para a frente, uma vez que curvam a área afetada das costas. Proteja a área com exercícios que fortalecem os músculos abdominais, como flexionar uma perna na Postura do Alongamento da Perna para o Alto (p. 176), e flexões para trás dentro de seus limites. Aos poucos, vá introduzindo torções controladas. É necessário desenvolver a flexibilidade dos tendões das pernas para, quando chegar a hora de introduzir as flexões para a frente, começar pela Sequência da Postura Reclinada do Dedão do Pé (p. 164), que mantém as costas relativamente estáveis. Espere 24 horas para ver como o corpo reage antes de aumentar a intensidade da prática. As práticas de *pranayama* e meditação podem ajudar a acalmar a mente perturbada pela dor crônica.

Outras posturas recomendadas

Postura do Ângulo Preenchido (p. 130), Postura do Ângulo Fechado (p. 134), Postura do Cadáver (p. 310), as modalidades calmantes de *pranayama*, e meditação.
Evite: Começar a praticar yoga durante as doze primeiras semanas de gestação. Não faça a Respiração Crânio Brilhante (p. 327), nem tampouco a Rotação dos Músculos Abdominais (p. 348) e a Trava Ascendente completa (p. 338). As inversões precisam ser feitas de maneira segura e sem risco de queda. Procure um professor experiente para orientar sua prática.

Yoga para tratamentos específicos

Hipertensão A prática de exercícios dilata os vasos sanguíneos, o que, por sua vez, faz baixar a pressão. Entretanto, se sua pressão é muito alta, é melhor manter a cabeça acima do corpo e, caso contrário, faça a Trava da Garganta (p. 340). Pratique relaxamento, *pranayama* e meditação. Tome cuidado para não prender a respiração em qualquer postura – faça a Respiração Triunfante (p. 322) ou a respiração circular, em que passa diretamente para a expiração após a inspiração e vice-versa. Trabalhe sob a orientação de um professor de yoga experiente. Com a prática regular de yoga, você poderá perceber intuitivamente as posturas que não são apropriadas para um determinado dia. Se o stress for a causa, pratique yoga regularmente. (Ver Yoga para Eliminar o Stress, p. 354.)

HIV positivo Ver os verbetes Câncer e Fortalecimento Imunológico.

Idosos Embora suas posturas possam não ser tão estendidas como as demonstradas nas fotos, elas trazem os mesmos benefícios. Pratique entrar e sair das posturas, em vez de manter-se nelas, para desenvolver agilidade, força e flexibilidade. Pratique posturas de equilíbrio em pé para se proteger de quedas. Use apoios quando necessário, como tocar de leve uma parede para ajudar a se equilibrar. Você pode fazer torções e flexões para trás sentado numa cadeira e, também, inclinar-se sobre o encosto para fazer sua própria flexão para trás. Qualquer que seja a sua condição física, as práticas de relaxamento, *pranayama* e meditação são sempre possíveis.

Indigestão Todas as torções e flexões para a frente e para trás tonificam os órgãos digestivos. Lembre-se que é melhor praticar yoga com o estômago vazio.

Outras posturas recomendadas

Postura do Cadáver (p. 310), Respiração com Zumbido de Abelha (p. 318), Purificação dos Canais (p. 320), Respiração Simétrica, contando de 4 a 10 tempos (p. 376), e meditação.
Evite: Fazer posturas em que a cabeça fica abaixo do coração (especialmente por períodos prolongados), como a Postura da Extensão (p. 68), a Postura do Cachorro Olhando para Baixo (p. 162) e as outras inversões. Faça a Trava da Garganta (p. 340) para proteger a cabeça de um aumento da pressão sanguínea. Tome cuidado com a Trava Ascendente (p. 338). Trabalhe sob a orientação de um professor experiente.

Postura do Herói (p. 120), Postura Semirreclinada do Herói (p. 272) e Postura Reclinada do Ângulo Fechado (para facilitar a digestão), e as posturas/torções das pp. 184, 198 e 200, Postura da Rotação do Abdômen (p. 190), Postura do Arco (p. 252) Postura da Ponte com Apoio (p. 260), Postura de Todos os Membros (p. 286). Faça a Rotação dos Músculos Abdominais (p. 348) imediatamente depois de levantar-se pela manhã (mas sem esquecer as precauções).
Evite: Fazer a Rotação dos Músculos Abdominais (p. 348) se tiver alguma doença inflamatória dos intestinos.

Yoga para tratamentos específicos

Insônia – Envolver tanto a mente como o corpo na atividade permite que ambos repousem mais facilmente após a prática. Portanto, faça com que a mente participe da prática física. Faça exercícios que elevam a energia, como a Sequência de Saudação ao Sol (página 40) e flexões para trás pela manhã. Se praticar próximo da hora de dormir, prefira as flexões para a frente e as inversões. Antes de ir para a cama, faça a Purificação dos Canais (página 320) e pratique meditação.

Jet Lag Como esse é um problema que coloca muita pressão sobre a totalidade *corpo-mente*, faça as posturas restauradoras ao chegar de viagem. (Ver Yoga para Eliminar o Stress, p. 354). Faça flexões para a frente em posição sentada, com o peito sobre uma almofada ou uma pilha de cobertores dobrados para o cérebro descansar. Em todas as posturas, concentre-se em desacelerar e estabilizar a respiração. As inversões são consideradas "refrescantes" para o cérebro e ajudam a reduzir a congestão nas pernas causada pelo excesso de horas na posição sentada.

Obesidade A sequência de Saudação ao Sol (p. 40) ajuda a queimar calorias. Pratique posturas em pé, flexões para trás e inversões à vontade. Se você acha que seu excesso de comida deve-se a fatores emocionais, mantenha uma prática regular de *asanas* e inclua exercícios de *pranayama* e meditação para acalmar os nervos e as emoções.

Prisão de ventre Estimule o movimento peristáltico com a sequência de Saudação ao Sol (p. 40). As flexões para a frente e as torções, em que o abdômen é comprimido por outra parte do corpo, massageiam os órgãos digestivos e estimulam a eliminação. As posturas invertidas também ajudam. Beba água antes e depois de praticar yoga. Faça a Respiração Crânio Brilhante (p. 327) e a Rotação dos Músculos Abdominais (p. 348) todas as manhãs.

Problemas de postura A prática de yoga é prodigiosa para corrigir vícios de postura. Procure frequentar aulas de yoga dadas por professores experientes que possam corrigir suas posturas e colocá-las no devido alinhamento (o Iyengar Yoga é uma boa opção nesse sentido). As posturas em pé fazem uso de todo o corpo de uma maneira integrada. Escolha posturas que atuem sobre as áreas mais rijas, as quais, em termos de fluidez, tendem a criar posturas menos que perfeitas em outras áreas também. As posturas que abrem os ombros e as flexões para

Outras posturas recomendadas

Postura de Todos os Membros (página 286), Postura do Arado (página 292), Postura do Cadáver (página 310).

Postura do Cachorro Olhando para Baixo (p. 162), Postura da Ponte com Apoio (p. 260), Postura de Todos os Membros (p. 286), Ação Invertida (p. 280), Postura do Cadáver (p. 310).

Postura do Ângulo Lateral com Rotação (p. 82), Postura da Cabeça Além do Joelho com Rotação (p. 116), Meia Postura do Yogue Matsyendra (p. 182), Postura do Sábio Bharadvaja (p. 184), versões C e D da Postura do Sábio Marichi (pp. 198 e 200), Postura do Arco (p. 252), Postura de Todos os Membros (p. 286) e suas variações.

Postura da Montanha (p. 46).

Yoga para tratamentos específicos

trás ajudam a corrigir costas encurvadas. Pratique flexões para a frente para eliminar a rigidez dos tendões das pernas e assim por diante. Sua prática diária de yoga pode também ser feita fora da esteira – e pode incluir a verificação do alinhamento na Postura da Montanha no ponto de ônibus.

Pulsos e braços O uso do computador impõe a necessidade de manter os pulsos e braços em bom estado. Como eles estão integrados ao resto do corpo, e particularmente aos ombros e pescoço, faça uma prática equilibrada de yoga. De acordo com um estudo publicado sobre a Síndrome do Túnel do Carpo, os efeitos da prática de yoga traz bons resultados.

Stress Ver Yoga para Eliminar o Stress (p. 354).

Tensão pré-menstrual Ver o verbete Distúrbios Menstruais, p. 363.

Varizes Procure saber de seu médico se você tem algum coágulo que possa ter se deslocado. Com autorização médica, todos os *asanas* são benéficos, pois estimulam a circulação. Para impedir que as varizes sem agravem e para reduzir os sintomas das já existentes, estimule a circulação com a Saudação ao Sol (p. 40). Procure incluir em todas as suas práticas posturas invertidas, como a Ação Invertida (p. 280), a Postura de Todos os Membros (p. 286) ou a Postura da Cabeça (p. 296). Uma prática maravilhosa no final do dia é respirar regularmente na Ação Invertida. (Ver também o verbete Congestão das Pernas, p. 363.)

Vista cansada Trabalhar no computador exige um foco situado na mesma distância dos olhos. A intervalos regulares durante o dia, olhe além da tela do computador. Veja a lista de pontos para focar o olhar (em *Drishtis*, p. 328) em todas as posturas. Trabalhe com os globos oculares em cada postura, como olhar o mais longe possível para a direita quando estiver girando o torso para a direita e o mais alto possível quando estiver olhando para o infinito ao fazer uma flexão para trás. O Olhar Fixo numa Vela (p. 344) é considerado uma limpeza para os olhos. Existem livros para melhorar naturalmente a visão com exercícios semelhantes aos do yoga.

Outras posturas recomendadas

Pratique as posições dos braços na Postura da Extensão Lateral (p. 74), na Postura da Cara de Vaca (p. 140), Postura da Águia Garuda (p. 80), Postura do Cachorro Olhando para Baixo (p. 162) e na Postura da Cegonha (p. 216). No final, contrabalance a ação dos pulsos com a Postura das Mãos sobre os Pés (p. 70).

Meditação

Em todos os tempos e culturas, as pessoas sempre procuraram meios de ir além das limitações da vida corriqueira e de saber mais sobre si mesmas e sobre a natureza da realidade. A palavra meditação significa "familiarizar-se com" e é uma maneira de explorar o eu interior. Na vida atribulada que levamos, em que os sentidos são atraídos para fora, a meditação é uma oportunidade maravilhosa de nos voltarmos para dentro de nós mesmos numa jornada de descobertas.

Os motivos que levam as pessoas a meditar são os mais diversos. Muitas usam a meditação para lidar com o stress e relaxar. A meditação ajuda a desacelerar ou aquietar a mente e a equilibrar as emoções. Outras usam a meditação em busca de cura. Ela também pode ajudar a solucionar problemas, por proporcionar clareza sobre questões espirituais fundamentais e mundanas. Ela pode nos levar a níveis mais elevados de percepção, paz e clareza. Muitas pessoas têm visões ou experiências de plenitude, vitalidade e uma maior percepção sensorial. Outras têm experiências de conexão com o aspecto mais elevado de si mesmas ou com o divino.

Existem muitas técnicas de meditação. Pergunte-se o que você precisa alcançar e encontre a técnica mais apropriada para esse propósito. É uma boa ideia experimentar técnicas diversas para encontrar aquela que lhe diz respeito. Práticas como a Meditação para Relaxar (p. 369) e a Meditação com os Cinco Sentidos no Momento Presente (p. 374), são ótimas para começar. Quando tiver desenvolvido a capacidade de concentração, talvez você

Livre-se da expectativa de ter que alcançar certo ponto em cada meditação.

queira praticar as técnicas que incluem o uso de Imagens (p 371) e de Sons (p. 372).

Embora um bom professor de meditação possa ser de grande ajuda, uma boa parte do trabalho pode ser realizada por conta própria. Se você optar por ter um professor ou frequentar um curso de meditação, pesquise bastante antes de fazer sua escolha. Muitos profissionais ou instituições oferecem cursos em práticas espirituais, entre os quais você poderá encontrar o mais apropriado para seus propósitos. Cuidado com qualquer grupo que seja restritivo, controlador ou dogmático demais.

A meditação é, basicamente, uma atividade de escolha pessoal. Depois de ter aprendido uma determinada técnica, conforme ela foi ensinada, sinta-se livre para experimentar adaptá-la às suas próprias preferências. Evite simplesmente seguir o que ouviu dizer ou leu, mas teste tudo com base em sua própria experiência e intuição para conhecer a verdade a respeito de você mesmo.

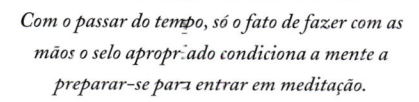

Com o passar do tempo, só o fato de fazer com as mãos o selo apropriado condiciona a mente a preparar-se para entrar em meditação.

Criar o hábito de meditar regularmente funciona melhor e é mais fácil mantê-lo a longo prazo. Encontre um horário que caiba em sua rotina, seja de dia ou de noite. Uma sessão diária de 15 a 30 minutos é uma boa opção. Se achar que é muito tempo, comece com uma sessão diária de 5 a 10 minutos. Muitas pessoas descobrem com o passar do tempo que seu tempo de meditação começa a se expandir naturalmente.

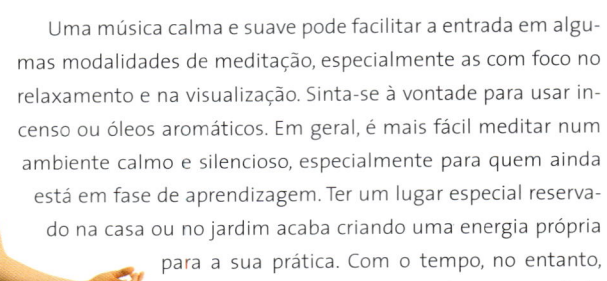

Uma música calma e suave pode facilitar a entrada em algumas modalidades de meditação, especialmente as com foco no relaxamento e na visualização. Sinta-se à vontade para usar incenso ou óleos aromáticos. Em geral, é mais fácil meditar num ambiente calmo e silencioso, especialmente para quem ainda está em fase de aprendizagem. Ter um lugar especial reservado na casa ou no jardim acaba criando uma energia própria para a sua prática. Com o tempo, no entanto, você acabará desenvolvendo a capacidade para meditar em quase qualquer lugar e em quaisquer condições. Ter a meditação gravada num CD ou fita-cassete pode fazer uma grande diferença, especialmente nos estágios iniciais de sua prática. Outra opção é você gravar seu próprio CD ou fita-cassete, usando os seguintes exercícios como base. Manter um diário pessoal das descobertas e experiências facilita o progresso na meditação. Não existe "certo" nem "errado"; seja qual for a sua experiência, tudo bem. Mantenha uma atitude aberta e curiosa para com as experiências que tiver. Talvez você tenha que perseverar antes de os benefícios se tornarem evidentes. Seja paciente e aceite esse fato como uma parte importante do processo. As recompensas de uma prática regular de meditação persistente e inteligente são duplicadas. Elas não apenas ocorrem em algum momento num futuro distante, mas também no decorrer do processo.

Aprenda a sentar-se confortavelmente e em posição ereta no chão. Se preferir, poderá usar almofadas.

Posturas Meditativas

O mais importante a ser considerado na escolha de uma postura é encontrar uma que seja confortável. Idealmente, ela deve manter a coluna relativamente ereta sem causar tensão indevida. A prática das posturas de yoga ajuda muito a aprender a sentar-se confortavelmente em posição ereta.

A Postura do Cadáver (p. 310) é ótima para as técnicas meditativas voltadas para o relaxamento. Talvez você queira colocar uma pequena almofada sob a cabeça ou uma maior sob os joelhos.

A Postura do Lótus (p. 152) é a usada tradicionalmente para a meditação, mas é em geral demasiadamente intensa para o corpo dos ocidentais. A Postura do Meio Lótus (p. 152) funciona para algumas pessoas, mas para muitas outras, a Postura Favorável (p. 106), a Postura Perfeita (p. 112) ou a postura ajoelhada são opções mais realistas para a prática diária. Use quantas almofadas for preciso para manter as articulações dos quadris acima dos joelhos flexionados. Isso permitirá que as costas fiquem mais na posição vertical.

A postura sentada ereta numa cadeira é outra boa opção para meditar. A altura mais confortável é aquela em que os joelhos e os quadris formam ângulos retos. Os pés devem alcançar facilmente o chão; coloque-os sobre listas de telefone ou outros livros grossos, se necessário.

Meditação para Relaxar – Profundo Relaxamento Físico, Mental e Emocional

A capacidade de relaxar o corpo, a mente e as emoções é essencial para a manutenção da saúde e do bem-estar, além de constituir um importante ponto de partida para quem está começando a praticar meditação. Como intensifica todas as outras formas de meditação, essa prática é também útil para os praticantes mais experientes. Grave a seguinte sequência numa fita ou CD, ou peça a um amigo para fazê-lo por você. Reserve um período de 15 a 20 minutos para a sua prática.

A posição dos pés nesta postura meditativa requer muita flexibilidade.

A Postura do Cadáver permite abandonar todas as preocupações do dia e mergulhar num estado de quietude mental.

Comece a prática entrando na Postura do Cadáver (p. 310). Percorra mentalmente o corpo para perceber as áreas de tensão ou desconforto. Simplesmente observe essas áreas, resistindo à tentação de atribuir-lhes qualquer julgamento ou ideia de caráter emocional.

Em seguida, leve lentamente a atenção através do corpo, do topo da cabeça aos dedos dos pés. Concentre a atenção em cada parte por um momento e deixe-a relaxar. Aceite cada área do corpo, seja como ela estiver.

Quando todo o corpo estiver relaxado, volte a atenção para os sentimentos. Aceite o que quer que esteja sentindo. Permaneça um tempo com cada sentimento e depois deixe-o ir embora. Você é o observador passivo de seus próprios sentimentos. Visualize uma corrente de água fresca levando-os embora. Essa corrente de água pura atravessa seu corpo e, ao levar embora cada sentimento, você começa a ter sentimentos de paz e clareza interior.

Depois de algum tempo, dê atenção a qualquer pensamento que estiver atravessando sua mente. Qualquer que seja o pensamento, aceite-o como ele é, sabendo que assim como surge, ele logo desaparece. Basta perceber cada pensamento, como uma testemunha silenciosa, e deixá-lo desaparecer. Imagine uma brisa fresca passando por sua mente, deixando-a clara e vazia.

Por fim, permita-se descansar nessa quietude. Não há nada para ser feito ou alcançado, apenas ser. Você não é um ser atuante, mas um ser humano. Permita-se existir nessa quietude. Apenas ser.

Saiba que cada vez que praticar essa meditação, você irá mais fundo e obterá cada vez mais benefícios.

Para sair dessa meditação, observe seus pensamentos. Em seguida, volte a dar atenção a seus sentimentos. Tenha uma percepção mais profunda do corpo como uma única forma, descansando, relaxando. Deixe-o despertar enquanto você se prepara para abrir os olhos. Você vai retornar recuperado, renovado e relaxado.

Meditação com Visualização

Esta é uma técnica extremamente poderosa para familiarizar o praticante com sua própria imaginação. A imaginação é um recurso extraordinário que pode ser usado para alcançar estados específicos mentais e existenciais. Você pode visualizar cores, lugares, símbolos, mandalas, deuses, santos ou cartas do tarô. Em geral, as pessoas escolhem uma imagem que tenha um significado religioso ou espiritual especial para elas, ou algo sobre o qual elas desejam saber mais. Um bom começo é encontrar algo de interesse particular e usar essa imagem como foco de uma série de sessões meditativas. Isso ajuda a dar vida à meditação e pode conduzir a experiências mais intensas e significativas. Para fazer a seguinte meditação, você se imagina na natureza, sentindo-a de maneira clara e agradável, até a imaginação assumir o comando e levá-lo mais fundo. Para essa prática, reserve um período de quinze minutos.

A visualização é feita em torno de uma imagem de interesse pessoal.

- Sente-se ou deite-se confortavelmente. Faça algumas respirações lentas, profundas e uniformes. Percorra mentalmente o corpo para relaxá-lo parte por parte. Comece pelo topo da cabeça e vá descendo lentamente até as pontas dos dedos dos pés.
- Com o corpo já relaxado, visualize-se numa praia.
- Observe a beleza da areia dourada. Acima de você, o céu é azul-claro. Observe como os raios solares se refletem na água. Observe como os galhos das árvores são movidos pela brisa suave.
- Ouça o ruído das ondas batendo na praia, o suave balanço das árvores próximas e os gritos das gaivotas sobrevoando os arredores.
- Sinta a areia entre os dedos dos pés, o sol aquecendo seu corpo e suas faces e o ar acariciando sua pele.
- Sinta o cheiro e o sabor do ar fresco vindo do mar.
- Perceba a atmosfera ou astral do lugar. Como é realmente estar nele? Demore-se um tempo explorando o lugar. Você pode dar um mergulho, tomar banho de sol ou fazer uma caminhada pela praia.
- Retorne ao mundo real, voltando a atenção para o corpo físico. Faça algumas respirações prolongadas para que o corpo desperte mais a cada inspiração. Dê atenção aos ruídos que vêm do espaço ao redor. Quando estiver em condições, abra os olhos.

Meditação Acompanhada de Sons

Você pode incorporar sons à sua meditação pelo uso de um *mantra*, uma palavra, frase ou sentença que repete em voz alta ou mentalmente. O uso de palavras-chave durante a meditação, por focar a mente e acalmar as emoções, pode ter um efeito poderoso.

Muitos budistas usam o mantra *Om mane padme hum* (literalmente, "a joia está no lótus"), enquanto *Om nama shivaya*, um canto de louvor ao deus hindu Shiva, é popular na Índia. Os mantras podem ser extraídos dos Vedas (escrituras clássicas indianas), do Alcorão, da Bíblia ou de quaisquer outras escrituras. Para muitas pessoas, afirmações como "Todo dia e em todos os sentidos, estou cada vez melhor, melhor, melhor" são eficazes.

Para fazer a meditação acompanhada da recitação de um mantra, sente-se ou deite-se confortavelmente. Faça algumas respirações lentas e profundas e deixe-se mergulhar na tranquilidade profunda do seu ser. Leve à mente o mantra ou afirmação de sua escolha e repita-o mentalmente de modo ritmado. A natureza da mente é errante; por isso, sempre que um pensamento, sentimento ou sensação o distrair, leve gentilmente a atenção de volta para o som do seu mantra. Quando notar que a mente está ficando mais focada, deixe que o mantra vá ficando cada vez mais baixo até silenciar totalmente.

Entoar cânticos é outra importante prática espiritual. Experimente com diferentes tipos de sons (como zumbidos prolongados), palavras (como a sílaba sagrada *Aum*) ou qualquer frase que tenha significado para você. O uso da própria voz para prolongar sons de vogais como "aaaaaa", "eeeeee" e "oooooo" é chamado de *entonação* e é especialmente poderosa como meio de focar a mente e sanar problemas.

Um mantra pode ser repetido de forma rítmica, em voz alta ou mentalmente.

Meditação com os Cinco Sentidos no Momento Presente

Estar no momento presente é uma experiência extremamente poderosa. Além de dar atenção aos sentidos durante a meditação, integrá-la à vida cotidiana aumenta a sua eficiência e a qualidade de sua vida. Para muitas pessoas, ela é um poderoso instrumento de neutralização das preocupações habituais. Pratique manter a atenção nos sentidos pelo máximo de tempo possível. Por exemplo, aumente a sua capacidade de atenção aprendendo a ouvir o que o outro está dizendo. Use a sua verdadeira capacidade de ver: o que você vê quando vai caminhando ou dirigindo para o trabalho? Coma conscientemente, sentindo o verdadeiro sabor dos alimentos. Dê atenção à cor, ao cheiro e à textura deles. Perceba como sente seu corpo depois de ingerir diferentes tipos de alimentos. Desfrute algum tempo na natureza, estando realmente presente. Essas práticas acabam levando você a perceber a plenitude do momento presente.

Pratique atenção plena para combater as tensões do dia a dia

O seguinte exercício traz você para o momento presente por meio da atenção focada nos sentidos. Durante os dez ou quinze minutos que passar fazendo essa meditação, você também terá a experiência de prazer proporcionada pelo estado de quietude.

Sente-se ou deite-se confortavelmente com os olhos fechados. Deixe a respiração se tornar mais profunda, uniforme e estável.

Comece voltando a atenção para o sentido do olfato. Perceba o cheiro que sente a cada momento. Toda vez que sua mente se desviar, traga-a de volta para essa percepção.

- Depois de dois ou três minutos, mude o foco para observar o sentido do paladar. Que gosto você sente na língua? Em outras partes da boca? Simplesmente observe.
- Passados mais alguns minutos, volte a atenção para a visão. Abra os olhos e veja o que pode ver. Observe seu sentido da visão com total atenção.
- Volte a fechar os olhos. Coloque a atenção no tato. Você está sentindo o corpo em contato com a superfície que o apoia? Observe a sensação da roupa em contato com a pele e a carícia do ar em sua pele nua. Abra-se para a possibilidade de perceber o sentido do tato como nunca sentiu antes.
- Leve a atenção para o sentido da audição. Dê atenção a todos os sons audíveis que vêm de longe. Ouça os sons que vêm dos espaços mais próximos. Ouça os sons do seu corpo. Ouça-os com total atenção.
- Volte-se agora para dentro e repouse no silêncio. Sem nada para fazer, permita-se simplesmente existir.
- Volte outra vez a atenção para todos os seus sentidos. Observe-os um a um na ordem inversa: audição, tato, visão, paladar e olfato. Faça algumas respirações lentas, profundas e prazerosas. Ao sair dessa meditação, assuma o compromisso de observar seus sentidos enquanto realiza suas tarefas corriqueiras.

O contato com os sentidos durante a meditação faz aumentar a percepção deles enquanto realiza as tarefas corriqueiras.

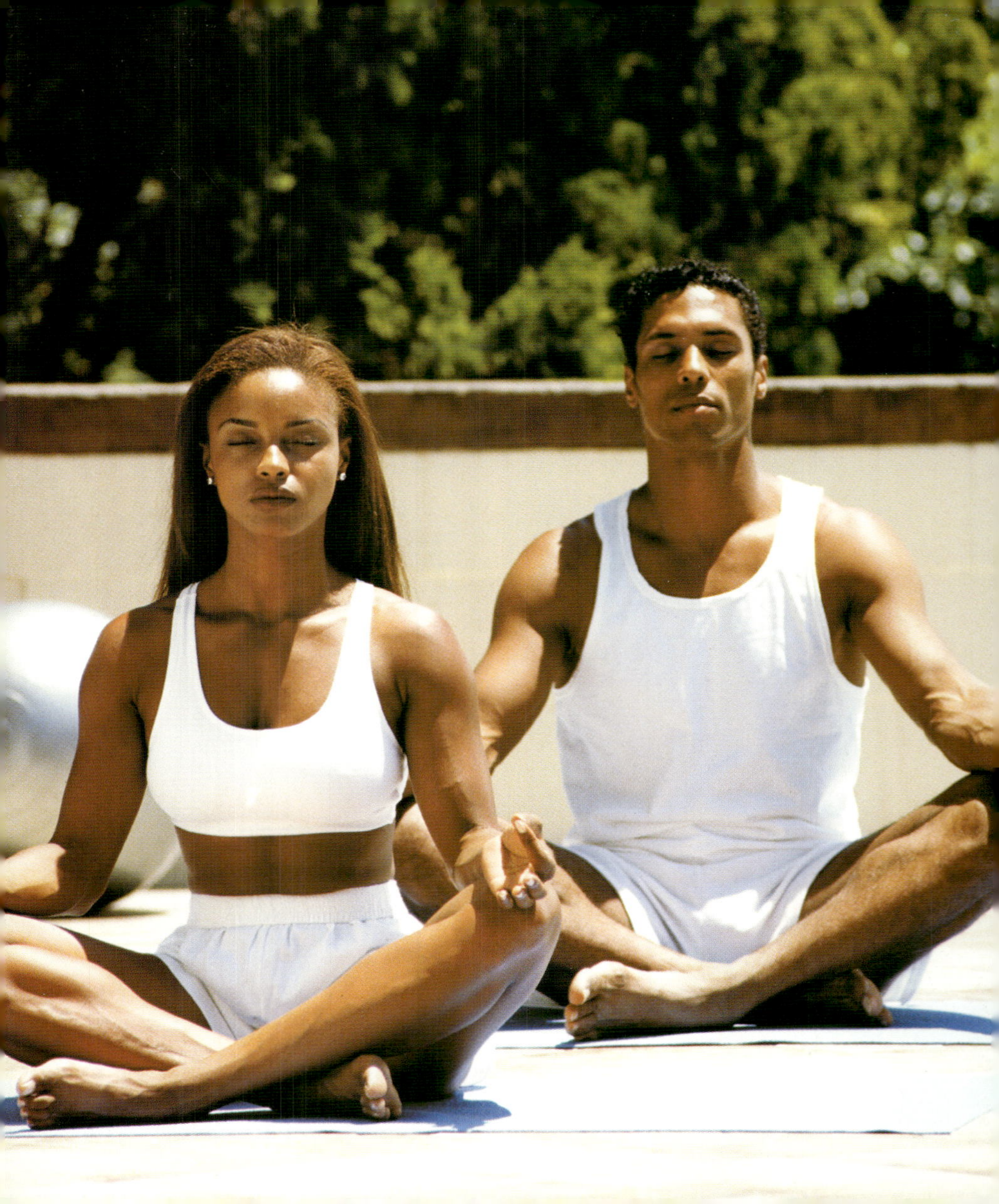

Parte Quatro

Descubra qual é o seu Yoga

Descubra qual é o seu Yoga

O hatha yoga é a modalidade de yoga mais conhecida no Ocidente. Esse é, no entanto, um termo abrangente que abarca outras práticas conhecidas de yoga voltadas para a atividade física, como o Iyengar Yoga e o Ashtanga Vinyasa Yoga.

Menos conhecidos são os chamados ramos da árvore do yoga. Adote uma modalidade flexível que combine as práticas mais adequadas para o seu caso. Descubra abaixo qual é o seu yoga.

Independentemente de qual ramo ou tradição do yoga desperta seu interesse, um bom professor sempre ajuda. Procure saber suas qualificações antes de escolher seu professor. Tenha em mente que a atividade do yoga não é tão bem estruturada como as da advocacia ou da contabilidade. Apesar de existir cada vez mais cursos para formação de professores, muitos dos melhores e mais experientes profissionais não têm diploma para ensinar. O que eles têm para oferecer é um profundo conhecimento intuitivo, acumulado durante anos de prática disciplinada. Outro critério é procurar saber qual é a prática pessoal dos potenciais professores. E, como com todo mundo, seu modo de vida pode ser uma medida do nível em que integraram o yoga em sua vida.

No nível físico, os professores fazem comentários importantes a respeito de alinhamento e estimulam a mente dos alunos a estar presente durante a prática. Lembre-se, no entanto, que praticar yoga é mais que adotar a forma de uma rosca – é toda uma filosofia. Uma aula de yoga pode ser um simples conjunto de exercícios físicos ou pode ser temperada com ideias que despertem o interesse dos alunos e os fazem refletir, além de instigá-los a buscar respostas para o mistério da vida. Como a sua jornada de yoga é totalmente pessoal, procure encontrar uma tradição e um professor com os quais você sente afinidade. Eles podem orientar a sua jornada pela vida.

Alguns tipos de yoga priorizam o aspecto mental, e não o físico, da prática.

Descubra qual é o seu Yoga

379

Os Nove Ramos da Árvore do Yoga

Embora muitas pessoas comecem a praticar yoga para adquirir mais flexibilidade ou para livrar-se das dores nas costas, todos os caminhos do yoga almejam alcançar a mesma meta: a união da consciência individual com a consciência universal. Cada indivíduo descobre sua afinidade com um ou outro caminho, dependendo do seu estilo de vida, personalidade e propósitos pessoais. Apresentamos a seguir os ramos, alguns sobrepostos, da árvore do yoga. Sinta-se à vontade para integrar os diferentes aspectos à sua própria maneira.

Bhakti Yoga

Este é um caminho religioso com devoção e serviço a Deus e/ou a um guru (mestre espiritual). Sua prática costuma envolver *kirtan* (sessões de canto). Nele, cultiva-se uma intensa relação direta com o divino. O bhakti yoga é apropriado para as pessoas de natureza emotiva e amorosa.

Hatha Yoga

O hatha yoga tem suas raízes filosóficas no movimento tântrico. Ele usa o corpo como meio de explorar a vida interior. O hatha yoga propõe-se a purificar o corpo e, consequentemente, a mente. Esse propósito é realizado por meio da prática de *asanas* (posturas), *mudras* (selos), *pranayama* (controle da respiração) e *kriyas* (técnicas de limpeza).

A recitação mental de um mantra é do domínio do japa yoga.

O hatha yoga faz uso do movimento para encontrar a quietude interior.

A palavra *hatha*, uma combinação das palavras "sol" (*ha*) e "lua" (*tha*), transmite a ideia de equilíbrio entre influências complementares. O hatha yoga envolve uma combinação de entrega e esforço. O esforço exigido explica por que ele é chamado de yoga da força, no qual a união é alcançada pelo esforço direto, e também por que ele constitui a prática ideal para quem almeja ter boa saúde e aptidão física.

Japa Yoga
(Yoga dos Mantras)

Um mantra é uma sílaba, palavra ou frase que pode ser repetida mentalmente, pronunciada em voz alta ou cantada. O propósito do uso de um mantra é focar a mente e harmonizar o corpo e, no âmbito religioso, ele é direcionado para Deus. O japa yoga é recomendado para as pessoas que desejam se afastar de uma vida ruidosa, pessoas sensíveis a vibrações sonoras e que têm prazer em usar a própria voz.

Jnana Yoga

Esse ramo é também chamado de "yoga do verdadeiro conhecimento". Seus praticantes usam o autoconhecimento, o raciocínio e o debate como meios de alcançar a sabedoria. O jnana yoga é apropriado para as pessoas racionais e analíticas que gostam de filosofia e são naturalmente introspectivas.

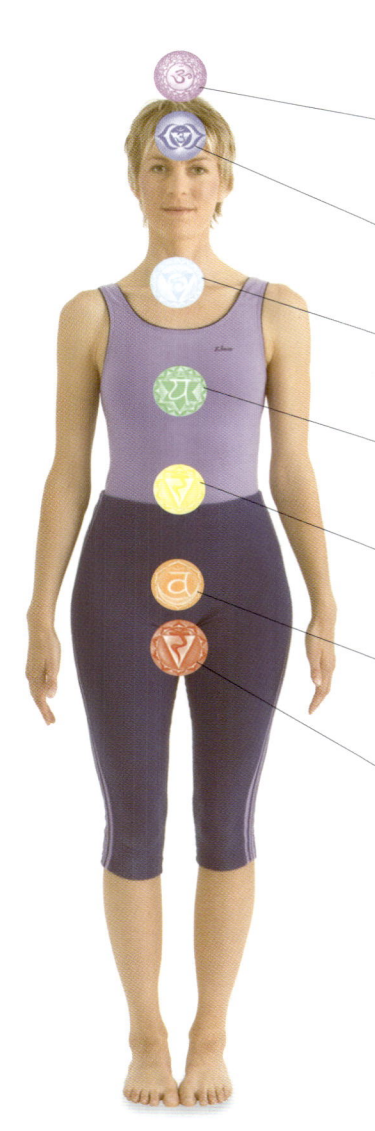

Centro da coroa (*Sahasrara chakra*). Este centro está relacionado com o alcance da iluminação espiritual e a experiência do estado de Bem-Aventurança.

Centro da testa (*Ajna chakra*). Está relacionado com a intuição e a sabedoria.

Centro da garganta (*Visuddha chakra*). Está relacionado com a capacidade de comunicar e expressar a própria verdade.

Centro do coração (*Anahata chakra*). Está relacionado com a capacidade de sentir amor incondicional, como também com a autocura e a satisfação pessoal.

Centro do plexo solar (*Manipura chakra*). Está relacionado com o poder, a vontade e a ação.

Centro do umbigo (*Svadhisthana chakra*). Está relacionado com a criatividade, a sexualidade e a capacidade de se relacionar.

Centro da base (*Muladhara chakra*). Está relacionado com a estabilidade, a sobrevivência e a satisfação das necessidades básicas.

O laya yoga trabalha com os sete centros (chakras) energéticos do corpo astral, localizados da base da coluna até o topo da cabeça. Chakras são "rodas de energia", os centros de força através dos quais recebemos, transmitimos e processamos as energias vitais.

Karma Yoga

Este é o caminho do serviço abnegado. O yoga é de ação, enquanto o serviço é oferecido sem expectativa de recompensa. A ação é dedicada a Deus e o propósito do praticante é abdicar dos resultados de suas ações. Seus seguidores acreditam que todos os atos (sejam eles físicos, verbais ou mentais) têm consequências e devemos ser responsáveis por eles. O karma yoga é recomendado para pessoas ativas que desejam servir à humanidade.

Laya Yoga

Este ramo do yoga envolve práticas especiais que atuam sobre os *chakras* (centros energéticos) para dominar as funções de cada um. Também conhecida como yoga kundalini, essa modalidade pode ser extremamente poderosa e deve ser praticada sob orientação de um professor experiente.

Raja Yoga

Conhecido como o caminho "régio", este yoga desenvolve o controle da mente. Às vezes, é também chamado de yoga clássico. O raja yoga faz uso da vontade e da meditação para melhorar a concentração, obstar os desvios da mente e alcançar a integração.

Tantra Yoga

Em geral, esse yoga é entendido erroneamente no Ocidente, porque as pessoas costumam relacioná-lo com uma espécie de sexo espiritualizado. Na realidade, o sexo é uma parte extremamente secundária de uma corrente do tantra. O tantra yoga pratica a renúncia, o ritual, cerimônias, meditação e o misticismo. O hatha yoga é, na verdade, um ramo do tantra yoga.

O raja yoga busca o autoconhecimento por meio da meditação.

Modalidades mais Conhecidas de Hatha Yoga

Hatha yoga é um termo abrangente usado para designar todas as modalidades de yoga que fazem uso de práticas físicas para alcançar as metas do yoga. Embora qualquer modalidade de yoga centrada na atividade física seja classificada como "hatha yoga", se você frequenta um curso de hatha yoga, ele provavelmente envolve uma forma branda de yoga. Apesar de os cursos de hatha yoga em geral comportarem uma prática de lenta a moderada, o estilo das aulas e o nível de dificuldade variam de professor para professor. Muitos professores de hatha yoga estudaram diversas tradições e acabaram combinando-as cada um à sua própria maneira. Em geral, as aulas de yoga incluem a prática de posturas com ênfase na respiração, relaxamento no final e, possivelmente, um pouco de recitação de mantras ou meditação. Um curso de hatha yoga é uma boa introdução ao yoga e as posturas são facilmente adaptadas a alunos de todos os níveis. Os seguintes são os estilos mais comuns de hatha yoga facilmente encontrados.

O hatha yoga é comumente praticado no Ocidente. Ele concentra-se sobretudo na prática de posturas e de respiração.

Ashtanga Vinyasa Yoga

Se você quer praticar exercícios aeróbicos, transpirar um bocado e obter um corpo delgado e flexível, esta pode ser a modalidade de yoga apropriada para você. É uma forma vigorosa e dinâmica de yoga, que certamente traz benefícios para quem quer adquirir força, flexibilidade, clareza mental e disposição. Essa prática combina respiração e movimento, integrando a Respiração Triunfante (p. 322) a uma vasta série de posturas, todas numa sequência contínua, sendo a maioria delas mantida durante cinco respirações antes de passar para a outra. Ela também faz uso das travas energéticas ou *bandhas* (pp. 338-41) e dos pontos do olhar focado (*drishtis*, p. 328) para concentrar a mente de modo meditativo durante a prática. Por colocar mais ênfase na prática do que na teoria, uma vez que o aluno tenha aprendido a sequência, ele pode se exercitar por conta própria. K. Pattabhi Jois, de Mysore no sul da Índia, contribuiu para tornar o Ashtanga Vinyasa Yoga popular no Ocidente e é reconhecido como autoridade nele.

Ao praticar esta modalidade de yoga, a pessoa fica tão aquecida que percebe um aumento em sua flexibilidade. Por constituir uma sequência fixa, é mais difícil adaptar as posturas para proteger o praticante de possíveis lesões. Em geral, sua prática ajuda muitas pessoas que têm problemas nas costas, mas aquelas propensas a ter problemas nos joelhos precisam tomar cuidado. As exigências das posturas somadas à rigidez dos quadris da maioria dos ocidentais podem colocar os joelhos em risco. Os iniciantes devem começar em um curso apropriado para seu nível ou com uma forma mais branda de yoga.

O ashtanga vinyasa yoga é uma prática vigorosa que exige grande esforço físico.

Iyengar Yoga

Esta modalidade tem uma abordagem muito precisa das posturas de yoga. Num curso de yoga Iyengar, você pode, por exemplo, ouvir o professor mandar "esticar a pele da frente das axilas" ou instruções detalhadas sobre onde colocar o dedo mínimo do pé. Essa atenção aos detalhes e o conhecimento profundo dos mecanismos das posturas indicam ser essa uma escolha excelente para quem está se iniciando na prática de yoga. É a opção apropriada para quem quer melhorar a postura ou para quem tem problemas específicos de saúde.

B. K. S. Iyengar prestou uma grande contribuição ao trazer essa modalidade de yoga para o Ocidente na década de 60, possibilitando que muitos professores a praticassem em uma ou outra oportunidade ao longo de suas carreiras. O Sr. Iyengar, que está com oitenta e tantos anos, continua ensinando yoga em Pune, na Índia. Ele acredita que o corpo tem sua própria inteligência e que, centrando-se no alinhamento físico do corpo, você poderá alcançar uma percepção total e um equilíbrio perfeito da mente e do corpo. Diferentemente do Ashtanga Vinyasa Yoga, no qual a respiração é integrada à prática, o Iyengar yoga leva o foco para a respiração num estágio bem posterior, preferindo esperar até que o aluno tenha alcançado certo nível de familiaridade com os *asanas*. Em geral, as posturas são mantidas por períodos prolongados de tempo. São usados apoios, como cobertores, almofadas de espuma, blocos de madeira e cintos para ajudar a alcançar e manter o alinhamento correto. O uso desses recursos indica que essa modalidade de yoga adapta-se facilmente a diferentes níveis de força, experiência e flexibilidade. Embora as aulas possam ser iniciadas com um breve período de entoação de mantras, não se faz muita meditação nem exercícios respiratórios num curso de Iyengar yoga. Em geral, os professores se concentram mais nos aspectos mecânicos do corpo do que nos emocionais.

O Iyengar yoga atribui grande importância ao alinhamento correto.

Satyananda Yoga

Esta modalidade adota uma abordagem extremamente holística. Seus cursos incluem a prática de *asanas*, *pranayama*, técnicas de limpeza, como também as práticas mais meditativas das modalidades raja, kundalini, jnana e kriya. Como cobre todas as bases, ela atrai a todos, sejam eles motivados pelos aspectos religiosos, intelectuais ou físicos.

O Satyananda yoga estimula o desenvolvimento da consciência do eu. Cada aula propõe uma variedade de posturas, incluindo exercícios de flexibilização com o propósito de aumentar e direcionar o fluxo energetico. Seus cursos incluem as práticas de *pranayama* (exercícios respiratórios), relaxamento profundo (yoga *nidra*) e meditação. É a modalidade apropriada para quem sente atração pelos aspectos espirituais e filosóficos do yoga.

O grupo de pessoas extremamente dedicadas que praticam o yoga Satyananda e transmitem uma energia muito positiva são afortunadas por terem dois gurus vivos. Swami Naranjan foi treinado desde pequeno para dirigir a escola, quando seu fundador, Sawami Satyananda, se retirou para viver a maior parte do tempo em reclusão.

Swami Satyananda criou muitos projetos comunitários, dando aulas de yoga em prisões, escolas e hospitais. Ele foi o primeiro guru indiano a incentivar os ocidentais, especialmente as mulheres, a se tornarem *swamis* (monges hindus). A sede da escola no norte da Índia, a Bihar School of Yoga, é hoje uma universidade reconhecida oficialmente que oferece cursos de graduação.

A ênfase do yoga Satyananda é colocada na espiritualidade e na percepção de si mesmo.

Yoga Kundalini

Esta é uma corrente espiritual do yoga indicada para as pessoas inclinadas para a meditação e que buscam um estado mais elevado da consciência. *Kundalini* é o nome dado à energia que jaz adormecida na base da coluna. Essa modalidade de yoga procura despertar essa energia (comparada a uma serpente adormecida) e libertar a força adormecida em cada um de nós por meio do contato com a essência interior.

O yoga kundalini dispõe de várias séries de práticas específicas. Embora as aulas de kundalini variem de semana para semana, se você tem em mente um propósito específico, seu professor pode recomendar uma série de práticas a ser seguida regularmente em casa por quarenta, noventa ou mais dias.

Enquanto uma série (chamada de *kriya*) pode ter a finalidade de estimular o sistema imunológico, outra é designada para despertar o *chakra* do coração e uma terceira para preparar o praticante para a meditação profunda. Os exercícios de cada *kriya* são recomendados em certa ordem, para uma determinada hora e certo número de dias. Você poderá ter de manter a mesma postura por três minutos, combinando-a com a prática de travas ou *bandhas* e respiração profunda, ou com a Respiração do Fole, o "sopro do fogo". A meditação é em grande medida um propósito do yoga kundalini, que costuma incluir *mudras*, *mantras* e cânticos. Os cânticos podem ser breves, como os mantras *bija*, que são aqueles relacionados aos sons dos *chakras* (sons seminais) ou cânticos religiosos mais prolongados.

O guru do yoga kundalini, o yogue Bhajan, é membro da seita sikn da Índia. Ele mora e ensina no Novo México. Seu objetivo ao vir para o Ocidente não era reunir discípulos, mas simplesmente divulgar os ensinamentos do yoga, no que teve algum êxito, pois hoje existem centros no mundo todo. Os professores da tradição sikn costumam usar turbantes, mas não é necessário ser um sikn para praticar ou ensinar o yoga kundalini.

A yoga Kudalini geralmente usa a Respiração do Fole durante a prática do asana.

Viniyoga

O viniyoga foi desenvolvido pelo falecido Shri. T. Krishnamacharya, o altamente respeitado shri indiano. Krishnamacharya foi um famoso mestre de yoga e professor de B. K. S. Iyengar e de K. Pattabhi Jois, no sul da Índia. No decorrer de sua vida, ele abordou o yoga de diferentes maneiras, das quais Iyengar e Jois extraíram as suas e as transformaram em sistemas. Perto do final de sua vida, ele criou uma abordagem mais suave – o Viniyoga – e foi essa que seu filho, T. K. V. Desikachar, trouxe para os dias de hoje. Desikachar e seu filho, Kausthub, continuam deixando sua base na Índia para ensinar e fazer palestras sobre viniyoga ao redor do mundo.

O viniyoga costuma ser ensinado numa relação a dois e, como tal, tem grande poder terapêutico. Numa aula de viniyoga, o professor avalia o estado atual (físico, mental e emocional) do aluno e prescreve uma prática para ele continuar em casa. Como uma consulta totalmente pessoal, ela é realmente holística e bem adaptada como uma prática para restaurar o equilíbrio em qualquer área. É a prática ideal para quem se encontra numa situação especial ou tem uma meta específica em mente. A prescrição pode incluir uma série de atividades práticas espirituais ou físicas; canto dos Vedas (textos de conhecimentos antigos); ou práticas respiratórias ou meditativas; também podem ser recomendadas atividades fora do domínio do yoga, como tocar um instrumento musical.

No viniyoga, o praticante entra e sai das posturas em movimentos sincronizados com a respiração.

Bikram Yoga

O responsável pelo surgimento dessa versão "suadouro" de yoga em Los Angeles foi a figura excêntrica de Bikram Choudury. Essa prática foi programada para pessoas que não se importam com o calor e as gotas de suor que encharcam suas esteiras. Essa modalidade de yoga é constituída de uma série padronizada de dois exercícios respiratórios e 24 posturas, seguidos de relaxamento, totalmente voltada para resolver problemas comuns de saúde e criada para ser acessível a qualquer iniciante.

Como no Ashtanga Vinyasa Yoga, cada postura prepara o corpo para a seguinte. Nenhum objeto de apoio é usado (além da possibilidade da parede) e nenhuma postura invertida é ensinada. E muito pouco é praticado no sentido de fortalecer a parte superior do corpo.

O ambiente, aquecido a uma temperatura entre 36 e 42 graus, faz com que os alunos eliminem toxinas e alonguem-se como nunca fizeram na vida. Apesar de essa nova onda de yoga entusiasmar muitas pessoas, que consideram a sequência revigorante, a prática de yoga num ambiente de sauna, não é para todo mundo. Enquanto muitos alunos dizem se sentir energizados, muitos outros se sentem abatidos depois de algum tempo no suadouro. O yoga Bikram, cujas escolas levam o nome de Yoga College of India, é mais apropriado para quem busca se preparar para lutar contra as adversidades do que para quem busca a contemplação de um ambiente calmo para meditar.

Por sua sequência fixa, o yoga Bikram pode ser menos aceitável para quem tem problemas específicos de saúde.

Sivananda Yoga

Esta modalidade é a ideal para quem prefere uma combinação de práticas físicas e espirituais. Cada aula inclui um pouco de recitação de mantras e alguns exercícios respiratórios. Em seguida, vem a prática de *asanas*. Cada aula inclui as mesmas doze posturas, cujo propósito é estimular os *chakras*. Cada *chakra* é estimulado com uma postura, começando pelo *chakra* da base (numa postura em pé) e subindo progressivamente até o *chakra* da coroa (na Postura da Cabeça, que nem sempre é apropriada para iniciantes). Sistematicamente, no final de cada aula, há uma sessão de relaxamento.

O yoga Sivananda é uma boa opção para os iniciantes, porque permite que eles se acostumem com a mesma sequência e, com isso, tenham a chance de aprofundar a relação com as posturas envolvidas. Pela mesma razão, ele pode não ser uma boa escolha para quem prefere uma prática mais diversificada. Essa modalidade coloca menos ênfase no alinhamento e mais ênfase na recitação de mantras e na respiração do que muitas outras correntes de hatha yoga.

O grupo Sivananda foi fundado pelo falecido Swami Vishnu Devananda, que foi discípulo do Swami Sivananda (Swami Sivananda foi também o guru do Swami Satyananda). Atualmente dirigido por um grupo constituído em sua maioria de *swamis* ocidentais, ele tem centros e ashrams espalhados pelo mundo que são dirigidos por praticantes que, apesar de serem dos mais diversos níveis de renúncia, seguem rigorosamente os aspectos espirituais do yoga.

Como em cada aula de yoga Sivananda se pratica as mesmas posturas, cada iniciante pode determinar seu próprio ritmo.

Glossário

Adho: Para baixo.

Anguli: Dedos dos pés.

Anjana: Nome da mãe de Hanumat, um poderoso deus macaco hindu.

Ardha: Meio/meia.

Asana: Postura ou posição.

Baddha (1): Fechado, atado.

Baddha (2): Trava ou selo para conter a energia dentro do corpo.

Bharadhvaja: Nome de um sábio.

Bheka: Sapo.

Chandra: Lua.

Corpo-mente: Todos os aspectos do indivíduo – físicos, psicológicos, emocionais e espirituais.

Danda: Bastão ou vara.

Dhanur: Arco.

Dharana: Concentração.

Dhyana: Meditação.

Drishti: Olhar fixo.

Dvi: Dois ou ambos.

Eka: Um/uma.

Gheranda: Um sábio, autor do *Gheranda Samitha*.

Go: Vaca.

Hala: Arado.

Hasta: Mão.

Hatha: Força, o Yoga da Força

Jala (1): Água.

Jala (2): Rede ou cadeia.

Janu: Joelho.

Jathara: Abdômen.

Kapota: Pombo ou pomba.

Karani: Ativo(a).

Kashyapa: Sábio lendário, pai dos deuses e dos demônios.

Kriya: Processo de limpeza e purificação.

Kundalini: Um tipo de energia, análoga a uma serpente enroscada na base da coluna.

Kurma: Tartaruga.

Maha: Grande, poderoso, nobre.

Mala: Coroa ou guirlanda.

Mantra: Repetição de um som ou frase.

Marichi: Nome de um Sábio, filho de Brahma.

Matsya: Peixe.

Mayura: Pavão.

Mudra: Uma postura ou gesto que cria um selo energético no corpo.

Mukha: Boca ou face.

Mula: Raiz.

Nadi: Canais de energia no corpo.

Neti: Limpeza do nariz.

Nidra: Sono.

Niralamba: Desprovido de apoio ou suporte.

Pada: Perna ou pé.

Padma: Lótus.

Parigha: Viga ou barra usada para obstruir uma passagem.

Parivrtta: Virado ou torcido.

Parshva: Lado, lateral.

Pashchima: O Ocidente, as costas.

Patanjali: Filósofo do yoga, autor dos *Yoga-sutras*.

Pinda: Feto, embrião.

Prana: Respiração, vida, vitalidade, vento, energia, força. Também tem a conotação de alma.

Pranayama: Controle ritmado da respiração. O quarto estágio do yoga e o cubo em torno do qual gira a roda do yoga.

Prasarita: Expandido, estirado.

Raja: Senhor ou rei.

Salamba: Provido de apoio ou suporte.

Sama: Igual, idêntico ou simétrico.

Samadhi: O oitavo e último estágio do yoga. Estado no qual há a experiência de felicidade e paz supremas.

Sarvanga: A totalidade do corpo.

Shashanka: Lebre, coelho.

Shava: Cadáver.

Setu bandha: Ponte.

Shirsha: Cabeça.

Shodhana: Purificação, limpeza.

Sukha: Felicidade, deleite, alegria, prazer, conforto.

Supta: Reclinado(ca).

Tada: Montanha.

Tan: Estirar, estencer, alongar.

Tittibha: Vaga-lume.

Trataka: Olhar ou fitar.

Tri: Três.

Ud: Para cima.

Upavishta: Sentado(da).

Urdhva: Erguido, elevado, voltado para cima.

Ushtra: Camelo.

Utthita: Estendido(da).

Vasishtha: Nome de um Yogue.

Viloma: Contrário ao sentido convencional.

Viparita: Inversão, invertida, ao contrário.

Virabhadra: Nome de um grande guerreiro.

Vritti: Modo de ser, condição.

Vrksha: Árvore.

Yoga: Esta palavra é derivada da raiz *Yuj*, que significa juntar, unir, concentrar a atenção em. É um dos seis sistemas da filosofia indiana compilada pelo sábio Patanjali. O principal objetivo do yoga é ensinar os meios pelos quais a alma humana pode se unir totalmente com o Espírito Supremo.

Yoga-sutra: A obra clássica sobre yoga composta pelo sábio indiano Patanjali.

Índice

Ação Invertida (*Viparita Karani*) 280-81
Adhi mudra 335
Águia Garuda, Postura da (*Garudasana*) 80-1
ahimsa 12
Alongamento da Perna para o Alto, Postura do (*Urdhva Prasarita Padasana*) 176-77
Alongamento Frontal, Postura do (*Purvottanasana*) 258-59
Ângulo Fechado, Postura do (*Baddha Konasana*) 134-35
Ângulo Lateral com Rotação, Postura do (*Parivrtta Parshvakonasana*) 82-3
Ângulo Lateral, Postura do (*Parshvakonasana*) 52-3
Ângulo Preenchido, Postura do (*Upavishta Konasana*) 130-31
Anjali Mudra (*Mãos Unidas em Posição de Prece*) 332
Anjaneya, Postura de (*Anjaneyasana*) 248-49
ansiedade 358
aparigraha 13
Arado, Postura do (*Halasana*) 292-93
Arco com toque no Dedão do Pé, Postura do (*Padangustha Dhanurasana*) 270-71
Arco virado para Cima, Postura do (*Urdhva Dhanurasana*) 266-67
Arco, Postura do (*Dhanurasana*) 252-53
artrite 358
Árvore de Cabeça para Baixo, Postura da (*Adho Mukha Vrkshasana*) 304-05
Árvore, Postura da (*Vrkshasana*) 48-9
Asaka mudra 334
asanas 14, 16-7, 354
Ashtanga Vinyasa Yoga 385
asma 358-59
asteya 13
Atmanjali Mudra (Mãos Unidas em Posição de Prece) 332

Balança, Postura da (*Tolasana*) 204-05
bandhas (Travas para reter a energia dentro do corpo), 336-41
Barco, Postura do (*Navasana*) 178-79
Bastão Apoiada Sobre os Quatro Membros, Postura do (*Chaturanga Dandasana*) 160-61
Bastão com Rotação, Postura do e Postura da Extensão das Costas com Rotação para Cima (*Parivrtta Dandasana* e *Utthita Parivrtta Pashchimottanasana*) 186-87
Bastão Voltado para Cima, Postura do (*Urdhva Dandasana*) 301
Bastão, Postura do (*Dandasana*) 104-05
Bhairava Mudra 333
Bhajan, yogue 388
Bhakti Yoga 380
Bihar School of Yoga 387
Bikram Yoga 390
Braço sob uma Perna, Postura do (*Eka Hasta Bhujasana*) 222-23
Brahma mudra 335
brahmacharya 13

Cabeça Além do Joelho C, Postura da (*Janu Shirshasana C*) 150-51
Cabeça Além do Joelho, Postura da (*Janu Shirshasana*) 114-15
Cabeça Além do Joelho com Rotação, Postura da (*Parivrtta Janu Shirshasana*) 116-17
Cabeça com Apoio, Postura da (*Salamba Shirshasana*) 302-03
Cabeça com um Pé, Postura da (*Eka Pada Shirshasana*) 168-69
Cabeça para o Lado, Postura da (*Parshva Shirshasana*) 299
Cabeça, Postura da (*Shirshasana*) 296-98

Cachorro Olhando para Baixo com uma
    Perna Elevada, Postura do (Eka Pada Adho
    Mukha Svanasana) 282-83
Cachorro Olhando para Baixo, Postura do
    (Adho Mukha Shvanasana) 162-63
Cachorro Olhando para Cima, Postura do
    (Urdhva Mukha Shvanasana) 244-45
Cadáver, Postura do (Shavasana) 310-11
Camelo, Postura do (Ushtrasana) 256-57
câncer 359
cansaço (ou fadiga) físico e mental, 308-09,
    354, 360-61
Cara de Vaca, Postura da (Gomukhasana)
    140-41
Cegonha voltada para o Lado, Postura da
    (Parshva Bakasana) 230-31
Cegonha, Postura da (Bakasana) 216-17
Chin mudra 334
Chinmaya mudra 334
cinco invólucros (koshas) 352
Cobra II, Postura da (Bhujangasana II) 240-41
Consideração, Selo da (Vitarka Mudra) 334
corpo-mente 10-1, 17
costas, problemas e dores nas 359, 385
Criança sobre uma Almofada, Postura da
    (Salamba Balasana ou Adho Mukha
    Virasana) 356
Criança, Postura da (Balasana) 100-01
Criança, Postura da (estendida) (Balasana) 102
Crocodilo, Postura do (Nakrasana) 246-47
postura da perna cruzada ver Postura
    Favorável

Dedões de Ambos os Pés, Postura dos
    (Ubhaya Padangushthasana) 126-27
depressão 359-60
desconforto durante a prática 20-1
Desikachar, T. K. V. 8, 389
Devananda, Swami Vishnu 391
dharana 15

dhauti 343
dhyona 15
Dhyani mudra 333
diabetes 360
disco, hérnia de 361
disco, hérnia de 361
dores de cabeça 361
dores de cabeça – tensão 361
drishtis (Focos do Olhar) 328-29
duração/tempo de prática 23

Embrião, postura do (Pindasana) 103
esteira 23
estruturação de uma prática pessoal 24
Exercícios
    para Soltar o Pescoço 36-7
    para soltar os pulsos e os antebraços 38-9
Extensão das Costas com Meio Lótus Atado,
    Postura da (Ardha Baddha Padma
    Pashchimottanasana) 146-47
Extensão das Costas com Três Membros,
    Postura da (Tryanga Mukhaikapada
    Pashchimottanasa) 122-23
Extensão das Costas em Cara de Vaca,
    Postura da (Gomukhasana
    Pashchimottanasana) 142-43
Extensão das Costas em repouso, Postura
    da 313
Extensão das Costas, Postura da
    (Pashchimottanasana) 118-19
Extensão Lateral como um Cisne Sobre uma
    Perna, Postura da (Eka Pada Hamsa
    Parsvottanasana) 76-7
Extensão Lateral, Postura da
    (Parshvottanasana) 74-5
Extensão para o Lado Oeste do Corpo
    (Utthita Parivrtta Paschimottanasana) 187
Extensão sobre os Pés Afastados, Postura da
    (Prasarita Padottanasana) 66-7
Extensão, Postura da (Uttanasana) 68-9

Índice

395

febre 361
Fechamento dos Seis Portões (*Sanmukhi Mudra*) 333
Feto no Útero, Postura do (*Garbha Pindasana*) 156-57
Flexão para Trás Sobre Almofadas Cruzadas (*Salamba Urdhva Mukha Salabhasana*) 356
fortalecimento da autoconfiança 359
fortalecimento imunológico 362
frequência da prática de yoga 20

Gafanhoto, Postura do (*Shalabhasana*) 238-39
Garça em Meio Lótus, Postura da (*Ardha Padma Kraunchasana*) 208-09
Garça, Postura da (*Kraunchasana*) 124-25
Gato, Postura do (*Bidalasana*) 32-3
Grande Trava, A (*Maha Bandha*) 341
gravidez 25, 364-65
Guerreiro Virabhadra 1, Postura do (*Virabhadrasana* I) 60-1
Guerreiro Virabhadra 2, Postura do (*Virabhadrasana* II) 50-1
Guerreiro Virabhadra 3, Postura do (*Virabhadrasana* III) 62-3
Guirlanda sobre uma Perna, Postura da (*Eka Pada Malasana*) 86-7
Guirlanda, Postura da (*Malasana*) 138-39
gunas 10

Hanumat, Postura de (*Hanumanasana*) 166-67
Hatha Yoga 9, 378, 380-81
 modalidades de 384-91
Herói, Postura do (*Virasana*) 120-21
hipertensão 361-62
HIV 361

idosos, yoga para 360
indigestão 362
insônia 362

intensidade da prática 20-2
ishvarapranidhana 14
Iyengar Yoga 386

Japa Yoga (Yoga dos Mantras) 381
jet lag 363
Jñana mudra 334
Jnana Yoga 381-82

Karma Yoga 383
koshas (cinco invólucros) 352
Krishnamacharya, Shri. T. 389
kriyas (práticas de purificação) 342-49
kundalini 340 ver também Yoga Kundalini

Laço, Postura do (*Pashasana*) 202-03
Laya Yoga 382-83
Leão, Postura do (*Simhasana*) 110-11
Limpeza Nasal (*Jala Neti*) 346-47
Lótus Atada, Postura do (*Baddha Padmasana*) 154-55
Lótus Elevado, Postura do (*Urdhva Padmasana*) 290, 300
Lótus, Postura do (*Padmasana*) 152-53
Lua, Postura da (*Shashankasana*) 284-85

Mantras (*Japa*) Yoga 381
Mãos sobre os Pés, Postura das (*Padahastasana*) 70-1
Mãos Unidas em Posição de Prece (*Anjali Mudra*) 332
Meditação Acompanhada de Sons 372-73
Meditação com os Cinco Sentidos no Momento Presente 374-75
Meia Postura do Yogue Matsyendra (*Ardha Matsyendrasana*) 182-83
Meia-Lua com Rotação, Postura da (*Parivrtta Ardha Chandrasana*) 64-5

Meia-Lua, Postura da (*Ardha Chandrasana*) 56-7
Meio Arco Elevada, Postura do (*Utthita Ardha Dhanurasana*) 94-5
Meio Lótus Atado, Postura do (*Ardha Baddha Padmottanasana*) 90-1
menstruação 24, 454, 363
Montanha, Postura da (*Tadasana*) 46-7
mudras (selos) 330-35
mudras de meditação 332-33
Mudras de Pranayama 334-35

Naranjan, Swami 387
niyama 14

oito membros 10, 12-5
Olhar Fixo numa Vela (*Trataka*) 344-45
olhar, focos do (*Drishtis*) 328-29

Patanjali 8, 14
Pattabhi Jois, K. 385
Pavão com a Plumagem Exposta, Postura do (*Pincha Mayurasana*) 306-07
Pavão, Postura do (*Mayurasana*) 234-35
Peixe com as Pernas Elevadas, Postura do (*Uttana Pada Matsyasana*) 210-11
Peixe, Postura do (*Matsyasana*) 262-63
Pêndulo, Postura do (*Lolasana*) 206-07
pernas, congestão das 363
pescoço, dor no 363-64
Pombo Real sobre um Pé, Postura do (*Eka Pada Rajakapotasana*) 276-77
Pombo, Postura do (*Kapotasana*) 274-75
Ponte com Apoio, Postura da (*Salamba Setu Bandhasana*) 260-61
Ponte, Postura da (*Setu Bandhasana*) 264-65

Portão com a perna na Postura do Herói, Postura do (*Vira Parighasana*) 188-89
Portão, Postura do (*Parighasana*) 128-29
Postura da Pressão sobre os Braços (*Bhujapidasana*) 214-15
Postura de um Único Pé Estendido para Cima (*Urdhva Prasarita Eka Padasana*) 72-3
Postura
　Fácil do Yogue Cheranda (*Sukha Gherandasana*) 254-55
　Favorável (com extensão dos dedos dos pés), (*Sukhasana*) 108-09
　Favorável (*Sukhasana*) 106-07
　Favorável com Rotação (*Parivrtta Sukhasana*) 180-81
　Grandiosa (*Utkatasana*) 58-9
　Grandiosa com Rotação (*Parivrtta Utkatasana*) 192-93
　Grandiosa em Lótus (*Padma Utkatasana*) 88-89
　Invertida do Bastão com Dois Apoios (*Dvi Pada Viparita Dandasana*) 268-69
　Lateral do Ângulo Preenchido (*Parshva Upavishta Konasana*) 132-33
　Perfeita (*Siddhasana*) 112-13
　Reclinada do Ângulo Fechado (*Supta Baddha Konasana*) 136-37
　Reclinada do Herói (*Supta Virasana*) 272-73
postura, correção da 364
posturas básicas 27
prana 16
pranayama 15, 314-27
prática
　desconforto durante a 20-1
　estruturação da 24
　frequência da 20
　intensidade da 20-2
preparações para a 23-4
　"limites" da 17, 20
　seguir as instruções da 17-8
　respiração 18-9

práticas de purificação do yoga (*Kriyas*) 342-49
pratyahara 15
Pressão nas Orelhas, Postura da (*Karnapidasana*) 294-95
prisão de ventre 359
professores 378
próstata, dilatação da 360
pulsos e braços, cuidados com os 365
Purificação dos Canais (*Nadi-Shodhana*) 320-21

Raja Yoga 383
rajas 10
Rei dos Dançarinos, Postura do (*Natarajasana*) 96-7
relaxamento 308-13 *ver também* stress
respiração 18-9 *ver também* pranayama
respiração circular 19
   com Zumbido de Abelha (*Bhramari*) 318-19
   Contrária ao Fluxo Natural (*Viloma Pranayama*) 324-25
   Crânio Brilhante (*Kaphala bhati*) 327
   do Fole (ou do Sopro Rápido) (*Bhastrika*) 326-27
   Simétrica (*Sama Vritti Pranayama*) 316-17
   Triunfante (Respiração Expansora da Força Vital) (*Ujjayi Pranayama*) 18-9, 322-23
Retenção, Postura da (*Kumbhakasana*) 158-59
Rotação do Abdômen, Postura da (*Jathara Parivartanasana*) 190-91
Rotação dos Músculos Abdominais (*Nauli*) 348-49

Sábio Ashtavakra, Postura do (*Ashtavakrasana*) 224-25
Sábio Bharadvaja II, Postura do (*Bharadvajasana II*) 194-95
Sábio Bharadvaja, Postura do (*Bharadvajasana*) 184-85

Sábio Galava com uma Perna Erguida, Postura do (*Eka Pada Galavasana*) 228-29
Sábio Kundina, Postura do (*Eka Pada Kaundinyasana*) 232-33
Sábio Marichi A, Postura do (*Marichyasana A*) 144-45
Sábio Marichi B, Postura do (*Marichyasana B*) 148-49
Sábio Marichi C, Postura do (*Marichyasana C*) 198-99
Sábio Marichi D, Postura do (*Marichyasana D*) 200-01
Sábio Matsyendra com a perna em Meio Lótus, Postura do (*Ardha Padma Matsyendrasana*) 196-97
samadhi 14-5
Sanmukhi mudra (Fechamento dos Seis Portões) 333
santosha 14
Sapo, Postura do (*Bhekasana*) 250-51
sattva 10-1
satya 12
Satyananda Yoga 387
saucha 14
Saudação ao Sol A (*Surya Namaskara*) 40-1
Saudação ao Sol B (*Surya Namaskara*) 42-3
Selo, Postura do 155
selos (*mudras*) 330-35
Sequência
   da Postura da Mão no Dedão do Pé (*Hasta Padangusthasana*) 92-3
   da Postura do Ângulo Lateral sem Apoio (*Niralamba Parshvakonasana*) 84-5
   da Postura Reclinada do Dedão do Pé (*Supta Padangushthasana*) 164-65
   do Sol (*Suryasana*) 34-5
Serpente I, Postura da (*Bhujangasana* I) 242-43
sessões rapidinhas de yoga 23
síndrome do túnel do carpo 365

Sivananda Yoga 391
Sono dos Yogues, Postura do (*Yoga Nidrasana*) 172-73
stress 354-57 *ver também* relaxamento
swadhyaya 14

tamas 10
Tantra Yoga 383
tapas 14
Tartaruga e Tartaruga Reclinada, Postura da (*Supta Kurma Asana*) 170-71
técnicas de meditação 366-75
Técnicas de Meditação para Relaxar 369-71
tensão pré-menstrual 364
Todos os Membros com Ângulo Reclinado, Postura de (*Supta Kona Sarvangasana*) 289
Todos os Membros com o Lótus Elevado, Postura de (*Urdhva Padma Sarvangasana*) 290
Todos os Membros com uma Perna Estendida, Postura de (*Eka Pada Sarvangasana*) 288
Todos os Membros Lateral, Postura de (*Parshva Sarvangasana*) 289
Todos os Membros sem Apoio, Postura de (*Niralamba Sarvangasana*) 291
Todos os Membros, Postura de (*Sarvangasana*) 286-87 / sequência da 288-91
Torção do Torso sobre uma Almofada (*Salamba Jathara Parivartanasana*) 357
Trava Ascendente (*Uddyana Bandha*) 338-39

Trava da Garganta *Jalandhara Bandha*) 340-41
Trava da Raiz (*Mula Bandha*) 340
travas para reter a energia dentro do corpo (*bandhas*) 336-41
Triângulo com Rotação, Postura do (*Parivrtta Trikonasana*) 78-9
Triângulo, Postura do (*Trikonasana*) 54-5

Vaga-lume, Postura do (*Tittibhasana*) 226-27
varizes 365
vasti 343
Versão relaxante da Postura da Extensão (*Uttanasana*) 313
Versões Relaxantes da Postura da Extensão das Costas 357 / *Salamba Paschimottanasana* 357
Viniyoga 389
vista cansada 360
Visualização, Técnica de 371-72

yama 12-3
Yoga Kundalini 388
Yoga Source 25
yoga, benefícios do 10-1
Yoga-sutra 8, 10, 12, 14
Yogue Vasishtha, Postura do (*Vasishthasana*) 218-19 / variações 220-21
Yoni Mudra 333
yuj 8-9

Agradecimentos

Dedicatória

Desenvolver a capacidade de estar no momento presente é por si só uma recompensa. Para mim, praticar yoga é recordar quem eu sou. Outra recompensa imediata é a que recebo de meus alunos quando vejo a expressão de reconhecimento em suas faces durante uma aula e constato que eles também captaram a mensagem. Sou grata a eles por isso.

Fui abençoada com muitos professores maravilhosos de todas as partes do mundo. Meus agradecimentos especiais vão para as pessoas que deram suas contribuições no passado mais recente.

Simon Borg Olivier, exemplo vivo de um elevado estado de prana, que me inspira com seu conhecimento, domínio, criatividade e amor por tudo que tem a ver com asanas.

Julie Henderson, por sua combinação de centramento do corpo e budismo, ligou em mim a chave que me abriu para a experiência profunda da dimensão do espaço interior.

Agradeço a Stephen Cottee por lembrar-me de "lembrar de lembrar". Por me ensinar a importância de voltar ao centro, suas meditações aumentaram intensamente a qualidade de minha vida.

Também quero agradecer a Michael Popplewell pelo fato de ter contado com sua amizade em toda a minha vida adulta. Ele é capaz de aplicar sua combinação única de pragmatismo para lidar com os aspectos triviais da vida e uma sabedoria espiritual de maneira que poucos conseguem.

A Bridgewater Books Company gostaria de agradecer a Corbis pela permissão de usar as fotografias reproduzidas nas seguintes páginas: 11/12, 16, 22, 29 e 376.